6 milliards d'Autres

Un projet de Yann Arthus-Bertrand et de l'association GoodPlanet
Réalisé par Sibylle d'Orgeval et Baptiste Rouget-Luchaire

**Éditions
de La Martinière**

ET VOUS, QUE RÉP

Participez au projet 6 milliards d'Autres en répondant au questionnaire

L'interview commence en demandant à la personne de se présenter en donnant son nom, son âge, sa profession, sa situation familiale et sa nationalité.

Quel est votre métier ? L'aimez-vous ?

Que représente la famille pour vous ?

Qu'avez-vous envie de transmettre à vos enfants ?

Qu'avez-vous appris de vos parents ?

Qu'est-ce qu'il est difficile de dire à ses enfants ? à sa famille ?

Quelle est votre plus grande joie ?

Quelle est votre plus grande peur ?

Qu'est-ce qui vous met le plus en colère ?

De quoi rêviez-vous quand vous étiez enfant ?

Quel est votre plus grand rêve aujourd'hui ?

À quoi avez-vous renoncé ?

Êtes-vous heureux ? Qu'est-ce que le bonheur pour vous ?

Qu'aimeriez-vous changer à votre vie ?

Qu'est-ce que l'amour pour vous ? Pensez-vous donner et recevoir assez d'amour ?

Quel a été votre dernier fou rire ?

Quelle fut la dernière fois où vous avez pleuré ? Pourquoi ?

Quelle fut l'épreuve la plus difficile à laquelle vous avez dû faire face dans votre vie ? Qu'en avez-vous appris ?

Avez-vous des ennemis ? Pourquoi ?

Qu'est-ce qui vous met le plus en colère ? Et pourquoi ?

Pour quelle raison seriez-vous prêt à tuer quelqu'un ? Pour quelle raison seriez-vous prêt à donner votre vie ?

ONDRIEZ-VOUS ?

Pardonnez-vous facilement ? Qu'est-ce que vous ne pourriez pas pardonner ?

Vous sentez-vous libre ? Dans votre vie de tous les jours de quoi ne pourriez-vous pas vous passer ?

Aimez-vous votre pays ? Avez-vous déjà eu envie de quitter votre pays ? Pourquoi ?

Qu'est-ce que la nature représente pour vous ?

Avez-vous vu la nature changer depuis votre enfance ? Et que faites-vous pour la préserver ?

Est-ce que vous vivez mieux que vos parents ? Pourquoi ?

Que représente l'argent pour vous ? Pourquoi ?

Qu'est-ce que le progrès pour vous et qu'en attendez-vous ?

Quel est le plus grand ennemi de l'homme ?

Quel est le plus grand ami de l'homme ?

Pourquoi les hommes se font-ils la guerre ? Que peut-on faire pour qu'il y ait moins de guerre ?

Rendez-vous des comptes à un Dieu dans votre vie de tous les jours ?

Que croyez-vous qu'il y ait après la mort ?

Connaissez-vous une prière ? Pouvez-vous me la dire ?

Quel est selon vous le sens de la vie ?

Qu'aimeriez-vous dire ou poser comme questions aux gens qui vont vous regarder ?

Quelle est votre chanson préférée ? Chantez-la...

Que pensez-vous de cette interview, de cet échange ? Quel est selon vous son but ?

Souhaitez-vous ajouter quelque chose pour finir ?

« 6 MILLIARDS

6 reporters / 4 ans de tournage / 75 pays / 5 000 interviews /
de 50 heures de vidéo / La première exposition à Paris, au
thématiques présentés / Plus de 20 heures de film / Internet :

Tout est parti d'une panne d'hélicoptère, un jour, au Mali. En attendant le pilote, j'ai
discuté avec un villageois pendant une journée entière. Il m'a parlé de son quotidien,
de ses espoirs, de ses craintes : sa seule ambition était de nourrir ses enfants. Interrompu
dans mon travail pour un magazine, je plongeais dans les soucis les plus élémentaires.
Et il me regardait droit dans les yeux, sans plainte, sans demande, sans ressentiment.
J'étais parti photographier des paysages, j'ai été captivé par le visage de cet homme,
par ses mots.

Par la suite, en survolant la planète pour réaliser *La Terre vue du ciel*, je me demandais
souvent ce que je pourrais apprendre des hommes et des femmes que j'apercevais en
dessous de moi. Je rêvais de pouvoir entendre leur parole, sentir ce qui nous lie. Car,
vue d'en haut, la Terre apparaît comme une étendue immense à partager. Mais dès que
je me posais au sol, les problèmes commençaient. Je me retrouvais confronté à la rigidité
des administrations de chaque pays, et surtout à la réalité des frontières instaurées par
les hommes, symbole de cette difficulté de vivre ensemble.

Nous vivons une période incroyable. Tout va à une vitesse folle. J'ai soixante ans, et
quand je pense à la façon dont vivaient mes parents, ça me sidère. Nous avons
aujourd'hui à notre disposition des outils de communication extraordinaires : nous
pouvons tout voir et tout savoir, et la masse d'information en circulation n'a jamais été

4

D'AUTRES »...

43 langues / 40 questions / 3 500 heures filmées / Plus Grand Palais, du 10 janvier au 12 février 2009 / 30 films www.goodplanet.org ou www.6milliardsdautres.org

aussi grande. Tout cela est très positif. Pourtant – et c'est là qu'est l'ironie –, nous connaissons toujours aussi peu nos voisins. Aujourd'hui, cependant, la seule démarche possible, c'est d'aller vers l'Autre. Le comprendre. Car dans tous les combats à venir, que ce soit la pauvreté ou les changements climatiques, on ne pourra plus agir seuls. Le temps est révolu où l'on pouvait se permettre de ne penser qu'à soi, qu'à sa communauté restreinte. Désormais, il nous est impossible d'ignorer tout ce qui nous lie et les responsabilités que cela suppose.

Nous sommes plus de six milliards sur Terre, et il n'y aura pas de développement durable si nous ne parvenons pas à vivre ensemble.

C'est pourquoi *6 milliards d'Autres* me tient à cœur. J'y crois parce qu'il concerne chacun d'entre nous, et parce qu'il est une incitation à agir. J'espère que chacun souhaitera à son tour faire ces rencontres, écouter l'Autre, et fera vivre *6 milliards d'Autres* en y ajoutant son témoignage afin d'exprimer le désir de vivre ensemble.

Yann Arthus-Bertrand

L'HUMANITÉ VUE PAR LES HUMAINS

Comme tous les êtres vivants sexués, les humains vivent et meurent. Seul leur ensemble, l'humanité, est capable de survivre. Les générations qui se succèdent ne se contentent pas de lutter contre l'usure du temps en transmettant la dotation génétique collective ; elles utilisent la durée, qui leur est si chichement comptée, pour enrichir le trésor d'interrogations et de compréhensions, d'émotions et de révoltes, de créations et d'émerveillements, accumulé depuis des millénaires et disséminé aujourd'hui entre les six milliards de membres actuels de notre espèce.

Cette humanité, nous avons été capables de la construire, de la développer, grâce à quelques malfaçons de la nature ; des mutations, fruits du hasard, nous ont dotés d'un cerveau hypertrophié qui nous a permis de mettre au point un langage d'une subtilité sans égale. Les mots et les regards font de nos rencontres un événement créateur qui fait apparaître un Nous synthétique infiniment plus riche de performances que le Tu et le Je isolés. En reconnaissant en l'autre celui qui m'aide à être plus que moi-même, j'échappe au destin préprogrammé que le cosmos impose à chacun de ses éléments. Œuvre des humains, l'humanité est devenue la matrice de chacun d'eux ; c'est par elle qu'ils se métamorphosent en personnes.

Ces autres qui sont nos sources, en voici quelques-uns ; ils acceptent de nous regarder droit dans les yeux, de nous dire l'essentiel de leur être. Chacun apparaît riche de son histoire personnelle faite de rencontres. Mais il est plus riche encore, sans le savoir, de tous les liens que ses pensées ont tissés avec les pensées des autres, qu'ils soient contemporains ou plus anciens. Il ne les a pas toujours formulées, elles ont cependant, en mille occasions, pénétré en lui et ont apporté tous les matériaux et tous les secrets de la réalisation de cet être unique, lui, aboutissement provisoire d'un arbre généalogique qui s'étend à la totalité des humains. En l'écoutant, en le regardant, je comprends que le cheminement de sa vie aurait pu s'entrelacer avec mon propre cheminement.

Eux et moi avons une obsession commune : l'avenir. Cet avenir qui n'existe pas, mais dont nous, les humains, avons imaginé qu'il existera, ils voudraient tous, comme moi, l'apprivoiser. Le passé est définitif ; le présent nous fuit, seul l'avenir dépend de nous ; sachons en faire une aurore.

Albert Jacquard

Hazel

Vit en Turquie

Quand j'étais petite, je voulais passer sous un arc-en-ciel, [...] en espérant devenir femme le plus vite possible.

Présentation / Je suis née en 1975 à Istanbul, j'ai trente et un ans, je suis Verseau, ma famille est de Erzincan, je suis alévie, je suis diplômée de lycée, je vis avec ma famille. Dans le contexte de la Turquie et d'une ville cosmopolite comme Istanbul, je peux dire que je suis la seule transsexuelle qui vit avec sa famille et qui ne se prostitue pas. J'ai fait le choix d'être avec ma famille.___Mon prénom est Hazel. Comme tout le monde, j'ai des plans pour l'avenir : mon but est d'être femme, de vivre comme une femme ; sans doute ne serai-je jamais mère, car je ne pourrai pas accoucher, je n'ai pas ce luxe ; je ne pourrais que donner de l'amour et des petits cadeaux aux enfants de mes amies, pour satisfaire mon désir d'être mère.

Souvenir / J'étudiais au lycée, mes notes étaient bonnes, je n'ai jamais séché l'école de toute ma vie, j'y suis toujours allée. Mais à cause de ma situation, mes professeurs m'ont dit : « Imagine un grand panier d'oranges ; elles sont toutes très fraîches, sauf une qui est pourrie ; cette orange-là, c'est toi. Et toi tu dois partir. » Je n'oublierai jamais... ils m'ont expulsée de l'école. Ma vie scolaire s'est éteinte, mais je n'ai pas baissé les bras, j'ai passé les examens par correspondance. J'ai terminé le lycée. Mais ça a été comme un coup de couteau qui m'a blessée à vie.___Mon modèle de comportement sexuel a été repéré par ma famille lorsque j'avais trois ans. On m'a aussitôt emmené chez un psychiatre et chez un urologue. Ce problème est réapparu pendant mes années d'école, même feu mon professeur avait dit à ma mère : « Madame, votre enfant est différent, il faudrait le montrer à quelqu'un. » Mon cas ne s'est pas résolu, il a continué jusqu'à ce jour et je suis devenue la personne que je suis. Je suis une femme emprisonnée dans un corps d'homme.

Rêves d'enfant / Quand j'avais six ou sept ans, je faisais des rêves de robes de mariée, je mettais un ballon sous mes habits et je simulais un accouchement normal, sans césarienne. Je prenais les cristaux du lustre, je me faisais des boucles d'oreilles, je volais les serviettes hygiéniques de ma sœur, je versais de la peinture dessus comme si je pouvais avoir des règles. Je suis une personne très rêveuse. C'est peut-être ces rêves qui m'ont amenée jusqu'ici.___Quand j'étais petite, je voulais passer sous un arc-en-ciel : en Turquie, il y a une sorte de croyance qui dit que quiconque passe sous arc-en-ciel devient une femme si c'est un homme, et *vice versa*. Après chaque pluie, j'attendais l'apparition d'un arc-en-ciel, je commençais à courir comme une folle, en espérant devenir femme le plus vite possible.

Famille / J'aimerais fonder ma propre famille : moi, mon copain et notre enfant. La famille est pour moi une institution très spéciale que je respecte énormément, mais j'ai mis un veto sur ma propre famille.___Pourquoi est-ce important pour moi de fonder ma propre famille ? Parce que ce serait ma famille. Dans la famille d'où je viens, j'aimais beaucoup mon père, qui est mort aujourd'hui, et ma mère aussi, mais je n'ai pas pu vivre mon enfance : il y avait de la violence, des disputes, de l'alcool – à cause de cela je ne bois pas. Aujourd'hui, l'important c'est Ma famille, qui m'appartient à moi, à Hazel. Je suis toujours restée en retrait de ma famille d'origine.

Identité / En ce moment je porte une carte d'identité bleue. Dans les standards de la Turquie, officiellement je suis un homme et je dis toujours que je suis le plus courageux. Le plus courageux c'est moi parce que je porte encore la carte d'identité bleue, mais je me promène habillée en femme, c'est vraiment une attitude radicale. Il faut être homme en Turquie : en Turquie tu es soit bleu soit rose, tu supportes soit Fenerbahçe, soit Galatasaray, tu es soit blanc soit noir ; il n'y a jamais de juste milieu, nous vivons dans un pays avec beaucoup de problèmes. Dieu soit loué ! ce n'est pas l'Iran, mais j'ai beaucoup souffert. Si je fais des crises de panique, c'est à cause de la Turquie. Je peux dire ceci : selon moi, la Turquie est un paradis d'homosexuels, car aucun homme jusqu'à ce jour ne m'a refusée. Quand un homme me préfère à une « femme », il est en réalité tout comme moi un homosexuel de nature. En Turquie, les homosexuels sont « transsexualisés », car c'est un pays très manichéen : tu es soit femme soit homme, tu es obligé de choisir. Moi je suis une transsexuelle d'origine homosexuelle.

Amour / Les hommes en Turquie ne savent pas ce qu'est l'amour, ils ne comprennent rien à l'esprit féminin. Je ne parle pas seulement pour moi-même, j'ai beaucoup d'amies mariées qui me le répètent : « En Turquie, la femme, ça veut dire le sexe, en Turquie, le sexe, ça veut dire la copulation. » C'est faux ! Pour moi, la sensualité, c'est l'harmonie des peaux, un regard... C'est une sérénade !

Femme / Je peux dire que je suis plus femme qu'une femme. Il m'est impossible de me comporter comme une vraie femme ! Notre type de comportement est plus féminin que celui d'une femme, peut-être un peu exagéré ; nous avons souvent beaucoup d'attentes, que ce soit pour l'amour ou pour la compréhension des gens ; nous sommes très susceptibles, très sentimentales. Je trouve les hommes mal dans leur peau. Je n'ai jamais aimé les femmes ! Je ne les aime pas du tout ! Ce sont mes premières ennemies. Je n'aime pas les femmes, je le dis partout. Je suis La femme, ici, c'est tout !

Épreuve/Identité / Être transsexuelle en Turquie est toute une histoire en soi : à chaque fois que j'ai mis une jupe j'ai vécu une dépression. Moi, cette Hazel qui a vu des hivers si rudes, je ne me suis pas avouée vaincue. Il y a eu des jours où j'ai coulé comme le *Titanic*, mais j'ai refait surface parce qu'il n'y a pas d'autre Hazel, il n'y a pas d'autre Hazel !

Femme/Identité / D'un côté je me sens comme une femme, mais mon corps est celui d'un homme, je sens en moi cette contradiction. La dernière fois que quelqu'un m'a jugée, je lui ai demandé : « Vous, la dernière fois que vous êtes allée aux toilettes, vous êtes-vous demandé si vous alliez uriner debout ou assise ? Est-ce que vous vivez ça ? Moi je le vis ! » J'ai dit cela et la femme m'a donné raison.

Discrimination / Pas de discrimination ? Cela n'arrivera jamais, c'est un rêve, c'est virtuel, ça n'arrivera jamais en Turquie. Je n'ai pas seulement vécu des problèmes à cause de mes choix sexuels, mais aussi à cause de mon identité culturelle, parce que les alévis ne sont pas très appréciés dans ce pays.___J'ai aussi été beaucoup insultée à cause de mon caractère. Parce que les gens stupides n'ont pas de problème psycho-névrotique, ils ne peuvent pas réfléchir. Moi, j'ai un QI de 120, je ne parviens pas à trouver l'équilibre.___Imaginez-vous que l'autre jour je croise un grand frère, quelqu'un que je connais, il me pose immédiatement des questions sur le sexe. Je lui dis : « Hazel ne veut pas dire "sexe" ! Parle-moi du monde ! Parle-moi d'Atatürk, du Bosphore, des poissons, de tout ! Mais qu'on ne parle pas de sexe ! Ça suffit, je n'en peux plus ! »

Sens de la vie / J'ai envie de répondre à cette question avec une chanson : « J'étais comme des vagues puis je me suis calmé, j'ai couru après toi et ensuite je me suis fatigué, j'ai aimé des milliers de belles mais, en dernier, je t'ai aimé toi. »

Sarah

Alain

Lofti

Zuoqi

Mário

Mohammed

QUELS SONT VOS RÊVES D'ENFANT ?

Zuoqi / *Vit au Yunnan, Chine*
Il y a un rêve que j'ai depuis tout petit, un rêve très profond, ce serait d'avoir un pouvoir particulier qui me permette d'être quelqu'un comme Superman ! Et encore aujourd'hui j'ai ce rêve !

Alain / *Vit en France*
Quand on était môme, j'avais des copains. Et chez les parents de ces copains-là, il y avait un grenier, il y avait un lit, et on passait des après-midi entières dans le grenier avec un vieil atlas de géographie. On avait transformé le vieux lit qu'il y avait là en avion, et donc on s'embarquait tous sur le lit, et avec l'atlas de géographie, on partait. On partait en Amérique du Sud, on survolait l'Amazonie, on allait au Canada, on s'inventait des histoires en survolant le monde, tout en restant dans le grenier.

Màrio / *Vit au Portugal*
Mon rêve, c'était d'être pilote. Pourquoi ? Je ne sais pas. Être dans l'air, vivre dans l'air, être pilote. Peut-être est-ce pour cette raison que je suis chauffeur de taxi. J'ai l'habitude de dire en plaisantant que je suis aux commandes de mon avion, et que je dois prendre soin de mes passagers. Seulement, ça, c'était mon rêve d'enfant.

Mohammed / *Vit au Pakistan*
Mon professeur – son nom était Hashmat Ullah Khan, du lycée numéro 1 de Gilgit – a demandé à tous les étudiants : « Qu'est-ce que vous voulez devenir ? » Certains ont dit docteur, d'autres autre chose. Je me souviens que j'ai dit que je voulais devenir le père de la nation.

Lofti / *Vit en Tunisie*
Quand tu demandes aux jeunes ce qu'ils rêvent de devenir, l'un rêve d'être médecin, l'autre ingénieur, un autre pilote, alors que nous, à un moment, nous avons laissé ces rêves personnels de côté et avons commencé à penser à l'intérêt général.

Sarah / *Vit à Tel-Aviv, Israël*
À l'âge de treize ou quatorze ans, je suis allée voir mes parents et je leur ai dit : « Je veux changer le monde. » Et quand j'ai dit que je voulais changer le monde, je pensais à la politique, à rentrer dans la politique. Et il me semble que, depuis, j'ai préservé cela, ce désir d'apporter un changement, de changer le monde.

Mon rêve, c'était d'être pilote. Peut-être est-ce pour cette raison que je suis chauffeur de taxi !

Bekkram / *Vit en Tchétchénie*
À quoi peut bien rêver un enfant dans une ville en ruines ? Sans doute déjà, à l'époque, je rêvais à la renaissance de notre ville. Je me souviens comment, avant la première guerre, nous allions avec mes parents à chaque arbre de Noël et dans les parcs. On ne ratait pas une fontaine qui venait de s'ouvrir dans la ville. Tout ça, je m'en souviens. Bien sûr, après cette guerre, tout cela m'a beaucoup manqué et je me suis mis à rêver de cette vie d'avant la guerre.

Kunping / *Vit au Yunnan, Chine*
Mon rêve quand j'étais enfant, c'était de faire la guerre. Parce que dans tous les bons films chinois, on voyait la guerre.

Leni / *Vit dans l'Ohio, États-Unis*
Je voulais être un soldat. Ma famille a servi ce pays quand on nous voyait comme des nègres, avec toutes les mauvaises choses qu'ont subies les Afro-Américains. Ma famille a connu l'esclavage, mais elle a toujours servi ce pays. Ma famille, en particulier pendant et après l'esclavagisme, pendant la période de «Jim Crow», pensait qu'il était important que l'on participe à la vie de ce pays pour qu'ensuite on ne puisse pas dire qu'on n'avait rien fait. Donc c'était toujours important pour nous. C'est la raison pour laquelle je voulais devenir soldat, ce que je suis devenu.

Mohamed / *Vit au Mali*
Tout ce à quoi j'ai rêvé, j'ai pu le réaliser. J'ai possédé un sabre, un couteau à main, le sac en peau qui fait la fierté d'un homme, le grand boubou à la mode de l'époque, le turban indigo, et au moment où je te parle, je possède toujours le sabre, le sac et le couteau à main.

Gloria Julia / *Vit à Buenos Aires, Argentine*
Quand j'étais enfant je rêvais d'une chose incroyable qui est devenue réalité, c'était de danser. J'ai toujours rêvé de danser, de danser sur une scène, avec les lumières, le public... C'est merveilleux pour moi, car j'ai pu réaliser ce rêve. J'ai soixante ans et je continue à monter sur scène et à danser. Et ça me rend vraiment heureuse !

Clément / *Vit au Bénin*
Quand j'étais jeune mon premier objectif était d'avoir un champ. Si une femme apprend que tu as suffisamment à manger, elle va venir pour se marier. Si elle se marie avec toi, Dieu va te donner quelque chose, l'enfant, la vie, c'est ce que nos ancêtres nous ont dit. Si tu ne travailles pas, la femme ne viendra pas. C'est la nourriture qu'elle voit qui la fait venir. Dieu te donnera alors les animaux, le mouton, le cabri, les œufs et les enfants. Si tu ne fais pas ça, tu n'auras rien.

Tout ce à quoi j'ai rêvé, j'ai pu le réaliser.

Leni

Clément

Lekkram

Kunping

Gloria Julia

Mohamed

Pesikaka

Shanta Kumar

Gustav

Stanje

Fahimeh

Pesikaka / *Vit au Tamil Nadu, Inde*
C'est le même rêve que toutes les femmes ont : se marier et avoir des enfants. Je voulais avoir mille garçons, ainsi on pourrait avoir notre propre équipe de cricket ! C'était une sorte de chose fantastique, quand je repense à ça ! Parce que, vous savez, Bombay est la maison du cricket, et c'était quelque chose.

Fahimeh / *Vit en Iran*
Un de mes rêves était de devenir un garçon, parce que les garçons avaient plus de liberté. Ils pouvaient jouer et sauter. À nous, les filles, on nous disait qu'on ne devait pas sauter car notre virginité allait tomber… Je ne comprenais pas comment un truc de fille pouvait tomber et pourquoi je ne pouvais pas sauter. Je voyais mes frères, tranquilles : toutes ces choses qu'on fait aux toilettes, les garçons pouvaient le faire librement dans notre village, alors que nous, on devait trouver des toilettes. La fille doit toujours plus se protéger, parfois on nous disait de dire *Houlou* (le mot « pêche ») pour que notre bouche se referme, pour qu'elle ne soit pas trop ouverte, on n'avait pas le droit de regarder dans l'œil des gens, pas le droit de rire à voix haute…

Stanje / *Vit aux Pays-Bas*
Il y a une histoire qui circule et je vais te la raconter parce que c'est assez drôle, surtout aujourd'hui : à Amsterdam on a beaucoup de prostituées qui travaillent derrière les vitrines. Elles sont vraiment très belles et, toute la journée, elles jouent aux belles. Alors, quand j'étais

petite, la première question que j'ai posée à ma mère, ce fut : « Qui sont ces femmes et qu'est-ce qu'elles font ? » Ma mère m'a dit : « Ce sont les femmes qui gardent l'amour de la ville. » C'est une façon très noble de décrire le métier de prostituée. Et j'ai demandé : « Qu'est-ce qu'elles font là-bas ? – Elles donnent des câlins à des gens solitaires et elles reçoivent de l'argent pour ça. » Et moi j'ai dit : « C'est pour ça qu'elles sont habillées avec de jolies robes ? » Ma mère m'a répondu : « Oui, c'est pour ça qu'elles ont de jolies robes. » Je me suis dit : « Moi aussi, je veux faire ça. Moi aussi je veux devenir ça, être habillée avec de jolies robes et faire des câlins à des hommes. »

Gustav / *Vit en Suède*
Quand j'étais petit, je rêvais de devenir « chauffeur de tronçonneuse » et chauffeur de tracteur, c'était ce que je pouvais imaginer de plus cool. J'avais une tronçonneuse en carton, et je me promenais dans la maison en tronçonnant tout. J'ai aussi entrevu la possibilité de devenir charpentier. Mais le plus bizarre, dans tout cela, c'est que je suis totalement maladroit de mes mains, j'ai cassé presque tout ce que j'ai acheté chez Ikea.

Shanta Kumar / *Vit au Népal*
Quand j'étais petit, à l'école – à cette époque ma mère vivait encore –, à l'heure du déjeuner tous mes copains allaient manger leur repas, et moi, le jour où l'avion arrivait, j'allais m'allonger dans la cour pour l'observer. Et là je me demandais comment il pouvait bien

voler, alors j'allais chercher des livres avec des images d'avion et je me disais qu'un jour je piloterais ce genre d'appareil. Et puis il y avait aussi les voitures qui parfois venaient ; elles aussi je les regardais, et je me demandais comment elles pouvaient fonctionner. Quand il y en avait une qui s'arrêtait, je m'approchais pour mieux l'observer, et je me disais que moi aussi je les conduirais. C'était vraiment ma grande ambition. Malheureusement, à cause de la mort de ma mère, je n'ai pas pu avoir une bonne éducation.

Hun / *Vit au Cambodge*
Quand j'étais enfant je voulais faire des études, rien d'autre.

Vassili / *Vit en Sibérie, Russie*
Mon rêve d'enfant, c'était d'aller voir comment c'était à l'étranger, parce que je suis né en Sibérie et que l'été, chez nous, est très court. J'aurais voulu aller là où il faisait très chaud, quelque part en Afrique, par exemple. Quand je lisais des contes, j'étais transporté chez eux. J'étais attiré par les endroits où il n'y avait pas d'hiver. L'hiver est très long en Sibérie, la saison froide dure presque six mois, l'été, c'est simplement deux ou trois mois ; c'est pour cela que je rêvais d'endroits chauds. Mon rêve ne s'est pas réalisé.

Putali / *Vit au Népal*
J'aurais bien aimé aller à l'étranger. Ici, on ne vit que pour manger, et le temps passe comme cela. Au fond de moi, bien sûr que j'avais ce rêve, mais personne n'est venu jusqu'ici pour m'emmener, c'est tout.

Lucie / *Vit en France*
Quand j'avais huit ou neuf ans on m'a offert un globe terrestre. C'était un globe terrestre qui faisait lampe de chevet. J'étais fascinée par cet objet ; quand je voyais ces pays, j'avais l'impression d'y être. Et il y en avait un en particulier : moi ici, au bout du continent, en France, et de l'autre côté Vladivostok, en Russie. Je me disais : « Tiens, quand je serai grande, j'irai en Russie, à Vladivostok. » Ça m'est resté tout le temps, tout le temps, tout le temps, jusqu'au jour où j'y suis allée. J'avais alors vingt-six ou vingt-sept ans, j'avais été envoyée pour travailler dans le Caucase, en Tchétchénie. Et, avec mon mari, un jour de congé, on a pris le Transsibérien ; on est allé jusqu'à Irkoutsk, sur les traces de Michel Strogoff. Je me suis dit : « Voilà, maintenant, ou je descends, et je vais en Ouzbékistan, ou je vais à Vladivostok. » Puis j'ai pensé : « Lucie, ne sois pas idiote, profite de l'expérience des autres, tu sais très bien qu'aller sur le lieu d'un rêve, c'est finalement anéantir ce rêve, c'est être déçu. Il vaut mieux garder un rêve. » Surtout que Vladivostok, je sais bien que ce n'est pas une super-ville. Donc, j'ai décidé de laisser tomber, de ne pas aller à Vladivostok ; j'ai préféré garder mon rêve d'enfant. De toute façon, je l'avais réalisé à moitié, donc c'est comme si je l'avais fait.

Hun

Lucie

Vassili

Putali

Mark

Vit à Moscou, Russie

Il y avait quatre agents du KGB qui ne nous quittaient jamais.

Présentation / Je suis Mark. J'ai vingt-six ans. Je suis marié. Je suis né dans le village d'Oust-Nera, en Yakoutie... Je travaille comme correspondant à la télévision.

Souvenir / Nous habitions avec ma mère dans la ville de Kirjatch, dans la région de Vladimir, pendant que notre père était en prison. C'était plutôt un village de maisonnettes avec des jardins, des potagers, des vaches chez nos voisins...__J'étais tout petit, mais je me souviens de deux maisons voisines. Avec les habitants de ces deux maisons, ma mère et moi avions de très bonnes relations. Pour tous les autres, nous étions les « ennemis du peuple » [non communistes].__D'ailleurs, c'est très étonnant pour un village russe, parce que maintenant que je voyage beaucoup à travers la Russie, je dois dire que la plupart des gens se fichent royalement des étiquettes ! L'essentiel, pour eux, c'est qui tu es en réalité. Mais, à l'époque, c'étaient les abus du pouvoir soviétique : les gens avaient très peur, et afin de ne pas salir leur réputation par des relations avec des gens « déloyaux », ils préféraient ne pas nous parler.__Il n'y avait que les vieilles femmes de ces deux maisons qui nous aimaient beaucoup et nous aidaient. Ensuite, mon père est rentré : c'était en 1984. Il était médecin, il voulait trouver du travail dans ce domaine. Dans le village où nous habitions, il n'a pas pu exercer son métier, toujours pour cette même raison qu'il était l'« ennemi du peuple ».__Il a trouvé du travail dans un village à 40 kilomètres du nôtre. Il s'est acheté une moto et tous les matins il partait au travail et parfois il m'emmenait avec lui. En fait, les gens se moquent de savoir si le médecin est « ennemis du peuple » ou non. L'essentiel est qu'il soigne bien ! C'est pour cela qu'on l'aimait bien, et on m'aimait aussi.__Ce sont mes souvenirs les plus marquants quand j'allais avec mon père visiter les malades.__L'un de mes souvenirs d'enfance très marquants – je crois que pour les étrangers, c'est quelque chose de curieux –, c'est une suite interminable de voitures qui nous suivaient en permanence. Dans chaque voiture, il y avait quatre agents du KGB qui ne nous quittaient jamais.

Il y avait même un jeu familial : *se débarrasser de la suiveuse*... On nous suivait tout le temps, et mes parents cachaient dans mes langes la littérature interdite, comme Soljenitsyne, par exemple.

Amour / L'amour est quelque chose de merveilleux, parce que le plus souvent tu ne sais pas d'où te vient l'amour que tu portes à une personne que tu ne connais pas du tout. Une personne apparaît et tout d'un coup tu l'aimes. Mais quand tu deviens père, dans ton âme, ce n'est pas tellement de l'amour que tu ressens, c'est plutôt un sentiment de responsabilité, et peut-être une certaine peur, pour tes enfants. Souvent cette peur est sans fondement, tu comprends tout de suite que tu vas les protéger de tous les ennuis et de tous les malheurs qui n'existent pas, mais qui pourraient survenir. Cependant, tu es déjà à bout de nerfs, tu es inquiet, voilà le mot juste : l'inquiétude, presque la panique.

Donner sa vie / Naturellement je suis toujours prêt à donner ma vie pour ma femme et ma fille. C'est ce qu'il y a de plus important dans ma vie. Sans elles je ne peux imaginer ma vie.

Travail / Il arrive qu'un journaliste soit obligé de mettre de côté sa caméra, de jeter son micro et d'aller retirer quelqu'un d'une voiture en flammes. J'exagère, bien sûr, mais c'est une contradiction qui peut littéralement déchirer l'homme. D'un côté, tu veux filmer, et de l'autre côté il faut aider – et je crois qu'il est plus juste d'aider. Mais ce n'est pas un conflit, c'est en fait une autre histoire...

Liberté / À mon avis, la chose la plus horrible dans notre pays en ce qui concerne la liberté de la presse, ce n'est même pas la censure, qui bien sûr existe, mais c'est l'autocensure. Quand un homme veut dire quelque chose mais a des raisons de s'inquiéter pour lui-même : « Et ceci, il vaut mieux que je ne le dise pas. Et cela, il vaut mieux que je le dise autrement... »

Changer son pays / Le régime dans notre pays est difficile à caractériser. Si c'est une démocratie, elle est certainement contrôlée. Il me semble qu'il y a un grand danger que notre régime politique aille vers la dictature, et c'est très triste. D'un autre côté, je ne peux pas citer un régime politique qui me plaise. De même pour la politique : je crois qu'en faisant de la politique on ne peut pas rester intègre et honnête.

Le plus triste, c'est que la majorité se satisfait de la dictature.

Avenir de son pays / Le plus triste, c'est que la majorité se satisfait de la dictature. Je suis sûr que dans les quelques années à venir, en Russie, la majorité vivra bien mieux dans la vie quotidienne : on élèvera les salaires, on bâtira des hôpitaux... Mais il y aura une minorité dont la vie va empirer.

Épreuve / Il est difficile de déterminer l'épreuve la plus marquante...___C'est la Tchétchénie et le Caucase du Nord ; j'y suis déjà allé huit fois. J'aime bien cette terre, et les gens y sont extraordinaires. Comparés aux Russes ou à ceux qui habitent en Russie, les Tchétchènes ont ma faveur.___Parce que là, tard dans la nuit, dans un petit village éloigné, on peut frapper à la porte, on va te donner à manger et à boire, on va te donner un lit, et s'ils ne le font pas c'est une honte pour eux. En revanche, si on s'éloigne de Moscou d'une centaine de kilomètres et si on frappe à une porte, au mieux ce sera un homme ivre qui t'ouvrira, avec un fusil à la main ! Il t'engueulera. C'est inquiétant, parce que les gens d'une grande richesse intérieure sont voués à une existence misérable et risquent en permanence leur vie.

Progrès / Il y a vingt ans, mes parents, qui avaient beaucoup d'amis à l'étranger, communiquaient avec eux. Et un étranger a raconté à mes parents qu'on avait inventé le fax, qui consiste à mettre un papier dans une boîte et, dans un autre pays, dans une autre boîte sort ce même papier. Et il a dit que c'était un moyen de communiquer. Mes parents ne l'ont pas cru !

Message / C'est un rêve pour beaucoup de dire quelque chose aux gens de la planète. Je souhaite que les gens n'oublient pas le sens de l'humour. Un homme triste est un handicapé moral. Plus on est joyeux et mieux c'est !

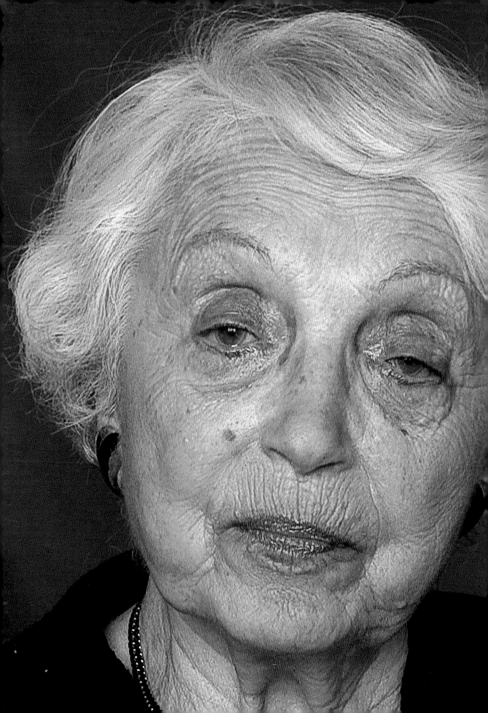

Moussia

Vit à Tel-Aviv, Israël

« Je t'aime parce que tu es ma fille, mais je ne t'ai pas voulue. »

Présentation / Mon nom est Moussia, j'ai quatre-vingt... quatre-vingt-six ans. Je suis née en Russie, mais j'ai passé ma jeunesse en France. Mariée, deux enfants. En 1960, nous sommes partis en Israël sur une décision brutale prise en une demi-heure, afin de trouver, surtout moi, un sol sur lequel on puisse être bien.___Si vous me demandez quelque chose de personnel : j'ai une foi indestructible en la vie !

Appris de ses parents / J'ai eu une enfance très malheureuse, très solitaire. Si je devais me définir, je dirais que je suis une solitaire, et toute ma force vient de là : en cas de malheur, je n'entraîne personne.___Mais avec mes parents, mon enfance a été très dure : j'ai été une enfant rejetée. Je m'étais donc juré, étant petite, de ne faire subir à personne ce que j'ai subi.___Ce serment a été le moteur de ma vie, mon bâton de pèlerin...

Souvenir / Le moment le plus difficile... il remonte à l'âge de cinq ans. Nous venions de la Russie en pleine révolution. Nous avions abouti à Paris. Je ne connaissais pas mes parents.___Mon père et ma mère étaient médecins. Or, ils avaient été envoyés l'un au Caucase, l'autre en Sibérie. J'ai été élevée par mes grands-parents et j'ai connu le paradis sur terre jusqu'à cinq ans.___En arrivant à Paris avec mes parents, je ne connaissais pas la langue. J'ai donc appris deux ou trois mots. Je disais : « Monsieur Papa, Madame Maman. » Papa et Maman sonnaient pour moi comme des prénoms...___Un jour, en sortant avec maman, je me souviens, c'était rue Réaumur, je lui demande : « Maman, pourquoi tu ne m'aimes pas ? » Ma mère m'a répondu : « Je t'aime parce que tu es ma fille, mais je ne t'ai pas voulue. » Devant cette révélation, devant le courage de cette femme, j'ai compris que c'était fini : j'étais construite pour la vie. Je savais quelle était ma place. Je savais que c'était vrai. ___Par la suite, je n'ai manqué ni de respect ni d'attention pour mes parents, mais il n'y a jamais eu de lien entre nous : j'étais libre, totalement libre. Elle m'avait dit la vérité.

Famille / La famille est une création. On ne reçoit pas. On crée avec douleur. On crée avec joie. Mais surtout on crée sans rancune...___Mon fils est né pendant la guerre et je l'ai voulu ainsi. Dans ces circonstances où l'on niait la vie, il fallait que je donne la vie, pour croire encore en la vie. Malgré tout, malgré la guerre... nous étions étudiants, démunis de tout... il me fallait un enfant !

Transmettre / J'ai transmis à mes enfants d'abord de savoir regarder autour d'eux. Et de ne pas mentir : non pas parce que ce n'est pas moral, mais parce que c'est tellement compliqué de mentir ! Il faut se souvenir de tant choses et, en fin de compte, on se fout dedans !___Deuxièmement, ne pas envier : je l'ai appliqué par différents jeux... Dans l'envie, on se perd, on ne sait plus qui on est ; on ne sait plus ce qu'on veut.___Ensuite ne pas être pleutre, ne pas faire de mal à autrui. Aller droit, quoi qu'il arrive. C'est peut-être un peu mon fond russe... ? « C'est la destinée ! C'est écrit ! »... Je ne sais pas.

Travail / J'ai manqué de temps pour exercer mes métiers ! Je voulais être « médecin pour enfants ». Mais il y a eu la guerre... Je suis juive ; d'où interdiction d'études, interdiction de tout, interdiction de vie. Malgré tout, pour avoir un diplôme, j'ai fait des études de lettres à la Sorbonne.___Pendant la guerre, en Suisse, j'ai fait le travail des camps : nettoyer les chiottes, servir à manger, s'occuper des enfants, etc. Ensuite, à Genève, j'ai suivi les cours de psychologie de Piaget. Là, j'ai pu réaliser un de mes rêves les plus profonds : être en contact avec des enfants et ranimer une petite flamme en eux. En France, je ne pouvais plus étudier. Il fallait choisir, en ce temps-là : les études d'ingénieur de mon mari ou les miennes...

Amoureux / Je vais essayer d'être brève !___Nous étions tous deux réfugiés. Mon mari avait accompli l'exploit de traverser l'Allemagne et la Pologne. Moi, après la prison, je suis passée de France en Suisse par Saint-Julien, dans la montagne... Allez ne pas croire au destin ! Sous la même pluie, pratiquement à la même heure, mon mari passait d'Allemagne en Suisse et moi de France en Suisse ! Et un mois après, à la même heure, nous nous rencontrions dans un camp. À la même heure, le même jour, sous la même pluie...___Il m'a raconté ses projets de recherche, de création d'un centre... À vingt et un ans, il avait tout perdu, et tout d'un coup, à vingt-cinq ans, quelque chose de féminin apparaissait dans son horizon... En fait, nous étions de bons copains qui faisions ensemble les sales boulots. Et voilà qu'un jour je partage avec lui une sardine qui aurait dû me durer trois jours. Je me dis : « Pourquoi lui ? Pourquoi partager cette sardine avec lui ? » J'ai compris que je l'aimais...___Alors, je lui ai donné rendez-vous à tel endroit... je me suis armée de courage et lui ai dit : « Tu sais, je t'aime. » Là-dessus, vous savez ce qu'il m'a répondu ?...___« Quelle catastrophe ! »___Je me suis évanouie. Et voilà ! La suite au prochain numéro !___Ça fait plus de soixante-cinq ans que nous sommes mariés !

Violence / Pour moi, la violence, c'est l'échec de notre civilisation.___Je crois de toute mon âme qu'il y a quelque chose de... de divin dans l'être humain ! Cela peut paraître ridicule pour une incroyante, mais, parfois, on peut saisir dans le regard cette étincelle, cette révélation.___Plusieurs fois, j'ai été confrontée à des nazis pendant ma fuite. Je disais : « Écoutez... » L'homme était seul, je lui mettais mes yeux dans les yeux : « Écoutez, je suis juive. Faites de moi ce que vous voulez. » Le type était anéanti et je passais. Cela ne s'est pas produit une ou deux fois, mais très souvent ; mes yeux n'émettent pourtant pas des rayons ultraviolets qui font fondre l'esprit de l'autre. La première chose que je regarde dans l'être, ce sont les yeux, parce qu'ils ne mentent pas. On peut sourire, faire des grimaces, se gonfler... L'œil, c'est l'indicateur ; et là, j'y vais à fond.

Pardonner / Toute la gamme des souffrances, je l'ai vécue...___Par exemple, ma sœur de dix ans ma cadette, a été très perturbée par la guerre.___Je ne la comprends pas. Malgré les efforts de mon mari pour se rapprocher d'elle... elle oscille entre l'amour et la haine. Des instants d'amour prennent parfois le dessus, mais ils sont enrobés d'une haine terrifiante. Sans doute parce que notre mère lui a manqué...___Je crois comprendre sa souffrance... Bon ! Mais elle m'a fait souffrir terriblement, méchamment, consciemment. Notre dernière entrevue s'est passée au tribunal où elle m'accusait de l'avoir spoliée, d'avoir ouvert un coffre-fort...! une invention qui donnait matière à sa haine...___Je me disais : si elle est ainsi, c'est qu'elle a très mal... et je cherchais le mal. J'ai fait des tentatives, en lui disant : « C'est trop bête, la vie va se terminer... » Elle m'a répondu qu'elle ne voulait plus entendre parler de moi...___Ne pas pardonner ? Il n'y a rien à pardonner. Un drame horrible se passe chez cet être. Pardonner quoi ? Je préfère passer mon chemin. Mais la douleur reste. Maintes fois, je me suis analysée et fait analyser...___Mais si aujourd'hui elle frappait à ma porte ou me téléphonait, ah ! mon Dieu, comme je la recevrais ! Même aux nazis, je n'ai pas à pardonner. C'est trop immense, trop incompréhensible... Qui suis-je pour te juger, pour dire : « Je te pardonne » ? C'est ridicule... ridicule...

Bonheur / Le bonheur, franchement, je ne sais pas ce que c'est. Je le vois comme à travers un miroir : je suis heureuse des miens, de ceux que j'ai aidés, mais il y a en moi un carcan impossible à percer.___Je n'ai pas vécu de périodes heureuses. Seulement des moments... La venue au monde de mes enfants, par exemple. Cependant, je n'étais pas une mère folle, comme on dit, une « mère polonaise ». Je leur ai donné la plus grande liberté... Je voulais qu'ils soient solides, modestes, généreux.___Je n'ai pas eu de périodes heureuses, parce que le passé est trop douloureux. Comment dirais-je ?... Le grand, le terrible problème, c'est : pourquoi les aimés sont-ils partis ? Pourquoi suis-je encore là ? On ne peut pas vivre un bonheur total... La preuve en est que quand mon mari me dit qu'il est heureux, il fait une tête effrayante... Oui, je suis heureuse, parce qu'on nous réservait une mort horrible et que nos enfants s'épanouissent.

Peur / Ma plus grande peur ? Je n'ai pas peur tant que je peux faire face. J'ai vu la peur, j'ai vu la mort et je n'ai pas peur... Si ! J'ai peur d'être estropiée, d'être à la charge des autres...___Mais la mort, je pactise avec elle... Les images de la mort me mettent en colère : cette carcasse humaine avec la faux qui tranche...___Mais non ! la mort est bonne ; elle est douce ; elle est vraie ; elle est le révélateur de ce que nous avons été... Regardez les visages des morts : ils sont lisses, paisibles. Enfin, ils ne souffrent plus ! Pourquoi les montrer de façon horrible ? La mort, non, je n'en ai pas peur.

Rêves actuels / C'est de continuer... Je sais que la vie va s'arrêter... demain... après-demain... Mais je n'ai pas peur. C'est déjà extraordinaire, à quatre-vingt-six ans, de rester actifs, mon mari et moi.___Désormais, on est au balcon. On sourit, malgré les maux ; on regarde notre descendance : ils sont bons, modestes, comme nous les voulions. Que demander de plus ?

J'en ai vu de toutes les couleurs dans ma vie, mais j'ai toujours regardé au-delà.

Pleurer / Je pleure souvent en cachette, chaque fois que notre fils et ses enfants retournent en Amérique. Mais ce sont des pleurs intérieurs, des pleurs voilés que l'on ne montre pas.___Quand notre fils est parti à la guerre, on a fait de grands sourires et, par la fenêtre, un grand «Au revoir». On n'a pas pleuré.

Appris de la vie / J'ai tout appris de mes enfants. Par exemple, comment on peut faire d'une vie une catastrophe... Comment on peut – c'est la mode – faire de l'argent... mais ils sont bien misérables, ces millionnaires !___J'ai appris à me contenter de ce que j'ai, sans envier autrui : sincèrement, je me réjouis du luxe de mes voisins...___Un jour, à Paris, il y a soixante ans, je suis entrée chez Cartier : «C'est merveilleux ce que vous avez ! Est-ce que vous me permettez de regarder ? Je ne peux rien acheter, juste regarder...» Alors, le bijoutier m'a montré des pièces précieuses extraordinaires. Je suis sortie joyeuse, riche de tout ce que j'avais vu sans pouvoir le posséder.

Difficile à dire / On peut tout dire. On peut tout se dire, même s'il y a des choses douloureuses, s'il y a des choses pas très belles, s'il y a des choses incompréhensibles... J'en ai vu de toutes les couleurs dans ma vie, mais j'ai toujours regardé au-delà, il y a toujours quelque chose à faire, il y a toujours quelque chose à améliorer. Surtout ne pas juger. Tâcher de comprendre l'autre.___Avec le temps il se révèle tant de choses, avec le temps on apprend tant de choses que si l'on s'accroche à ces petits jugements, à ces petitesses, à ces revendications, mon Dieu que de vie gâchée ! Passez, passez mes enfants, vous me comprenez, vous avez eu mal, on vous a laissés, on vous a trompés, bon, passez, passez, cherchez le meilleur. Il y a toujours quelque chose à faire. Et on l'a prouvé.

Sens de la vie / Le sens de la vie ? Et bien, toute ma vie ! Pour aujourd'hui : finir sans être un poids. Garder ma dignité et être respectée.___C'est ça, le sens de ma vie : rester digne. Me dire : « Bon, j'ai fait des conneries, mais ce n'était pas si terrible... » Et, finalement, j'en ris.___Mon mari aurait dû recevoir des sommes énormes des Allemands... On a dit : non ! L'argent ne peut pas racheter les atrocités. Tirer profit de ce que nos familles ont fini au four crématoire ? Ah non !___Je n'accuse pas les autres : nous les avons même aidés à obtenir des réparations. Mais ça me semble incompréhensible de les avoir acceptées.

Message / D'abord : « Regardez-vous mutuellement. Regardez-vous dans les yeux. Non pas : il est blanc, il est noir ; il est beau, il est laid ; il est grand, il est petit ; il est bossu... Regardez-vous dans les yeux profondément. Vous trouverez une réponse à vous-même et à l'autre. »

Parole / Il y a dix ans, je ne parlais jamais de moi. Jamais. C'était bouclé à double tour. Et puis, je me suis rendu compte combien peu de gens connaissaient le passé. J'ai pensé que c'était un devoir envers les disparus et j'ai écrit un livre qu'on traduit en hébreu. Il faut transmettre afin qu'ils ne soient pas partis pour rien.___La parole est précieuse ; en revanche, le silence est dangereux. Dans la vie personnelle, dans la vie de couple et avec les enfants. Certains vont dire : « Elle nous barbe, la bonne femme ! »___Pourtant c'est la vérité : *tant qu'on parle des morts, ils restent vivants.*

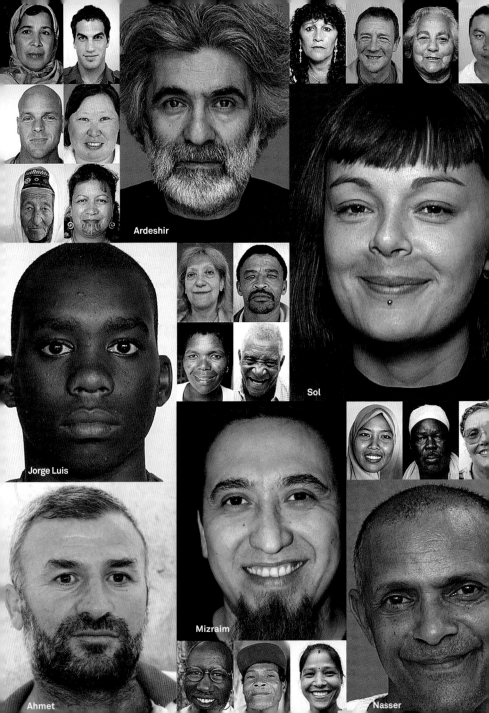

Ardeshir

Sol

Jorge Luis

Mizraim

Ahmet

Nasser

QUEL EST VOTRE PREMIER SOUVENIR ?

Mizraim / *Vit au Mexique*
Je me souviens d'un lit, et je me souviens d'être dans les bras de ma mère ; je ne me souviens pas très bien de son visage, mais je me souviens très bien de son corps, de sa poitrine, de ses bras, de la couleur blanche de sa peau, de son odeur : je m'en souviens très bien. Je crois que c'est le premier souvenir que j'ai du monde, je crois que oui. Ma mère.

Sol / *Vit en Espagne*
Je me souviens d'un jour où mon père m'avait grondée, je ne me rappelle pas pourquoi, et je suis allée à la cuisine pour le raconter au chien. Et je me souviens d'être assise par terre, le chien entre mes bras, et je lui racontais ce qui m'était arrivé avec mon père. Et je sentais vraiment que le chien m'écoutait, et il s'occupait de moi, et quand j'ai fini de lui raconter, voilà, je n'avais plus aucun problème.

Jorge Luis / *Vit à Cuba*
Mon plus beau souvenir, laisse-moi réfléchir... Ah oui ! En primaire, le premier petit bisou que j'ai donné en primaire. J'ai passé environ deux heures à convaincre la gamine. J'avais neuf ou dix ans. Je lui disais : « Allez, ma belle, un petit bisou, allez ! » Alors elle m'a donné un tout petit bisou, et je suis parti chez moi rempli d'une telle joie ! Oh mon Dieu ! Je suis rentré chez moi avec une joie et je me disais : « Wow ! un petit bisou ! » Voilà un moment super-joyeux.

Ardeshir / *Vit en Italie*
Le souvenir qui me vient à l'esprit, c'était dans un bain turc : j'étais un petit enfant entouré par plein de femmes nues qui me tournaient autour avec des odeurs différentes. J'avais deux ou trois ans.

Nasser / *Vit en Afrique du Sud*
Je me souviens de quelque chose : j'avais l'habitude d'enlever tous mes habits et de les donner. Et de revenir à la maison nu. Je devais avoir deux ans.

Le premier petit bisou que j'ai donné en primaire.

Ahmet / *Vit en Turquie*
Moi j'arrivais toujours en retard à l'école parce que j'élevais des animaux. Tous les matins, je disais au prof : « C'est à cause des animaux. » Un jour, j'ai frappé à la porte, il n'y avait personne dans la salle. Sachant que je serais en retard, le prof avait voulu me faire une blague et avait dit aux autres élèves de se cacher dans la classe voisine pour me faire croire que j'arrivais le premier. Je suis entré, il n'y avait personne. Je me suis assis sur une chaise, et tout à coup j'ai vu entrer la classe entière derrière le prof, et ils m'applaudissaient pour avoir été le premier.

Jasper / *Vit aux Pays-Bas*
Je pense qu'un des premiers souvenirs
que j'ai… c'est quand j'ai commencé
à sécher l'école maternelle. Je n'aimais
pas du tout l'école. Déjà à l'époque,
je trouvais ça nul, et j'ai toujours trouvé
ça nul. J'ai commencé à sécher les cours
quand j'avais quatre ou cinq ans. Est-ce
seulement possible ? Ça, c'est un des
premiers souvenirs que j'ai vraiment.
Déjà je cherchais la liberté, je ne voulais
pas être rangé dans une case.

Ruihe / *Vit à Shanghai, Chine*
Mon premier souvenir remonte à l'âge
de quatre ou cinq ans, lorsque mon père
m'apprenait à écrire et à dessiner. Après
chaque journée de travail, il me racontait
ce qu'il avait fait dans la journée par des
dessins, c'est à partir de ce moment-là
que j'ai commencé à aimer la peinture.

Octav / *Vit en Roumanie*
Je me souviens assez bien du moment
où j'ai commencé à écrire un journal.
J'ai vu mon grand-père qui écrivait un
journal le soir, alors je me suis mis dans
une petite voiture à pédales et j'ai
commencé moi aussi mon journal. J'ai
écrit : « Il est midi… » ; et puis je ne savais
plus quoi écrire. Alors ma grand-mère
m'a appelé pour déjeuner, je me suis
senti soulagé parce que je ne savais plus
quoi écrire dans ce journal.

Ramashani / *Vit en Tanzanie*
Une fois, à la chasse avec mon chien, j'ai
rencontré un léopard. J'ai pris mon arc
et j'ai visé entre ses yeux, le léopard est
tombé de l'arbre. J'ai appelé l'un de mes
grands-pères, et je lui ai demandé

quel type d'animal c'était là, et mon
grand-père a dit : « Toi, l'enfant, reste
loin de cet animal, il est dangereux ! »

Mamadou / *Vit au Mali*
Ce qui s'est passé quand nous étions
enfants ? Les gens cultivaient les champs,
jusqu'au moment de la récolte où des
criquets ont tout ravagé. Ce ne sont pas
des événements qui se sont passés
dernièrement. C'était pendant notre
enfance, on n'avait pas plus de huit ou
neuf ans. Tu as compris que nous étions
jeunes ? Donc cela, on ne peut jamais
l'oublier, quelque chose qui t'a privé de
nourriture, tu ne peux l'oublier.

Bibi Fida / *Vit au Pakistan*
Mon père était en Chine pendant cinq
ou six ans. Pendant ce temps, pour aider
ma mère, je travaillais très dur. Chaque
jour, quand je cuisinais, je mettais
de la farine de côté pour le jour où nous
n'aurions plus de pain. Je disais alors
à ma mère qu'il y avait une réserve.
Ma mère était très heureuse. Je travaillais
très dur pour rivaliser avec les autres.
Je pensais qu'en travaillant dur, nous
deviendrions riches.

Mohammed / *Vit au Pakistan*
De mon enfance, il y a une chose
que je n'ai pas oubliée ; quand j'étais
très jeune, ma mère est morte. Je me
souviens quand ma mère était en train
de mourir. Elle m'a pris dans ses bras
puis elle m'a dit : « Oh Dieu je n'ai pas
peur de la mort, mais j'ai peur qu'une
belle-mère prenne ma place et te frappe. »
C'est de ça que je me souviens. Elle est
morte en me prenant dans ses bras.

Mamadou

Jasper

Bibi Fida

Ramashani

Mohammed

Octav

Ruihe

Mian

Ereman

José Bertrand

Pierre-André

Carlos

Arvo

Mian / *Vit en France*
Ma mère n'a jamais été très « câlin »,
je pense que c'est même très fréquent
chez les Chinois dans la relation
parents/enfants. On ne se dit jamais
« je t'aime », ou « je pense à toi ». Alors
des câlins… là, il n'y en a jamais.
Je me rappelle quand j'étais petite,
je me disais : « J'ai envie d'être malade. »
Parce que quand j'étais malade, maman
était très très gentille, elle me racontait
des histoires et me faisait des câlins.

José Bertrand / *Vit en Espagne*
Mon premier souvenir quand j'étais
petit, c'est la première raclée que mon
père m'a collée parce que j'avais des
« tendances homosexuelles ». Il m'avait
offert un cheval en carton que j'avais
échangé contre une poupée…
Ce souvenir-là, je ne l'oublierai jamais.

Carlos / *Vit en Bolivie*
Quand j'avais quatre ans, je vivais dans
un endroit éloigné de la ville ; il n'y avait
presque pas de véhicules qui passaient
par là. Un jour, j'ai vu une camionnette.
À l'intérieur il y avait un petit garçon
blond ; il m'a tiré la langue ; je devais
avoir trois ou quatre ans… il m'a tiré la
langue et moi je suis resté à le regarder,
très surpris. Et je me suis mis à
réfléchir : « Pourquoi est-ce qu'il me tire
la langue ? Est-ce que c'est parce que j'ai
des vêtements sales ? Est-ce que c'est
parce que j'ai la peau brune et que lui est
blond ? Je ne sais pas pourquoi il m'a
tiré la langue ! » Je n'ai jamais pu oublier
cette scène de mon enfance.

Ereman / *Vit en Papouasie-Nouvelle-Guinée*
Je me souviens du jour où j'ai vu des
hommes blancs pour la première fois,
c'étaient des Australiens. J'étais un peu
effrayé, vraiment ! Ils avaient l'air
tellement différents ! Mais après j'ai
compris qu'ils étaient comme nous.
Aujourd'hui, je rigole quand je pense
que j'avais peur des Australiens.

Pierre-André / *Vit en France*
Mon plus ancien souvenir de vie, il est
absolument horrible. C'est une fusillade
dans un tram pendant la guerre, j'avais
à peine quatre ans. Et j'ai compris
ce qu'était la mort à ce moment-là. Une
jeune fille m'avait parlé. Juste après j'ai
entendu des coups de fusil, et elle est
tombée juste à côté de moi. Une balle lui
avait traversé la tempe. Et j'ai vraiment
compris ce qu'était la violence, à quatre
ans à peine. C'est un mauvais démarrage
dans la vie, ça.

Arvo / *Vit en Finlande*
J'avais trois ans et demi quand la guerre
a commencé, en mars 1939, c'est mon
premier souvenir d'enfance. On m'a
assis sur un traîneau tiré par un cheval.
Tourné vers l'arrière, j'ai vu qu'on
incendiait nos maisons, on a fait
quelques kilomètres jusqu'à la gare
ferroviaire où on devait partir avec le
train. C'était une nuit froide et étoilée.
Le long du mur de la gare étaient
regroupés des corps de soldats, et c'est
là que j'ai vu pour la première fois des
humains morts, des soldats morts,
je voyais leurs visages gelés. C'est cela
qui m'a rendu pacifiste.

Salah / *Vit en Égypte*
J'avais environ six ans. Dès qu'on a pu descendre jouer dans la rue ou au club, on jouait à la guerre, aux soldats et aux voleurs. Notre génération a été élevée dans les souvenirs de la guerre de 1973. Ça nous a beaucoup influencés.

Cris / *Vit en Roumanie*
Ma mère m'avait dit que c'était la cigogne qui amenait les bébés. Moi je souhaitais un frère ou quelque chose de plus petit que j'aurais torturé, évidemment. L'idée d'avoir un compagnon était assez bizarre. Parce que je sentais le besoin que l'attention de mes parents soit canalisée vers quelqu'un d'autre, je souhaitais un petit frère ou une petite sœur. Et quand j'ai su que c'était « la faute de la cigogne », je suis allé au bord d'un lac et j'ai parlé à la cigogne. À ce moment ma mère m'a surpris, et elle a exaucé ma demande, la cigogne est arrivée.

Bing / *Vit en Chine*
Quand j'avais cinq ans, je me souviens, un midi, mon père rentrait à la maison avec le tracteur, et il y avait une équipe de contrôleurs de natalité à la maison, ils voulaient enlever l'enfant de ma mère enceinte. J'étais très en colère, ils n'avaient pas à faire ça. Il y avait une dizaine de contrôleurs qui voulaient l'emmener de force.

Hans / *Vit dans l'Ohio, États-Unis*
Quand mon petit frère est né, je me rappelle mon père revenant de l'hôpital et débarquant dans la pièce. Il m'a soulevé au-dessus de sa tête et m'a dit :

« Tu as un petit frère ! » Il était tellement heureux ! C'est vraiment un souvenir très physique d'être soulevé.

Maria / *Vit à Moscou, Russie*
Un de mes premiers souvenirs d'enfance, c'est quand mon père me portait sur ses épaules. Je porte une robe avec des marguerites, je suis toute petite, sur ma tête j'ai un chapeau blanc ridicule. Il n'y a rien de concret, juste la sensation des épaules de mon père, que je domine tout le monde et que mon père est très fier de moi.

Romina / *Vit à Buenos Aires, Argentine*
Oui, je me souviens que les vendredis et les samedis je dormais chez mes grands-parents, parce que je le voulais, j'aimais ça. Ma grand-mère me réveillait avec un café au lait. Un café au lait bien mousseux, je n'en ai plus jamais dégusté un comme le sien. Tu sais, quand quelqu'un fait quelque chose et que personne ne peut le refaire pareil. C'est ce que j'aime le plus de mon enfance. Le samedi matin, boire le café au lait au lit, avec mon grand-père, parce que je dormais avec mon grand-père, on envoyait ma grand-mère dormir dans le salon. Et ma grand-mère arrivait tous les matins avec son café au lait, et mon grand-père, assis à mes côtés, lisait son journal. Et le goût de ce café au lait, c'est, je ne sais pas…

Salah

Romina

ing

Maria

Cris

Hans

Nukhbat

Vit au Pakistan

Si l'on apprend que je vis seule, on me demande où est ma famille et pourquoi je vis seule.[...] Dans notre société, ce sujet est tabou.

Présentation / Je m'appelle Nukhbat, je suis pakistanaise. J'habite à Lahore. J'y suis née, j'y ai grandi, j'y ai fait toutes mes études et aujourd'hui j'y travaille.

Travail / Le travail, il faut que je le dise très clairement, c'est mon premier amour. Je ne peux pas vivre sans mon travail. Sinon je ne suis pas libre... C'est mon principal facteur de survie.___Quand j'allais à l'école, et même plus tard à l'université, je n'aurais jamais pensé que je réussirais, que j'aurais un métier et que je serais une femme indépendante. Ça vient sûrement des valeurs de ma famille et du fait que mon père n'a jamais aimé les femmes actives.___Il les a toujours maltraitées et n'a jamais laissé ma mère travailler.___Quand j'ai terminé ma formation, un jour, ma mère est venue me voir et m'a dit : « Ton père ne travaille pas. C'est à nous de subvenir aux besoins de la famille. Puisque tu es l'aînée, cherche du travail ! »___Mais, à l'époque, j'étais l'archétype de la fille timide. Je ne connaissais rien du monde extérieur. Rien. J'étais tellement renfermée que je rentrais directement de l'université à la maison. Je n'avais pas d'amis, pas même mes cousins lors des réunions de famille. Je restais cloîtrée entre quatre murs.___Même lorsque j'ai commencé à travailler, j'étais très loin de penser que je deviendrais journaliste, que je travaillerais pour une chaîne de télévision, que je ferais de la photographie, des documentaires, et que je voyagerais beaucoup. Jamais je n'avais imaginé cela.

Premier souvenir / Mon premier souvenir... c'est la première fois que mon père m'a giflée. C'est quelque chose que l'on n'oublie pas.

Violence / J'ai trois frères cadets, je suis la seule fille. Les gens d'ici croient que lorsqu'on est la seule fille, vos parents vous aiment et vous protègent d'autant plus. Ce n'était pas le cas.___Mon père me battait, même quand je suis devenue étudiante. J'étais déjà une jeune femme et il me frappait toujours. Il m'asseyait sur une chaise, m'attachait les mains derrière le dos et me giflait. Comme j'avais des cheveux assez longs, il m'attrapait par les cheveux et me jetait d'un bout à l'autre de la maison, parfois même dans la rue.___Sa brutalité m'isolait, me tuait de l'intérieur, en quelque sorte. J'étais incapable de développer ma personnalité, je ne parvenais pas à sourire, à être heureuse, je ne savais pas ce qu'était le bonheur.___J'étais toujours très très déprimée et agressive. Cette agressivité, je la gardais en moi, je ne la montrais à personne. En revanche, une fois seule à la maison, j'avais tendance à me faire mal toute seule, à m'automutiler et à pleurer beaucoup. Mais jamais devant quelqu'un, pas même devant ma mère.___J'ai du sang qui coule dans mes veines, j'ai un cerveau pour penser, une langue pour m'exprimer, un cœur qui bat. Et pourtant je me posais toujours la même question, et je la posais à Dieu : « Est-ce que je suis une personne vivante ? » Je veux dire que, quand mon père me battait, il ne me considérait pas comme un être vivant, il me traitait comme un jouet. Tout ce qu'il voulait, c'était me maltraiter. Il m'a toujours maltraitée.___Comme je n'avais aucune réponse, j'ai fini par me couper, juste pour voir s'il y avait du sang dans mes veines et si je ressentais de la douleur.___Voilà ce que la violence a provoqué en moi.

Réussir sa vie / J'ai quitté la maison.___Quand je me suis retrouvée dans le bureau d'un conseiller juridique en présence de mes parents, ma mère m'a demandé : « Es-tu bien sûre de vouloir vivre seule ? » Elle savait que j'étais vraiment toute seule. Je n'avais personne pour m'aider. Pas d'amis, personne. Je n'avais ni argent ni travail. Je n'avais même pas de manteau. Mes seuls vêtements, je les portais sur moi. Je n'avais que mes papiers et mes diplômes.___Devant mon visage fermé et mon air obstiné, elle pleurait en disant : « Mais comment est-ce que tu vas t'en sortir ? » À l'époque je n'avais aucune expérience et il m'était impossible de me projeter dans l'avenir, je ne voyais rien. Et pourtant, malgré ce trouble, je lui ai répondu très solennellement que oui, j'allais vivre seule, me débrouiller seule, étudier, travailler et mener ma propre vie.___Quand j'y repense, c'était incroyable, même si je suis reconnaissante envers Allah. Parce que ma vie repose sur deux croyances très très fortes : la foi en Allah et la confiance en moi.

Tradition / Dans presque tous les foyers, un membre de la famille cherche à vous détruire. C'est tantôt le père, tantôt le frère, tantôt la mère... Mais la nouvelle génération ne l'accepte plus. Elle essaie de protester, mais la société refuse cette rébellion.___Mon père n'avait jamais imaginé que son unique fille lui échapperait. Je n'ai pourtant rien fait d'autre que de lui annoncer ma décision de ne pas vivre sous le même toit que lui, de quitter son toit à cause de son comportement.___Mais, dans notre société, ce sujet est tabou. Si l'on apprend que je vis seule, on me demande où est ma famille et pourquoi je vis seule. Les gens ne comprennent pas que j'aie quitté la maison à cause des altercations avec mon père, à cause de sa façon d'être, de la façon dont il traitait ma mère, de la façon dont il me traitait et traitait mes frères. C'est quelque chose que j'ai fini par ne plus accepter.

Tabous / À l'époque, mon père disait : «Elle a quitté la maison parce qu'elle avait une liaison. Elle voulait se marier, elle voulait être libre. Si elle avait été seule, elle n'aurait pas pu partir. Elle n'en aurait pas eu le courage. Sûrement pas !» C'est ce que pensait mon père, mais aussi, je le crois sincèrement, ce que pensent 90 % des gens dans notre société. Dans cette société, les gens n'acceptent pas l'idée qu'une femme se prenne en main et décide de vivre seule.

Heureux / Quand je regarde en arrière, je me rends compte que j'ai connu plein de moments heureux dans ma vie. Ces moments se sont passés après avoir quitté ma famille. Je n'ai aucun bon souvenir du temps où j'habitais avec les miens. Je ne savais pas ce qu'était le bonheur.___Mais quand j'ai commencé à vivre seule, à être indépendante, quand j'ai réussi pour la première fois quelque chose dans ma vie... là j'ai été heureuse ! J'ai été reçue à l'école de cinéma. Ça a été très difficile, le niveau était très élevé. L'examen était très dur, beaucoup de gens s'y étaient présentés... et j'ai réussi ! Toute seule ! Je m'en souviens très bien. C'était le jour le plus heureux de ma vie.

Dieu / Dieu m'a donné le libre arbitre. Il a fait de moi un être humain. Je profite pleinement de ce libre arbitre. Je Lui suis très reconnaissante de m'avoir fait le plus grand cadeau qui soit. C'est ce qui me fait vivre chaque jour.

Peur / Ma plus grande peur est que mon Dieu soit en colère contre moi. Je ne suis pas quelqu'un de religieux, mais je suis quelqu'un de spirituel. Je ne prie pas souvent. Je suis musulmane depuis toujours mais ma religion est l'Humanité. J'ai foi en elle. Dieu existe. Je L'aime, Il m'aime aussi. S'Il était en colère contre moi, rien n'irait plus.

Famille / Pour être honnête, après six ans passés seule, la solitude me pèse parfois. Mais ma carrière compte plus que ma famille. Je ne crois pas réussir un jour à créer mon foyer. Chaque fois que j'envisage une relation, que je pense au mariage, à fonder ma propre famille, j'ai un blocage. C'est vraiment très dur pour moi... Je crois qu'un jour, dans trois ou quatre ans, j'adopterai des enfants. Là, je fonderai ma famille. Mais me marier, avoir une relation avec quelqu'un, m'imaginer à deux sous le même toit, ça me met mal à l'aise.

Khedeyja Toua

Vit au Mali

Les miens sont pour moi comme les branches d'un arbre.

Présentation / Je suis Khedeyja. «Toua», c'est le prénom par lequel on me désigne plus couramment.

Souvenir / Quand j'étais petite, un jour, je m'amusais sous la pluie. Je suis allée en dehors du campement. Il pleuvait, il pleuvait, il pleuvait ; je me suis endormie loin du campement, dans le «Ténéré». On m'a recherchée au campement.___Quelque chose, un djinn est venu me sortir de mon sommeil, m'a «transportée», m'a emmenée près du campement, en me montrant le feu. Cette «chose» m'a dit «voilà le campement». En arrivant au campement, quelqu'un m'a prise dans ses bras et m'a conduite auprès de ma mère. C'est un souvenir que je n'oublierai jamais de ma vie.

Famille / La famille représente pour moi un campement de gens liés par le sang, auprès desquels je vis, qu'ils soient noirs ou blancs.___Les miens sont pour moi comme les branches d'un arbre. Si je suis ici aujourd'hui (Festival au désert, région de Tombouctou), c'est pour être en harmonie avec mon temps. Si tes enfants et tous les tiens participent à une époque, tu te dois de faire de même en étant un témoin de ton temps.___La fratrie est pour moi le signe d'une plénitude, d'un bonheur et d'une gratitude envers la vie.___Quand tu te retrouves ainsi auprès de tous ceux qui t'aiment, il ne te manque alors plus rien pour être heureux dans cette vie. S'entourer des siens, toutes races confondues, les rassembler, c'est de cela que doit dépendre la vie à notre époque. Tu as des obligations morales envers ton propre fils, et le fils de ton frère est aussi ton fils.

Transmettre / Une très bonne éducation, de la gentillesse, que les enfants aient de l'aisance par leur comportement, leur éducation et leur patience, pour être en mesure de cheminer avec n'importe quelle personne rencontrée sur leur chemin. Ce sont ces valeurs qui constituent à mon avis la plus grande richesse : avoir la dignité qui fera de toi le compagnon idéal. C'est ce que je souhaite transmettre à mes enfants.___Je pourrais aussi leur léguer quelque chose de matériel, mais je préfère leur inculquer de bonnes manières. Parce que en transmettant à tes enfants le bon comportement, la gentillesse et la dignité, ils seront capables d'être de bons compagnons pour n'importe quelle personne.___Quelqu'un qui n'a pas un bon comportement ne peut être lié à un autre que par intérêt. Et, de guerre lasse, ce dernier finira par abandonner le premier. Parce que même en faisant preuve de patience – un jour, deux jours, ou pendant des années – à l'égard de quelqu'un qui a un mauvais comportement, par amour pour lui, cette patience finira par atteindre ses limites.

En transmettant à tes enfants le bon comportement [...], ils seront capables d'être de bons compagnons pour n'importe quelle personne.

Vivre mieux que ses parents / Je constate un changement d'époque. Il y a eu beaucoup de changements. Quand je suis devenue adulte, avec ce que ça implique comme ouverture d'esprit, un jeune ne pouvait jamais regarder quelqu'un de plus âgé. ___Et puis, après tout, c'est «la fin des temps». Tous ces désordres et bouleversements sont inévitables et inhérents à la vie. La vie se terminera par ce avec quoi elle a commencé, personne ne peut y faire quoi que ce soit. Ce sur quoi nous avons ouvert les yeux hier n'est plus d'actualité aujourd'hui. Mais nous rendons grâce à notre Dieu, et nous sommes satisfaits de ce qu'il décide pour nous. Car il n'est de notre devoir que d'obéir à Dieu, et d'admettre.

Épreuve / Ce qui me fait le plus de peine aujourd'hui, c'est la désunion des frères. Ce n'est plus comme autrefois. C'est ce qui me fait le plus mal. Tu entends mon enfant? Cela ne relève pas du tout du mensonge! Parce que autrefois, chaque frère «habitait solidement» dans le cœur de l'autre. Aujourd'hui, c'est comme du tamisage, et cela me fait trop de peine.

Heureux / Ce qui me rend heureuse surtout, c'est la vie, parce que j'aime la vie, et je sais qu'elle ne peut se construire qu'avec de la vie. Je veux être riche et je sais que la plus grande richesse c'est ce lien de fraternité, fort, qu'entretiennent les frères entre eux. C'est ce qui me comble de joie, parce que c'est ce sur quoi j'ai ouvert les yeux.

Amour / L'amour est sans pareil. Celui dont tu as croisé le regard et dont tu as su aussitôt que tu l'aimais, même s'il ne t'est d'aucune utilité, tu es certaine que son cœur est au-dessus de tout. Tu es certaine qu'il ne comparera ton cœur à aucun autre, pour rien au monde. C'est ainsi qu'il te fera savoir que jamais l'amour ne peut se fonder sur le matériel. C'est Dieu qui a créé l'amour et c'est Lui qui fait en sorte que deux êtres s'aiment.

Différent des autres / Je ne suis dans l'esprit de personne. Il m'arrive de ne pas être dans mes propres pensées, encore moins dans celles d'autrui. Mon esprit se sépare parfois de mon âme. Ma pensée se transforme tout le temps par la force des choses et par la grâce divine. À partir de là, comment voulez-vous que j'intègre l'âme d'autrui pour savoir ce qu'elle contient ?

Rire / Le grand fou rire, mes pensées et mes actes m'empêchent de l'avoir. À chaque fois que je pense en moi, et que je ris, « l'Autre Monde » me vient à l'esprit. Mais après tout, quand quelqu'un fait quelque chose qui ne le déshonore pas, il peut avoir un rire mesuré. On ne peut avoir une autre forme de rire, pour quelqu'un qui pense dans son for intérieur.

Liberté / Il n'y a aucune absurdité pour Dieu. Je sais qu'Il peut tout car Il nous a créés, en nous créant, nous a fait évoluer sur cette terre, et alors Il peut donner la possibilité à chacun d'être libre de faire ce qu'il veut, dans cette vie et dans celle d'après, cela lui simplifie sa création.

Sens de la vie / La vie ne représente rien d'autre pour moi que cette ombre du matin qui arrive et qui repart. Je ne lui vois pas d'autre utilité que le fait que Dieu l'a créée : le jour où Il l'arrêtera, elle disparaîtra. À mon sens, et je ne prétends pas que c'est la même chose pour tout le monde, maintenant que Dieu l'a créée, Il la laisse aller comme elle va.

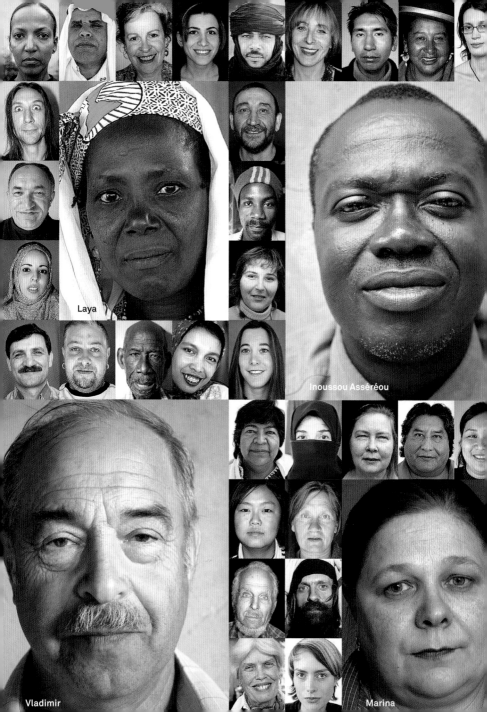

Laya

Inoussou Asséréou

Vladimir

Marina

QUE REPRÉSENTE LA FAMILLE POUR VOUS ?

Laya / *Vit au Mali*
La famille ici représente tout pour nous. La famille, c'est l'union des personnes nées de même père, de même mère, de la même lignée, du même sang. La famille élargie, c'est la grand-mère, le grand-père, l'oncle, la tante, les neveux, ici c'est ce que nous vivons. La famille c'est l'union, la solidarité, le respect entre nous ; on se complète. C'est ça la famille ici. Voilà pourquoi nous sommes jusqu'à présent attachés à rester en famille unie, mais je vois peu à peu venir la désunion de la famille, parce que chacun tend à s'en détacher pour former une famille nucléaire : le mari, sa femme, leurs enfants.

Vladimir / *Vit à Moscou, Russie*
La famille c'est cet endroit, ce petit nid d'amour où tu viens pour te reposer. L'homme est créé pour développer son amour envers l'autre. La famille est le premier champ d'essai. Il n'est pas intéressant de vivre seulement pour soi, c'est comme être une ampoule noire qui n'éclaire personne.

Marina / *Vit à Moscou, Russie*
Ma famille... pour moi... c'est comme une loi de la nature. À un moment donné, il a fallu que je sois mariée, alors je me suis mariée. Il peut venir un temps où nous serons tous des robots, où l'on n'aura plus besoin de la famille ; si je vivais cette époque, peut-être me passerais-je très bien de famille.

C'est selon les conditions sociales. Je ne suis pas quelqu'un qui dit : « Oh ! la famille ! C'est la famille qui m'a usé les nerfs. »

Inoussou Asséréou / *Vit au Bénin*
À un certain âge, il faut fonder la famille. Chez moi, c'est fondamental, je défie l'autorité à tous les niveaux, il faut une famille. Celui qui n'a pas une famille ne peut pas... Il fait le lit de la culture de l'individualisme. Celui qui ne peut pas régler les contradictions au sein de sa famille ne saurait être quelqu'un qui va aider les autres à s'épanouir. Sinon on serait comme ce que vous avez dans votre sac, là, plusieurs objets qui cohabitent sans former un véritable ensemble. Or nous ne devons pas cohabiter, nous devons partager nos passions, nous devons partager nos joies.

La famille c'est l'union, la solidarité, le respect entre nous ; on se complète.

QUE REPRÉSENTE LA FAMILLE POUR VOUS?

Rachid / *Vit en Égypte*
Pour moi, la famille ne se réduit pas simplement au père et à la mère. Pour moi, la famille c'est une communauté très large. Dans notre enfance on a vécu dans des espaces où tout le monde se mélangeait : des cousines, des tantes, des grands-mères, des mères, des voisines... Et quand on était jeunes il suffisait qu'un gamin pleure pour que la première femme qui passait sorte son sein et lui donne la tétée. Même si elle n'avait pas de lait, c'était comme une sucette, on prenait le téton dans la bouche et ça rassurait. Donc je pense que cet amour des femmes est pour nous très important, parce qu'on leur doit le bonheur d'avoir été pris dans les bras et d'avoir goûté à tous les seins possibles.

Aron / *Vit à Honk Kong, Chine*
Je vis dans une maison où la famille compte quatre-vingts membres. La famille, c'est quelque chose de très important ! J'ai grandi avec mes cousins, mes oncles et mes tantes, mes frères et sœurs... Il y avait quarante chambres dans ma maison, et nous allions dans les chambres des uns et des autres comme si c'étaient les nôtres. Quel avantage ! Vous avez des liens importants avec des gens en dehors de votre sphère immédiate, cela vous donne une perspective différente de la vie.

Leyla / *Vit en Turquie*
Pour moi, la famille c'est quand la mère et le père sont en harmonie. Je ne dis pas qu'il doit absolument y avoir de l'amour ; bien sûr, s'il y en a, c'est encore mieux.

Mais qu'ils soient complémentaires, qu'ils vivent bien ensemble, et que quand ils rentrent à la maison le soir et qu'ils mangent à la même table, qu'ils sachent rire ensemble. Malheureusement, moi, je n'ai pas eu une telle vie avec mon père et ma mère, parce que mon père, dès qu'il rentrait à la maison, prenait ses livres et les journaux du jour, et lisait. Ma mère était une femme très sensible, et j'ai découvert après sa mort qu'elle écrivait partout dans les marges des journaux : « Parle avec moi, parle avec moi. » Je me suis rendu compte de la souffrance qu'elle a éprouvée de ne pas pouvoir parler, et j'ai vraiment eu pitié d'elle.

Ebba / *Vit en France*
La famille, pour moi, c'est très important. Je viens d'une famille assez grande et complexe. Mes parents ont divorcé quand j'étais petite. Mon père s'est remarié avec une femme qui avait déjà trois enfants. Et ma mère s'est remariée et a eu ensuite une fille. Alors j'ai six frères et sœurs au total : trois qui n'ont ni le même père, ni la même mère que moi, une demi-sœur, et deux vrais frères. Mais je les considère tous comme de véritables frères et sœurs. Nous avons décidé d'être une famille. Car, pour moi, la famille c'est quelque chose qu'on choisit avec son cœur. Quand je présente ceux qui n'ont aucun parent en commun avec moi, je les présente en tant que « frère » et « sœur ». On a grandi ensemble et ça c'est important.

Aron

Leyla

Rachid

Ebba

Ismet

Nikolaï

Carolyn

Penelope

Ismet / *Vit en Turquie*
Je voudrais changer les membres de ma famille, je voudrais échanger mes frères contre des frères plus compréhensifs, rien d'autre… En fait, changer toute ma famille est vraiment ce que je souhaite.

Penelope / *Vit en Australie*
La famille a la capacité de vous influencer très profondément, très tôt et de façon irréversible, de façon positive et négative. Elle a une influence sur vous dans le bon et dans le mauvais sens. Quand mon père a quitté ma mère j'étais adolescente, et il a reporté la faute sur moi. Il m'a blessée pour le restant de mes jours. Je ne m'en suis jamais remise. Ma mère s'est écroulée et elle en est morte. Mais je n'oublierai jamais ce que mon père m'a dit, le jour où il m'a annoncé son départ : que c'était ma faute. C'est pour cela que je pense que la famille a la capacité de vous faire du bien, mais elle peut aussi vous faire du mal de façon irréversible, car ce mal vient de quelqu'un que vous aimez ; même si vous ne l'appréciez pas, vous l'aimez, et ses paroles peuvent alors être profondément blessantes…

Carolyn / *Vit en Grande-Bretagne*
Que signifie pour moi la famille ? Dans ma propre famille, ça veut dire amour, affection, rire, tolérance, gentillesse ; je pense que cela apporte aussi un certain stress, mais permet d'apprendre beaucoup sur soi-même. Je vois mes enfants comme mes professeurs et non pas le contraire. Être mariée est une aventure intéressante dans l'acceptation, la tolérance et la guérison. En ce qui concerne ma famille au sens large du terme, j'ai fini par comprendre que l'on n'est pas obligé d'aimer ses frères et sœurs. Je pense que j'ai encore des choses à apprendre d'eux. Je pense que toute ma vie consiste à atteindre ce moment d'acceptation complète de mes parents tels qu'ils sont, ce qui me permet de m'accepter moi-même. En fait, la famille, je pense que c'est une grande leçon.

Nikolaï / *Vit en Ukraine*
Je ne perçois la famille ni comme quelque chose d'étranger ni comme quelque chose sans laquelle je ne pourrais pas vivre. Chacun meurt seul et à sa façon, chacun vit sa propre vie. Quel que soit ton attachement à ta famille ou l'amour que tu éprouves pour quelqu'un, tu n'es pas capable de comprendre les sentiments d'un être proche aussi bien que tes sentiments à toi. Tu peux modeler ses sentiments à partir des tiens mais de toute façon tu restes seul. L'Homme est seul dans ce monde. Peut-être est-ce Sartre qui a dit ça, je répète ces mots mais « l'Homme est obligé de vivre seul quelle que soit la place que sa famille occupe pour lui ».

On n'est pas obligé d'aimer ses frères et sœurs.

Nathalie / *Vit à Honk Kong, Chine*
De quoi ai-je manqué ? Du bonheur d'une famille, je pense. Les gens dédient leur dimanche à leur famille, peu importe qu'ils aillent se promener ou non. Mais pour moi ce n'était pas le cas. Parce que depuis que je suis petite, je vis avec mon père et je vois rarement ma maman. Parfois, le dimanche, ma maman m'emmenait me balader. Depuis que j'ai cinq ou six ans, mon papa et ma maman ne sont jamais présents en même temps. Jusqu'à ma remise de diplôme à l'université, où je leur ai demandé de faire une photo avec moi. Je me suis sentie très heureuse, à ce moment-là. Au moins, j'ai une photo avec mon papa et ma maman, et maintenant je suis adulte et j'ai une photo de famille complète.

Margie / *Vit au Texas, États-Unis*
Mon mari et moi étions tellement investis dans nos carrières qu'on se disait toujours : « Un jour nous ferons des enfants ! Un jour, nous en aurons ! » Jusqu'au jour où l'on s'est dit : « Maintenant, on est trop vieux pour avoir des enfants ! » On est entourés d'amis qui en ont. La vie aux États-Unis est d'ailleurs bien différente des pays où tu as beaucoup d'aide à la maison pour éduquer tes enfants, où les membres de ta famille vivent près de chez toi… Mon cousin habite en Espagne. Ses grands-parents viennent souvent le voir. Ils récupèrent les enfants à la sortie de l'école. Ici, tout ça n'existe pas. Ici, c'est chacun pour soi. Tu dois embaucher quelqu'un pour faire ce genre de choses. Un couple ne peut pas être à la fois carriériste et vouloir créer une famille. Nous avons dû faire un choix ! Il y avait trop de choses dans la vie qu'on voulait faire. On ne peut pas tout avoir !

Élisabeth / *Vit en Antarctique*
Pour moi la famille ça ne signifie pas grand-chose. J'ai une famille inhabituelle : je suis une enfant unique et je n'ai moi-même pas d'enfant. Mon mari est également fils unique et n'a pas d'enfant non plus. En fait, ce n'est pas si important, parce que mes amis sont ma famille.

Cristina / *Vit en Italie*
Je ne veux pas d'enfant. D'abord parce que je pense que c'est une responsabilité monstrueuse et éternelle, et tout ce qui est éternel me fait peur. Éternel dans le sens de toute la vie. Ensuite parce que j'ai un comportement égoïste. Le peu que j'ai, et surtout le peu d'argent que j'ai, la conjoncture internationale et nationale ne me permettent pas d'avoir une famille. Je ne veux pas me sacrifier. Je suis bien ainsi. Si j'avais un enfant, mon niveau de vie se détériorerait énormément. C'est un raisonnement très égoïste, mais je le suis et je l'accepte. Enfin, l'idée de la responsabilité me fait vraiment peur. Il est faux de penser qu'à trente ou quarante ans un fils est totalement indépendant ; si il lui arrivait quoi que ce soit – mourir dans un accident, aller en prison… – moi, mère, je me sentirais responsable !

Nathalie

Cristina

Margie

Élisabeth

Payana

Hamdi

Payana / *Vit en Éthiopie*
Parce que j'ai eu trop d'enfants, je suis devenu pauvre. Je suis vieux et malade, je suis sur le point de mourir, tous mes enfants sont partis. La cause de tous nos problèmes ? On rentre ivre, sans savoir que sa femme est en période d'ovulation, puis elle est enceinte. Par manque d'éducation, tout ça nous est arrivé. Maintenant que le progrès est venu chez les Konso, les femmes des fermiers peuvent aller acheter des pilules contraceptives, et elles ne tombent pas enceintes avant que leurs autres enfants soient plus grands. Du coup, elles ont de bonnes chaussures, des vêtements propres et une meilleure vie que la nôtre. Nous, nous ne savions rien.

J'ai besoin de sentir que je protège quelqu'un, sinon je ne me sens pas utile.

Hamdi / *Vit en France*
Mes parents m'ont fait vivre, je ne l'oublie pas, ils m'ont fait vivre jusqu'à ma majorité. Après je suis partie, il fallait que je les laisse. C'est à moi de les aider maintenant. Chez nous, c'est comme ça ; chez les Arabes, il ne faut pas rendre la monnaie de la pièce, mais il faut être bien avec ses parents. Il ne faut pas partir, claquer la porte, et dire « au revoir, c'est fini » ! Non, non, non, pas du tout ! Ça c'est une question d'éducation ; certains ne sont pas éduqués de la même façon. Dans mon entourage, j'en vois certains qui sont capables de dire : « Voilà j'ai dix-huit ans, je suis majeur, je claque la porte et j'oublie tout. » Chez nous, ce n'est pas comme ça, chez nous, on aime bien revenir à la source.

Maria Ester / *Vit à Buenos Aires, Argentine*
La famille, c'est tout. Moi, je vis en fonction de ma famille. J'essaie de... ils se fâchent parce que parfois je suis un peu exigeante, je suis trop sur eux, j'essaie de les protéger de tout. Je sais que ce n'est pas bien, mais je n'y peux rien... C'est plus fort que moi. Même si ma protection n'est plus nécessaire parce qu'ils sont déjà grands, j'ai besoin de sentir que je protège quelqu'un, sinon je ne me sens pas utile.

Claude

Vit en France

Celui qui sait d'où il vient n'a pas de mal à savoir où il va.

Présentation / J'ai un parcours atypique, ici, en Bretagne. Je suis né sous X. Treize jours après ma naissance, je suis arrivé ici dans les monts d'Arrée. Dans ma jeunesse, j'ai fait un tour du monde. Accidentellement, j'ai été amené à travailler dans la centrale nucléaire qui est là, et c'est à ce moment-là que j'ai découvert mes origines. Claude. Je vais vers mes soixante-dix ans.

Souvenir / Le plus important se situe dans ma prime enfance. J'ai été imprégné de valeurs « nature ». La culture, celle que je pratique aujourd'hui, m'est rentrée par les pieds. Elle n'est pas venue d'en haut. Elle est passée des pieds au cœur, avant d'atteindre mon cerveau droit, le cerveau des émotions et de l'imagination.___Après, on a tout ce qui concerne le cerveau gauche, le langage et les connaissances, qu'on doit mettre en pratique.___Le cerveau droit, ce sont les histoires qu'on me racontait quand j'étais petit, avec la forêt, les prés, les éléments, la nature... Le cerveau gauche, c'est ce qu'on apprend à l'école. Pour moi, l'école est technique. Peut-être à cause de trop de technique, un jour je me suis cassé la figure. En voulant aller trop loin je me suis retrouvé à la case départ.___Quand on échoue, on s'adresse au cerveau droit pour s'en sortir. Pour moi, c'est ce qui m'a sauvé. C'est comme ça que je suis devenu conteur.___J'avais dépassé l'âge d'accumuler du savoir. Mon cerveau gauche ne servait plus à rien. Il restait les histoires et les personnages légendaires de mon enfance. Plus tard, j'ai réutilisé ça dans mes contes. Et je me suis aperçu que c'était un moyen de communication extraordinaire.

Amour / Ma femme... Ça s'est passé un peu bizarrement. J'étais un globe-trotter, je n'étais pas destiné à me marier. Je vivais des relations passagères, ça m'allait très bien. Et puis, quand je suis arrivé ici, j'ai été séduit par l'environnement et les paysages. Mais très vite j'ai compris qu'il y avait des règles à respecter.___Un habitant du pays m'a dit : « Ouh là ! pour vivre ici, il faut s'entourer de sécurité. » J'ai dit : « Ah ouais ? » Il m'a demandé : « Tu es marié ? » J'ai répondu : « Non, pourquoi ? – C'est la première règle. Les conditions de vie sont tellement dures ici que pour les supporter, il faut être deux.» ___ J'ai réglé ça. J'ai fondé une famille. Que quelqu'un accepte de fonder une famille avec moi n'était pas évident, parce qu'on trimbale de sacrés complexes quand on sort d'où je suis sorti. On a fait un parcours ensemble. Ce qui nous a rapprochés le plus, c'est l'épreuve : remonter ensemble quand on a tout perdu. Et là, ce n'est pas tellement un amour physique, c'est la défense d'une cause, d'un mode de vie, d'une foi commune...

Famille / Si déjà on n'arrive pas à vivre ensemble en famille, comment voulez-vous qu'on le fasse en société ? La tolérance, elle commence là. ___ Quand on exploite la terre en famille, les gens demandent : «Comment faites-vous ? Trois générations!»; c'est devenu une mode de renier la famille, mais aujourd'hui on s'aperçoit des manques. ___ On est soudés, on est un peu un clan, mais le clan est peut-être nécessaire. On gère notre misère tout seuls, on n'a pas besoin de gourous. La solidarité nous évite de devenir dépendants.

Métier / Ce sont des gens d'ici qui nous ont dit : «Mais vous êtes des conteurs!» Alors, on s'est mis à raconter des histoires en puisant dans nos acquis de l'enfance. ___ On n'a pas de mal à trouver, on n'a pas besoin d'un tas de recherches littéraires, tout est déjà en nous. Un jour, le conteur Alain Le Goff m'a dit : «Écoute, c'est fait pour toi : le bassin légendaire, il est là.» ___ Effectivement, on a la chance d'habiter un lieu de légendes extraordinaires. Alors, on s'est mis à parler. Et on s'est aperçus qu'en parlant on créait un rapport privilégié avec les gens. De leur côté, les habitants nous disaient : «Vous voulez nous faire passer pour des ploucs, à ressortir les vieilles histoires bretonnes ?» ___ Mais finalement on a bien fait. Non seulement ça nous rapproche, mais on s'aperçoit que les gens en ont besoin. C'est un ancrage. Ce sont des racines... Au début, ils sont étonnés ; ensuite un déclic se produit ; et puis ils disent que c'est un sacré soutien. ___ Je crois que dans le conte, ce n'est pas l'histoire le plus important. C'est la manière dont vous racontez. Une histoire ne peut pas toucher tout le monde en même temps. Mais en la racontant, je suis pratiquement sûr, à chaque fois, d'éveiller la capacité à rêver. C'est le rêve qui est salutaire. À partir du moment où j'aide à réveiller les rêves, j'ai gagné.

Réussir sa vie / La légendo-thérapie, c'est venu au cours d'une réunion sur l'avenir touristique de la région. ___ J'expliquais ma démarche. J'expliquais que, tout en racontant des légendes, on emmenait les gens dans la boue, on leur faisait apprécier la pluie qui leur tombait dessus, on les poussait à quitter leurs masques, du délire total! ___ Alors, l'animateur s'est écrié : «Mais c'est de la légendo-thérapie!» J'ai répondu : «Merci, monsieur! Permettez-moi de retenir ce mot que je cherche depuis des années.» Le légendaire, c'est ça. Permettre aux gens d'évacuer les tensions, de communiquer, de se parler. À chacun de le prendre au niveau qu'il veut.

Nature / Je fais de la radiesthésie pour analyser les sites, les lieux de culte et de sépulture. Ensuite, je travaille le ressenti. Ce qu'on ressent est essentiel.___Nous avons perdu l'habitude de marcher pieds nus, d'être en contact avec le sol. On n'est plus branché. Autrefois, les anciens percevaient, de façon un peu animale, la qualité des lieux.___Aujourd'hui, on s'est coupé de ces perceptions, parce qu'on estime qu'on a froid aux pieds. On s'est entourés d'artifices, si bien qu'on n'a plus de ressenti naturel.___C'est pourquoi, avec notre petit groupe, on travaille autour des lieux de culte. On essaie de comprendre pourquoi un culte a été établi ici plutôt qu'ailleurs, et on constate que partout où il y a un monument, il y a un lieu fort. Pas toujours habité, mais traversé par des ondes de forces naturelles, des ondes convergentes, des ondes croisées, etc. Je ne lis pas, je n'écris pas, j'écoute. J'aimerais parvenir à lire couramment le grand livre de la nature, parce que tout y est écrit. Je peux me passer des bibliothèques poussiéreuses, pourvu que je fasse travailler mon inconscient et mes intuitions. Des signaux arrivent en permanence, qui permettent de dire : il va se passer telle chose. Ce qui nous manque, c'est le décodage. Nos anciens savaient mieux que nous lire ce texte de la nature – tellurique, cosmique, lunaire et solaire.

Joie / Ma plus grande joie, c'est le petit bout-là. Le jour où ma fille en pleurs m'a déclaré qu'elle était enceinte, j'ai dit : « Écoute, l'arrivée de ce bébé, c'est la chose la plus merveilleuse que tu puisses m'annoncer ! »___Il a été une bouffée de joie. Ma deuxième joie, c'est quand il m'a parlé en breton. Un jour, il m'a donné la main pour m'inviter à me mettre en rang par deux, comme on fait à l'école : *Daw, daw*. Il m'a dit ça en breton. C'était super. Le breton, ma langue maternelle, on a beau nous bassiner en disant qu'il est condamné, que plus personne ne le parlera, que c'est une langue minoritaire, etc., c'est ma langue !___Le fait que « ce petit bout de chou » m'a dit *daw, daw* en me donnant la main, c'est un signe que ma langue n'est pas morte. C'est un signe de passage aussi.

Transmettre / La transmission de la culture est essentielle. Celui qui ne sait pas d'où il vient a du mal à savoir où il va.___C'est à l'intérieur du cercle familial que les valeurs se transmettent le mieux. Jadis, quand les anciens devenaient inaptes aux boulots durs, ils avaient la garde des enfants. C'étaient eux qui leur transmettaient le savoir et les gestes essentiels de la vie.___Un patrimoine se transmettait, mine de rien. Or, quand c'est transmis d'une manière un peu inconsciente, c'est indélébile. Notre devoir, à nous, grands-parents, c'est de raconter des histoires à nos petits-enfants. Pas des histoires pompées dans des livres, mais nos propres histoires.___Pourquoi tant de gens d'aujourd'hui remontent-ils à leurs origines en faisant des recherches... comment dit-on... généalogiques ? Les voilà qui fouillent les archives des mairies pour se resituer, pour savoir à quelle tradition ils appartiennent.___Celui qui sait d'où il vient n'a pas de mal à savoir où il va.

Silminabadepaspanga

Mohamed Elmehdi

Haoyu

Laurence

Olivier

QU'AVEZ-VOUS TRANSMIS À VOS ENFANTS ?

Olivier / *Vit en France*
Il faut prendre en main sa propre éducation, ce qu'on veut transmettre à ses enfants et partager avec eux. C'est facile à dire, mais pas facile à faire. Parce que nos propres enfants sont éduqués avant tout par la société, et pas par nous. Moi j'ai des enfants tibétains qui sont devenus beaucoup plus occidentaux que j'aurais souhaité qu'ils deviennent. J'ai cherché à leur faire partager les valeurs que j'avais acquises dans ce monde himalayen où j'ai vécu vingt ans, et il a fallu traverser une crise d'adoption, une crise d'adolescence, afin de remettre tout à plat, et qu'ils repartent un an dans leur communauté d'origine, celle où ils ont été élevés avant qu'on les adopte à l'âge de trois ans. Pour retrouver leur culture et leurs valeurs d'origine, ils ont donc passé un an dans l'orphelinat qui les avait recueillis.

Mohamed Elmehdi / *Vit au Mali*
Je souhaite pour mes enfants qu'ils tiennent compte de l'éducation familiale et ne se noient pas dans le modernisme. Car tout en évoluant comme tout le monde évolue, parce que nous ne pouvons pas rester en arrière, nous devons nécessairement garder ce qui est capital pour nous : la tradition, l'honneur, le prestige et l'identité touaregs.

Haoyu / *Vit à Shanghai, Chine*
De mes parents et grands-parents, je n'ai rien appris, et je trouve qu'il n'y a pas grand-chose à en apprendre. Ils sont comme tous les parents chinois ordinaires. Il faut travailler à l'école, rester dans le droit chemin, devenir quelqu'un de bien, des trucs comme ça... Il n'y a rien à apprendre de ça. Il y a beaucoup de choses que l'on apprend seul dans la société lorsqu'on grandit. Tu te fais avoir, on te trompe : c'est avec ces expériences que l'on apprend.

Laurence / *Vit en Grande-Bretagne*
Ce que j'ai appris de mes parents, c'est de désapprendre ce qu'ils m'avaient appris. C'est-à-dire que je me suis rebellée contre tous les principes bourgeois et démodés qu'ils m'avaient inculqués. Mais je faisais partie d'une des premières générations à se rebeller et pour moi ça a été très dur.

Silminabadepaspanga / *Vit au Burkina Faso*
Les chefferies du passé nous ont appris comment vivre en chef, et aujourd'hui je conseille à mon tour mes enfants. Je leur apprends nos coutumes ; s'ils les acceptent tant mieux pour eux, s'ils ne les acceptent pas tant pis pour eux. Je leur apprends cela parce que tous mes ancêtres me l'ont appris.

Jeannette / *Vit au Rwanda*
Ce que mes parents m'ont transmis de mauvais, c'est le manque d'instruction qu'ils ont eu et qu'ils ont fait subir à leurs enfants. Et aussi le fait d'avoir beaucoup d'enfants sans avoir les moyens de les élever. C'est la seule mauvaise chose que mes parents m'ont transmise. À cette époque c'était une bonne chose d'avoir une famille avec beaucoup d'enfants. J'ai constaté par la suite que cela avait des conséquences négatives.

Dans le village, on ne transmet rien aux filles. C'est tout pour les garçons.

Tomas / *Vit en Bolivie*
Moi, mes enfants, je voudrais qu'ils trouvent une situation dans la vie. C'est pour eux que je travaille. Mes enfants, ils étudient, je ne veux pas qu'ils finissent comme moi. Je veux que mes enfants soient libérés, qu'ils ne souffrent pas comme moi, je ne veux pas qu'ils souffrent comme moi, à la mine, ou dans n'importe quel autre travail, subordonnés à quelqu'un d'autre, je ne veux pas ça. Moi je veux que mes enfants ne dépendent… que d'eux-mêmes.

Naba Manega / *Vit au Burkina Faso*
Quand les Blancs sont venus j'ai vu que l'école, c'était bien, parce que grâce à ça, eux, les Blancs, ils roulent en voiture, alors que nous, nos enfants ne peuvent pas avoir de voiture. Alors c'est pour ça que j'ai fait entrer mes enfants à l'école.

Baba / *Vit au Mali*
Les enfants ils sont rebelles, ils sont rebelles ! Quand ils partent à l'école ils s'écartent un peu de l'éducation familiale, ils épousent l'éducation de l'école, l'éducation de la rue, l'éducation de ce que vous les Occidentaux vous leur apportez, c'est-à-dire la civilisation occidentale, la télévision, la radio, les journaux. Ils voient tout ça là-dedans et ça les intéresse, et ils s'écartent petit à petit de nous. C'est ça le problème.

You Ze / *Vit au Yunnan, Chine*
Dans le village, on ne transmet rien aux filles. C'est tout pour les garçons. Les garçons ont la maison et les articles de la vie quotidienne. Nous les filles, quand on sort de la famille, on n'a rien.

Irina / *Vit en Tunisie*
À ma fille, ce que je voudrais lui transmettre, et je fais tout pour le faire… Elle va bientôt avoir vingt ans, je voudrais faire passer dans ses traits de caractère la force de gérer son destin comme elle le veut. Ne pas être trop, comment dire cela… ne pas renoncer à ses principes, je considère qu'il ne faut pas renoncer à soi-même, à ses intérêts, à ses désirs et à ses rêves pour une autre personne. D'après mon expérience, de tels sacrifices ne mènent à rien de bon.

omas

Naba Manege

You Ze

annette

Irina

Baba

Carlos

Duka

Ravshan

Borika

Zahra

À mon fils j'ai essayé d'inculquer le respect des femmes et la bonté. Je considère que ce sont les traits essentiels qu'un homme doit avoir.

Duka / *Vit en Éthiopie*
Quand j'étais petite, mon père me disait des choses mais je n'y faisais pas attention. Son conseil, c'était : « Quand tu seras mariée, tu nettoieras l'étable et la bergerie, et tu prépareras le café ; tu nettoieras la maison, tu cultiveras la terre, et si tu fais tout ça, ton mari ne te frappera pas. » Si je fais tout ça, mon mari me traite bien et mes enfants m'aideront quand je serai vieille. Sinon, il me frappe. En vieillissant, j'ai compris que mon père m'avait bien conseillée.

Carlos / *Vit en Bolivie*
Les valeurs. Je crois qu'il est important que mes enfants apprennent de mon épouse et de moi les valeurs, surtout l'amour de la justice, de la liberté, de la vérité, du travail. C'est dans ce sens que nous avons œuvré. Je crois qu'il est très important qu'ils aiment la vie... plus que tout au monde. De même qu'on œuvre pour qu'ils aiment la vie, nous souhaitons qu'ils haïssent la mort, qu'ils haïssent la violence, qu'ils haïssent le mensonge, la discrimination. Nous pensons que la vie doit être quelque chose de partagé, quelque chose de communautaire.

Ravshan / *Vit au Kirghizistan*
Dans la vie de l'homme, à notre époque, l'important est de rester humain. C'est une époque cruelle, bien sûr, il y a des gens riches et des gens pauvres. Notre vie est difficile, on peut le dire. Les gens sont agressifs, il y a beaucoup de gens agressifs. Le plus important est de rester humain.

Zahra / *Vit dans les Territoires palestiniens*
Dans ces conditions-là, ce n'est pas possible... J'éduque mon enfant pour l'amour et le respect de l'Homme. À chaque fois que je suis au niveau d'un *checkpoint* de ma ville, on entend dire qu'une femme a été agressée et a perdu ses jumeaux, qu'un jeune homme est mort au *checkpoint* parce qu'ils lui ont interdit la sortie. Quand je suis en train de leur apprendre à aimer l'humanité et les gens, ils me répondent : « Comment veux-tu qu'on aime les gens, alors qu'ils ont un comportement différent à notre égard ? » Je dis toujours à mes enfants qu'il y a une différence entre l'homme et les agissements de l'homme. C'est-à-dire que les actions racistes et désordonnées des hommes, je ne les apprends pas à mes enfants. Mais je ne suis pas un prophète non plus, face au poids de ce que voient mes enfants tous les jours au niveau des barrages et à la télévision, ou qu'ils subissent eux-mêmes.

Borika / *Réfugiée serbe de Bosnie, vit en Serbie*
En ce moment je pense me tromper en les élevant de la même manière qu'on m'a élevée. Il est impossible de survivre aujourd'hui en étant élevé comme ça, d'être travailleur et franc. Les gens ont changé, ils regardent tout à travers leur propre intérêt. Moi je fais un effort pour que mes enfants ne deviennent pas comme ça.

Alemluk / *Vit au Kirghizistan*
À mon avis, nous les humains, nous ne pouvons pas élever nos enfants aussi bien que les oiseaux « nobles » (aigles faucons). Ils sont tellement attentionnés ! Quand ils apportent leurs proies ils les plument parfaitement. À deux enfants ils donnent deux parts. Quand ils donnent à l'un, l'autre ne bouge pas. Quand on donne à l'un, l'autre ne bouge pas, c'est merveilleux ! Et chez nous les enfants réclament à manger même s'ils n'ont pas faim. Jamais un oiseau ne ferait ça !

Katarina / *Vit en République Tchèque*
Ma mère a toujours nié l'existence de l'amour maternel inné. Elle prétend que ça n'existe pas, que c'est une relation qui doit se construire comme n'importe quelle autre relation. Et je pense que ça m'a énormément manqué, et que j'ai toujours désespérément couru après cet amour. Moi, au contraire, avec mes enfants, je suis persuadée que l'instinct maternel existe, mais peut-être est-ce un don qui n'est pas donné à tout le monde.

Peter / *Vit en Californie, États-Unis*
Si tu penses à ma mère en particulier, je crois qu'elle a vécu la pire des horreurs possibles et imaginables. On ne peut imaginer, du moins moi je ne peux pas imaginer, ce qu'était la vie à Auschwitz, et elle a vécu une belle vie après cela. Elle n'a pas laissé cette épreuve détruire sa vie, elle a mené une existence pleine et riche, elle a eu trois enfants, elle aimait la vie malgré le fait qu'elle est morte avec un tatouage, avec un nombre gravé sur le bras. À aucun moment elle n'a eu de rancune par rapport à cette terrible expérience, la plus terrible qui soit, et elle n'a pas laissé cette horreur affecter sa vie. De plus, elle ne me l'a pas fait partager. Ça n'a pas détruit ma vie. Elle ne m'a pas fait vivre dans la terreur. C'est donc cette attitude positive envers le monde et cette habileté à avancer sans être pris au piège du passé qu'elle m'a transmises.

Johan / *Vit en Suède*
La chose la plus importante que l'on peut transmettre à toute personne c'est la confiance en soi et le sentiment qu'on est bien comme on est, qu'on n'a pas besoin de prouver quoi que ce soit pour être accepté. Qu'on est assez beau, qu'on est assez intelligent, qu'on peut toujours faire un peu mieux, qu'on peut toujours essayer, mais qu'il ne faut pas se prendre trop au sérieux et qu'à la base on est assez bien comme on est. On se dit trop qu'on ne sert pas à grand-chose, qu'on n'est pas assez beau, que son travail n'est pas assez bien, qu'on ne gagne pas assez d'argent, mais le manque de confiance en soi s'exprime toujours par des actions négatives, soit envers soi-même, soit envers les autres.

> Il faut transmettre à toute personne la confiance en soi et le sentiment qu'on est bien comme on est.

Katarina

Peter

Johan

Alemluk

Léonard

Vit au Gabon

C'est à travers l'amour que l'on bâtit la société, sa famille, qu'on bâtit la nation, qu'on bâtit le monde.

Présentation / Je m'appelle Léonard, je suis gabonais originaire de Mekambo, dans le nord-est du pays, c'est une ville frontalière du Congo.___Je suis marié à Jeanne Marthe, nous avons plusieurs enfants : les nôtres et ceux que nous avons adoptés. Je suis journaliste, directeur du journal *Le Citoyen* à Libreville, et je m'occupe du mouvement associatif pygmée qui s'appelle Mina Piga, le mouvement des minorités autochtones des Pygmées du Gabon, créé en 1997. C'est la raison pour laquelle je parcours le monde afin de faire passer le message du développement durable des peuples pygmées du Gabon.

Métier / Le métier de journaliste est un métier qui me plaît beaucoup parce que je l'ai choisi depuis ma plus tendre enfance. À l'université, j'ai arrêté mes études de philosophie pour faire du journalisme parce que dans ma vie j'avais le choix entre l'enseignement pour former et le journalisme pour informer.___C'est un métier qui me passionne, et tant que je n'ai pas livré l'information j'ai l'impression de ne pas vivre. J'ai commencé comme simple reporter des chiens écrasés et je suis ensuite devenu directeur de publication de mon propre journal : *Le Citoyen, l'autre face de l'actualité*. Mais je ne m'occupe pas seulement de journalisme.___Depuis 1997, je me suis fortement investi dans le mouvement associatif parce que j'ai toujours pensé que je devais être utile à autrui. Je crois que je suis l'ambassadeur des Pygmées, je leur dois beaucoup. Il faut que je me batte pour faire des Pygmées les acteurs de leur propre développement. Le développement durable, qui commence par la scolarisation des enfants pygmées, le développement durable pour l'alphabétisation, pour former les jeunes, pour qu'ils fassent des études. C'est seulement de cette façon qu'ils pourront s'en sortir dans cette société hostile qui est celle de la « civilisation ».___Et je ne m'arrête pas là ; je vais aussi jusqu'à convaincre les institutions internationales pour doter les Pygmées d'outils de production agricole parce qu'il faut convertir cette population en agriculteurs, en éleveurs, de sorte qu'ils ne soient pas là à tendre la main à l'État qui les « chosifie », en quelque sorte. Voilà ce que je fais dans ma vie et j'en suis très fier parce que je me sens vivre.

Appris de ses parents / De mes parents j'ai appris l'amour. Ma mère m'a souvent dit d'aimer. Aimer loin de la sexualité, aimer parce que c'est à travers l'amour que l'on bâtit la société, sa famille, qu'on bâtit la nation, qu'on bâtit le monde. J'ai compris que le plus grand don qu'ils m'ont fait, c'est celui d'aimer l'autre quel qu'il soit et quels que soient ses défauts, parce qu'il ne me revient pas de prétendre changer l'autre ou être juge de sa valeur.___Moi j'aime autrui quels que soient ses défauts, parce que je crois que c'est ça qui fait la société, une société où la différence existe et où il faut justement gérer cette différence : il n'y a qu'avec l'amour que l'on peut y réussir.

Amour / Pour moi, concrètement, l'amour n'est pas un simple mouvement de cœur qui s'incline vers une personne particulière, ce n'est pas ça. C'est un hasard qui amène à n'aimer qu'une seule personne malgré ses défauts. Et c'est comme ça que les choses ont commencé avec ma tendre épouse, un certain mois de juillet 1995 : en prenant un verre dans un bar, j'ai été frappé par le charme d'une femme et je lui ai dit tout de go : « Madame, je suis amoureux de vous, je voudrais que vous soyez mon épouse. » Sa réponse fut tout à fait spontanée : « Écoutez, si vous m'aimez, vous n'avez qu'à prendre votre décision. » Et les choses se sont enclenchées jusqu'à aujourd'hui, où nous en sommes à la onzième année.___Ce que j'aime chez ma femme, c'est la vérité. Quand je déconne, elle doit me dire la vérité, ce n'est qu'ainsi que je peux me redresser parce que je suis un être humain, fait de défauts et de qualités.

Joie / Ma plus grande joie dans la vie, c'est de vivre. C'est de savoir que je suis aimé par une seule femme, qui a fermé les yeux sur d'autres hommes. Elle n'aime que Léonard, elle m'appelle Léo. Ma plus grande joie ce sont ces beaux enfants qu'elle m'a faits.

Peur / Ma plus grande peur, c'est celle de disparaître sans lui avoir donné tout ce qu'elle attend de moi. Toute la tendresse, c'est-à-dire, au moment où elle ne s'y attend pas, elle doit entendre dans le creux de l'oreille : « Chérie, ça va, chérie tu es la meilleure, tu es la plus belle femme. »

Aimer son pays / Ce que j'aime chez les Pygmées c'est le fait qu'ils sont restés eux-mêmes. Ils ne se sont pas laissés influencer par des vents venus d'ailleurs, et l'on a beau dire qu'ils sont primitifs, on a beau dire qu'ils sont attardés, moi je pense que c'est ça l'être humain : ne pas s'adapter à n'importe quel vent, ne pas suivre la mode.

Rêves actuels / Mon plus grand rêve, c'est qu'il soit écrit sur ma pierre tombale lorsque je mourrai à cent vingt ans : « Ici vécut Léonard qui proclama la pygmitude, qui est parti d'un simple concept, qui est parti d'une posture de revendication identitaire pour arriver à un programme de développement durable. Un programme qui a fait des Pygmées les auteurs, et donc les bénéficiaires, du développement durable de l'Afrique et du monde où se trouve le peuple autochtone.» Voilà mon plus grand rêve. Je ne veux pas vivre et disparaître après ma mort. Je veux laisser quelque chose. Comme l'a si bien dit Martin Luther King : «Sois le meilleur, qui que tu sois.» Voilà mon plus grand rêve.

Liberté / Je ne parlerai pas de liberté en tant que telle : je ne me sens pas libre parce que quand on a encore des blocages dans la réalisation de certaines pensées, de certaines idées, quand on a réfléchi et que pour réaliser son projet on doit compter sur quelqu'un d'autre, c'est un manque de liberté. Je ne me sens pas vraiment libre.

Nature / La nature représente le havre dans lequel Dieu nous a placés. Écoutez, Dieu ne fait jamais les choses par hasard. Quand dans la Bible on parle de jardin d'Éden, moi je ne l'ai jamais vu, mais je me représente mon jardin d'Éden, c'est la forêt. Si vous vous attaquez à la nature vous vous détruisez vous-même. Et les nations qui se sont attaquées à leur nature sont des endroits où l'on parle aujourd'hui de désert, c'est la canicule. Lorsque vous polluez de l'eau... Les peuples pygmées ont toujours vécu dans cet environnement-là. Comment pourraient-ils le préserver s'ils utilisent des choses que je ne peux me permettre de divulguer ici ? J'appelle ça «les interdits».___Les lois des peuples autochtones sont dans leur tête, on les appelle «les interdits». Si vous voulez protéger de l'eau ce n'est pas sur la loi que vous allez vous appuyer ; il suffit de coller un interdit : «Si tu pisses dans l'eau, tu deviendras impuissant.» Et la personne aura peur parce qu'aucun homme au monde ne souhaite devenir impuissant.

Pauvreté / La pauvreté c'est quand tout manque, même les idées.___La pauvreté c'est quand on a les idées et qu'on ne peut pas les développer.___La pauvreté c'est quand on a les idées et qu'on ne veut pas les mettre au service du plus grand nombre. La pauvreté c'est quand on a les moyens et qu'on ne peut pas construire sa propre maison.___La pauvreté c'est quand on a les moyens et qu'on ne peut pas se vêtir correctement, qu'on ne peut pas se nourrir correctement, qu'on ne peut pas penser au bien-être de son épouse et de ses enfants. La pauvreté c'est quand on ne peut même pas prier Dieu, notre créateur qui nous a envoyé son fils Jésus-Christ de Nazareth. La pauvreté c'est quand on ne peut pas aider l'autre parce que soi-même on n'en a pas les moyens.___Voilà les différentes définitions que je donne de la pauvreté. Excusez-moi si je ne vous ai pas satisfait mais voilà ma définition à moi, mes définitions à moi.

Message / Ce que je donnerais comme message aux gens de la planète, c'est de comprendre que nous sommes une seule famille, et que les cinq continents ne sont que les cinq doigts d'une seule main. C'est Dieu qui nous a unis autour de cette planète, la planète Terre. La seule planète où les êtres humains doivent vivre, vivre en paix, vivre dans l'amour.

Ranjana

Vit à New Delhi, Inde

Si j'avais le choix, je ne me marierais jamais, JAMAIS !!!

Présentation / Bonjour, les amis ! Je m'appelle Ranjana. Je suis née et j'ai grandi à Delhi. Je prépare un MBA, spécialisation marketing et affaires internationales. Bientôt, je travaillerai dans le secteur privé.

Rêves d'enfant / Devenir célèbre, très riche et très célèbre, voilà mon rêve depuis mon enfance ! Être un visage connu du public, quelqu'un à qui les gens penseront après sa mort en disant : « Hum ! c'est une femme qu'on ne peut pas oublier... » Bien sûr, dans le sens positif !

Famille / Si tu as un problème, les membres de ta famille sont ceux sur qui tu peux compter. Bien sûr, tes amis sont là ; mais ton premier soutien, c'est ta famille. ___Pour moi, plus que la *tribu*, la famille nucléaire est essentielle. Lors des choix importants, le père et éventuellement la mère devraient être les seuls à décider, sans consulter personne, ni les plus âgés, ni les grands-parents... Celui qui prend la décision, c'est le père, la mère, le grand frère ou la grande sœur, un point c'est tout.

Changer sa vie / J'aurais aimé être née et élevée dans une famille à l'esprit ouvert, avoir des parents compréhensifs avec qui on peut parler franchement.___Il ne devrait pas y avoir d'obstacles quand je veux discuter avec eux de mes problèmes et de mes idées... J'aimerais que ces tensions disparaissent. Voilà ce que j'aimerais changer !

Difficile à dire / La chose la plus difficile à dire à mes parents est que je sors avec un garçon qui n'est pas de ma caste.

Peur / La pensée de mon mariage est ma plus grande peur. Ma famille est très conservatrice. Or, j'ai quelqu'un en vue qu'ils risquent de ne pas accepter. Il y a même 99,99 % de chances pour qu'ils ne l'acceptent pas...___Une grande peur m'envahit quand je songe à ce qui se passera s'ils disent non. Pour mes parents, qui sont très orthodoxes, ce garçon, qui n'est pas de notre caste, est inacceptable.

Changer son pays / En ce qui concerne les traditions, l'Inde doit évoluer. Certaines familles ont déjà adapté leurs traditions.___C'est ce que j'essaie d'expliquer à mes parents : «Vous devriez vivre avec votre temps... Ne vous accrochez pas à vos traditions du xviie siècle... On est au xxie siècle ! Changez donc vos vieilles habitudes ! Je ne dis pas que vous devriez tout révolutionner... Mais si c'est une bonne famille, si le garçon ou la fille sont bien, il ne devrait pas y avoir d'opposition au mariage... Finalement, vous souhaitez le bonheur de votre fille ? Eh bien, si un mari prend soin de votre fille et si sa famille est convenable, alors la tradition doit changer...» La tradition est importante, mais elle ne devrait pas être imposée ___En Inde, les relations humaines sont essentielles : on compte encore peu de divorces, peu de parents ou de grands-parents sont chassés de chez eux, choses très communes à l'étranger. La valeur des relations humaines, c'est ce que j'aimerais ne pas voir changer. Mais ce que j'aimerais aussi voir changer ici, c'est la corruption des politiciens !

Pleurer / Quand les gens ne m'écoutent pas, j'ai envie de pleurer.___Quand je pense à mon avenir, à ce qui va se passer si mes parents ne sont pas d'accord [avec son mariage hors caste], j'ai envie de pleurer.___Quand je me dispute avec mes amis, quand je blesse un de mes proches bien-aimés, j'ai envie de pleurer.

Travail / Il est très difficile de concilier le travail à l'extérieur et le travail domestique. Si tu es riche, tu trouves du personnel pour t'aider : cuisine, lessive, ménage, tout peut être pris en charge par d'autres.___Mais dès que je serai mariée, c'est sûr, ma vie deviendra plus dure. Actuellement, je vis chez mes parents sans participer au travail ménager : je me contente d'aller aux cours et, quand je rentre, le repas est prêt, mes vêtements sont lavés et repassés, je n'ai plus rien à faire. Ma vie est très facile.

Liberté / La première raison pour laquelle je crains le mariage, c'est la question des responsabilités. Ensuite, c'est la perte de mon indépendance. Quand tu es avec tes parents, c'est OK. Tu as une sorte d'indépendance : tu peux t'habiller et sortir comme tu veux ; tu n'as pas de comptes à rendre.___Je veux pouvoir dépenser mon argent à mon gré. Or, après le mariage, je devrai rendre des comptes : «Comment as-tu dépensé ceci ? et cela ?» Je n'ai pas envie de donner ces réponses.___J'ai peur également de ne pas réussir à m'adapter à ma nouvelle famille. Car l'épouse devient responsable devant ses beaux-parents, devant son mari, devant tout le monde. C'est ce que je n'aime pas. L'indépendance est ma priorité.

Souhait / Comme je vis dans la culture indienne, que ça me plaise ou non, je dois me marier.___Ici, on ne peut pas se permettre de vivre seule, sinon les gens te montrent du doigt en disant : «Cette fille a un problème»... «Elle doit avoir des amants»... et quantité d'autres suppositions méchantes, que tu sois fille ou garçon. ___Si j'avais le choix, je ne me marierais jamais, JAMAIS !!!

Vivre mieux que ses parents / Je compare souvent la vie de ma mère à la mienne. Nos existences sont très différentes, car ma mère s'est mariée à seize ans, il y a environ quarante ans.___À son époque, il était rare que les femmes étudient ou travaillent. Aujourd'hui, être instruite et travailler est très important. Alors elle ne peut pas avoir les mêmes idées que moi sur la société, après avoir vécu entre quatre murs sans mettre les pieds dehors.___Par conséquent, contrairement à moi, elle est très peu consciente du monde extérieur. Évidemment, elle est bien plus expérimentée. Mais, malgré tout, je suis mieux armée qu'elle pour prendre des décisions graves, grâce à mon niveau d'études et à mes relations : je connais les réactions des autres et leurs sentiments, ce qu'elle n'a pas appris.

Être chez soi / Rester chez soi, c'est être très seul, ne rien faire, perdre son temps et son énergie, en réfléchissant à des choses stupides et sans importance… C'est simplement gâcher sa vie.

Tuer / Oui, j'ai souvent imaginé que je pourrais tuer une personne qui me ferait du mal ou me trahirait… Mais, en fait, je ne le ferais pas… Je n'aurais pas le courage de le faire. Je ne tuerai personne. À la place, j'utiliserai mes mots pour tuer cette personne.

Dieu / Au sujet de Dieu… Je ne crois pas en Dieu. Quand un malheur m'arrive, je pense toujours : «Oh, mon Dieu!» mais c'est mon éducation… On dit *Parwan* en hindi. J'ai foi uniquement en mon gourou qui est mon dieu. Sinon, je ne vénère aucun Dieu. Comme en Inde nous avons un millier de dieux avec des noms différents, je ne crois pas en ces dieux. Mais je crois en mon gourou !

Donner de l'amour / Je ne suis pas quelqu'un qui transmet beaucoup d'amour autour de moi parce que je ne suis pas d'accord avec la société qui m'entoure. Si je suis satisfaite, alors je donne de l'amour et de l'attention autant que je peux. Mais si je ne le suis pas, je suis incapable de donner à la société autant d'amour que je devrais.

La chose la plus difficile à dire à mes parents est que je sors avec un garçon qui n'est pas de ma caste.

Yona

Théodore

Misael

Karima

QU'EST-CE QUE L'AMOUR SIGNIFIE POUR VOUS ?

Yona / *Vit au Canada*
Cela fait très longtemps que je ne suis pas tombée amoureuse. Je crois que, lorsque je l'étais, je n'avais pas conscience d'avoir choisi la personne en question. Mais chacun d'entre nous est comme sa propre planète, son propre pays, chacun a ses propres règles, son histoire et je pense que ce qui nous permet de tomber amoureux, c'est quand on rencontre la personne qui a envie de voyager sur notre planète et qui veut apprendre à la connaître, malgré toute sa complexité, monter au sommet de ses montagnes et descendre au fond des grottes obscures, et qui pourra apprécier la beauté de tous ces recoins que nous avons à l'intérieur de nous-mêmes.

Théodore / *Vit au Bénin*
L'amour, c'est une chose, vous savez vous aussi, c'est une chose qui rend fou, on est complètement dingue, on est prêt à attaquer à tout moment, et on contrôle tout ce qui entoure la fille. À chaque instant il faut être à côté d'elle, rester à discuter, à bavarder, à rigoler.

Misael / *Vit à Cuba*
C'est super-beau. Parfois on a du mal à le décrire, parce que c'est quelque chose qui nous fascine, et nous met dans un état d'aveuglement. Il peut y avoir de mauvaises choses autour, mais on ne les voit pas, parce qu'on est aveugle d'amour. Quand l'amour arrive avec cette force, il prend le contrôle. Je ne sais pas si c'est le cerveau qui est dominé par l'amour, mais lorsque l'amour domine, le cerveau ne parvient plus à faire quoi que ce soit.

L'amour, c'est une chose […] qui rend fou, on est complètement dingue, on est prêt à attaquer à tout moment.

Karima / *Vit en Égypte*
Je suis totalement amoureuse de lui, je prie Dieu qu'il entende ce message, pour lui dire «je t'aime» dans toutes les langues du monde : je t'aime, je t'aime, je t'aime et je t'aimerai jusqu'à la fin de ma vie ! Tu es l'amour de ma vie, tu es mon chemin, tu es ce que je désire, je prie pour que tu m'entendes, non non, je suis sûre que tu le ressens. Parce que c'est naturel pour toi de me ressentir et de me comprendre si bien, de lire dans mes yeux. Avant, j'espérais entendre des mots d'amour de la personne avec qui j'avais eu une histoire, mais avec mon mari désormais, je n'essaie même pas d'entendre ces mots car il me donne toutes les sensations de l'amour.

Maria / *Vit en Afrique du Sud*
L'amour est de rencontrer cette personne qui est sur la même longueur d'onde que vous dans la vie, spirituellement et tout. Quand vous la voyez, votre cœur veut exploser pendant quarante ou cinquante ans, ou juste cinq jours. Quand vous la voyez vous devez sentir ce charme… vous savez que vous êtes là, vous vous sentez vivre. Oui l'amour est très important pour moi, et c'est peut-être pour ça que je n'ai pas trouvé l'amour de ma vie, et que je suis veuve depuis vingt-cinq ans.

Sofien / *Vit en France*
Je ne suis jamais tombé amoureux, je vous assure, je ne suis jamais tombé amoureux. Peut-être quand j'étais jeune, mais depuis mes «trucs carcéraux», vous savez, je ne restais dehors que par intervalles de trois mois… Pour construire une relation, c'est compliqué. Ça fait que l'amour… je ne connais pas l'amour. Tout ce que je sais de l'amour, c'est que ça fait très mal. C'est cool, mais… qu'est-ce que ça fait souffrir ! Je vois mes copains, qu'est-ce qu'ils en font ? D'un côté ce n'est pas plus mal, parce que être en prison et laisser la femme que tu aimes dehors, c'est se poser des questions… Se poser des questions sur elle à chaque moment, c'est un souci de plus, c'est plein de questions en plus. Vive le célibat !

Pandiammal / *Vit au Tamil Nadu, Inde*
Je n'ai écouté ni mon père ni ma mère, je me suis mariée par amour, de mon plein gré. Si je m'étais mariée selon leurs souhaits, ils nous aideraient.

Et en ce qui concerne mes beaux-parents, ils projetaient de trouver un bon parti pour leur fils. «Mais pourquoi s'est-il marié avec elle ?» disent-ils, et ils ne s'en remettent toujours pas. De mon côté, mes parents ne s'en remettent pas non plus.

Remedios / *Vit en Bolivie*
On ne se connaissait pas, on n'était pas amoureux, on ne se parlait pas beaucoup… Alors qu'on nous marie de cette façon-là, ce n'est pas bien. Mais ces hommes, ils nous considèrent comme des objets, c'est ce que je pense. Même de nos jours, je ne sens pas l'amour, ni la tendresse, je ne les sens pas. C'est pour ça que j'ai toujours entendu dire qu'une personne doit se marier avec de l'amour et de la tendresse. Pas vrai ?

Yevdokia / *Vit en Sibérie, Russie*
Quand j'ai rencontré mon premier mari je suis tombée amoureuse de lui et j'ai eu des enfants. Puis il est mort dans un accident de voiture. J'ai alors rencontré mon deuxième mari et je suis tombée amoureuse de lui. J'ai eu deux enfants avec lui. Et puis j'ai rencontré mon troisième mari qui était déjà veuf avec six enfants, et on est tombé amoureux l'un de l'autre. Voilà ce que c'est l'amour, pour moi.

Je ne suis jamais tombé amoureux, je vous assure, je ne suis jamais tombé amoureux.

aria

Pandiammal

Remedios

ofien

Yevdokia

Keiko / *Vit au Japon*
L'amour envers mon mari, comparé à avant la naissance de mes enfants, a diminué de moitié… Je donne tout à mes enfants et j'en suis désolée pour mon mari, et ça je le pense sincèrement, tous les jours. Mon mari, dont l'amour n'a pas changé, me demande des câlins, mais moi je n'arrive qu'à faire des câlins très sobres, et je pense que mon mari n'est pas satisfait. Le soir, quand il rentre, je suis déjà endormie avec les enfants ; je suis vraiment désolée pour lui, ça ne veut pas dire que je ne l'aime pas, mais je fais tout pour les enfants, chaque jour…

Zhen Xi / *Vit à Shanghai, Chine*
Maintenant on s'en fout. Ça fait longtemps qu'on est ensemble, on ne parle pas d'être aimé ou pas, on vit ensemble. Il faut élever les enfants, c'est tout.

Ça fait dix ans que nous sommes mariés, donc nous ne nous donnons plus la main, mais mon amour est de plus en plus fort, de jour en jour.

Maria Teresa / *Vit en Italie*
Aujourd'hui l'amour est devenu un passe-temps. Voilà une chose qui pourrait changer dans le pays et dans le monde entier : le fait que c'est devenu un passe-temps. Ce n'est pas de l'amour ; l'amour, c'est, par exemple, quand on est vieux, essayer de ne pas réveiller l'autre quand on se lève tôt. Voilà l'amour ! Au-delà du sexe.

Barbara / *Vit en Italie*
L'amour pour moi c'est quelque chose de très physique. C'est un partage d'intérêts et un besoin de contact physique, un besoin de sentir quelqu'un de façon tactile. L'amour c'est difficilement la compréhension, c'est plus le partage. Ce sont deux choses différentes. Pour moi, l'amour, ce n'est pas très cérébral, c'est plus animal, c'est plutôt des actions et des gestes.

Jean de Dieu / *Vit à Madagascar*
Pour montrer mon amour à ma femme, tout d'abord je lui souris. Je dois la faire sourire aussi, et quand je la vois sourire, c'est qu'il y a déjà la paix en elle, alors là je suis convaincu qu'il y a de la joie. Quand elle sourit, c'est preuve de la joie.

Hajime / *Vit au Japon*
Ça fait dix ans que nous sommes mariés, donc nous ne nous donnons plus la main, mais mon amour est de plus en plus fort, de jour en jour. Au Japon, on ne dit pas oralement « je t'aime », mais j'aime, ça veut dire que si on me dit de mourir pour ma femme et mes enfants, je peux probablement mourir, et je pense que c'est ça aimer quelqu'un.

Alain / *Vit en France*
C'est une espèce de flash qui apparaît comme ça dans ta vie. Et après, ça se transforme, ce n'est plus un amour, au sens du feu. Pour moi l'amour c'est le feu. Le feu, ça s'éteint. Mais il y a toujours des braises qui couvent. Et le problème, c'est de laisser couver les braises, de les entretenir.

Alvania / *Vit en Indonésie*
L'amour c'est comme un œuf. L'amour, il faut savoir le prendre comme un œuf. Un œuf, si on le presse trop fort, il casse. Et si on le prend de façon trop décontractée, alors il tombe. Mais si on sait bien le prendre, il reste dans le creux de la main. Et ça, c'est valable pour toutes les formes d'amour, pas seulement pour l'amour érotique. L'amour doit être bien traité. C'est comme ça !

Claire / *Vit à Moscou, Russie*
Un jour de dispute avec mon mari, je me suis mise à crier : « Nous sommes trop différents ! Nous avons eu une éducation différente, une enfance différente, jamais nous ne pourrons nous comprendre ! » Et finalement, je ne sais pas ce qui m'est passé par la tête, j'ai ajouté : « Nous sommes même de sexe différent !... » Alors là, on a éclaté de rire et on est tombés dans les bras l'un de l'autre. Un couple, je crois qu'il faut le refaire chaque jour.

Darryl / *Vit à La Nouvelle-Orléans, États-Unis*
Ma mère me disait toujours : « Quand tu rencontres une fille pour la première fois, tu vas avoir envie de lui faire des bisous tout le temps, de la dévorer. Tu es simplement complètement amoureux. Et un an après, tu recraches ses baisers, tu recraches sa bouche ! » Si tu veux qu'une relation dure, tu dois la construire jour après jour, moment après moment, minute après minute. Ne t'installe jamais dans une relation trop confortable. Ma mère me disait encore : « Aie toujours des projets à construire. Essaie toujours de t'améliorer. » Quand elle et toi vous vous retrouvez sous le même toit, vous n'avez qu'une seule chambre. Puis vous avez des enfants, et là vous avez deux chambres. Ensuite, vous avez des petits-enfants, et votre maison doit avoir trois chambres, parce que vous devez toujours avoir une chambre d'amis. Vous construisez, vous grandissez, vous n'arrêtez pas, vous ne restez jamais sur vos acquis. Il y a toujours cette chose qu'on appelle « demain ». Et ce demain, vous le vivrez ensemble parce que vous y travaillez toute la journée, aujourd'hui !

> L'amour c'est comme un œuf, si on le presse trop fort, il casse. Et si on le prend de façon trop décontractée, alors il tombe.

Alain

Claire

Lotta

Vit en Suède

Quand j'étais jeune, j'avais un rêve que j'ai réalisé. C'était de vivre ici.

Présentation / Je m'appelle Lotta. J'ai cinquante et un ans. J'habite dans la forêt, là où le chemin s'arrête et où commence le lac. Cela fait vingt-sept ans que je suis mariée avec mon homme.___J'ai trois enfants adultes, Tove, vingt-cinq ans, Björn, vingt-trois ans, et Thomas, vingt-deux ans. Aucun n'habite à la maison, c'est une bonne chose ; mais c'est sympa, de temps en temps, quand ils viennent nous rendre visite.

Travail / Je travaille à temps plein depuis l'âge de dix-neuf ans, mais actuellement je travaille trois quarts de temps pour profiter de la vie et bricoler à la maison, ce que j'adore. Je suis gardienne dans une prison.

Rêves d'enfant / Quand j'étais jeune, j'avais un rêve que j'ai réalisé. C'était de vivre ici. C'était la maison de vacances de mes parents. La maison appartient depuis longtemps à la famille : mes grands-parents maternels l'ont achetée en 1924.___Quand j'étais adolescente et que je pensais à mon avenir, je me disais : «Imagine ! Si tu pouvais t'installer ici...!» J'y habite depuis quatre ans : je n'ai rien de plus à demander ! C'est super !

Rêves actuels / Là, rien ne me vient à l'esprit... Je n'ai pas vraiment de grands rêves. Je n'ai pas envie de faire du parachutisme ou des trucs de ce genre.___Je suis tellement contente de regarder le coucher de soleil, une bière à la main, au bord du lac... Je ne désire rien de plus. De bons amis, bien évidemment. La famille. Mais après ? Je n'ai pas besoin de devenir quoi que ce soit d'autre.

Famille / La famille ? J'ai d'abord ma petite famille à moi que j'adore. On est très proches, on a une relation très chaleureuse. Après, il y a la famille avec laquelle j'ai grandi, qui reste très importante.___Dans mon association familiale, nous faisons des recherches généalogiques : on a trouvé un certain Stenfeldt, qui a été anobli au XVIIIe siècle. C'est curieux, parce que, en trouvant des tas de papiers et de documents, j'ai senti qu'on pouvait vraiment avoir un lien avec son passé : c'est émouvant, même si je n'ai jamais rencontré ces personnes.

Rire / On peut rire tous les jours de petites choses. Par exemple, un pivert sur une souche de bois en train de jeter des petits morceaux de bois partout autour de lui : je peux rire simplement parce qu'il a l'air trop drôle. J'ai de la chance : je ris facilement.

Pleurer / Parfois je pleure quand je regarde un film qui me touche. Et je peux pleurer quand j'évoque des souvenirs, même s'ils remontent à très loin.___Par exemple – j'en ai déjà les larmes aux yeux –, quand j'étais petite, on avait des grandes et des petites pelles, des grands et des petits seaux qu'on échangeait tous les deux jours. Ce jour-là c'était à mon tour d'avoir les grands. Tous les enfants arrivaient au bac à sable et il y avait déjà là un enfant avec sa grand-mère qui n'avait ni seau ni pelle. Et il disait : « Grand-mère, j'ai rien pour prendre le sable... » Il n'avait rien... Je suis devenue très triste...

Épreuve / Le plus dur dans ma vie ? C'est quand ma mère a eu son attaque, à soixante-neuf ans. Elle avait toujours été pleine d'énergie et, tout à coup, paf ! elle s'est retrouvée sur une chaise roulante, pendant neuf ans, comme un paquet. C'était très dur, parce que j'avais en permanence mauvaise conscience : « Je devrais lui rendre visite... Je devrais m'occuper d'elle... »___Ça a été une période très difficile. Au bout de quelques mois, les médecins ont dit qu'elle allait mourir dans la nuit parce que son état s'était vraiment dégradé. On était tous là, toute la famille autour d'elle ; ils disaient qu'il ne lui restait que très peu de temps. Alors, on commençait à se préparer mentalement à son départ.___Les médecins l'ont retournée. Elle s'est un peu réveillée. Elle nous a regardés tous les sept et elle a dit : « C'est qui, tous ces gens ?... Bon ! maintenant je veux un café ! » On s'était préparés à ce qu'elle parte : en fait, elle a encore vécu huit ans et demi. C'était un événement vraiment bizarre, avec tant de sentiments contradictoires... C'était génial, mais quand même très dur. Les années suivantes ont été très dures : voir sa mère énergique rester dans sa chaise, avoir besoin qu'on lui change ses couches, qu'on la nourrisse...___Ça a été un soulagement quand elle est décédée et je suis heureuse d'avoir été avec elle quand c'est arrivé, ainsi que lorsque c'est arrivé à mon père. Ça c'était bien.

Mort / Il est nécessaire de penser à la mort et de ne pas la mettre de côté.___Ce qui se passe quand on meurt ? Je n'en ai pas d'idée précise. Je sais juste que je n'ai pas envie de rester dans une tombe. Je préférerais être incinérée et que mes cendres soient dispersées au-dessus du lac. En revanche, je ne ressens pas vraiment le besoin de me rendre sur la tombe de mes parents, car je sens qu'ils sont ici, dans la maison. Ils sont avec moi tous les jours.___On s'est amusés à l'enterrement de mon père ! Il était très terre à terre. Alors, sur les rubans où on écrit les derniers hommages, on avait mis : « Salut les mecs ! » comme il disait toujours. On l'a même fait graver sur sa pierre tombale !___La mort ne doit pas être solennelle puisque c'est un événement tout naturel...

Liberté / Je ressens une liberté vivifiante lorsque je sors avec ma luge sur la glace du lac une nuit d'hiver avec le clair de lune et les étoiles. Je fais des balades sur la glace et je m'enivre de liberté.___J'éprouve aussi ce sentiment quand on fait chauffer de l'eau dans une bassine à côté du lac, au cours des nuits d'hiver, sous les étoiles. Là je suis heureuse, là je me sens complètement libre.

Nature / La nature me plaît beaucoup : je suis souvent dehors en train de bricoler. C'est l'inconvénient de mon travail dans une prison, on est très enfermé.___Je me sens très riche lorsqu'en automne je cherche des baies, des champignons, des pommes de terre dans mon champ, des petits pois, des haricots, la salade que je cultive, et si en plus on a pris un poisson dans le lac, nous avons un dîner entièrement produit par nous-mêmes... sauf la bière, qui n'est pas terrible si on la fait soi-même ! Je l'achète au magasin.___Voir les changements de la nature... Le matin quand je me réveille, je fais toujours un petit tour juste pour regarder... Si je commence un peu plus tard, je fais une balade autour de la maison, juste pour regarder. Juste pour le plaisir de la nature.

Amour / L'amour est essentiel pour moi. Notre couple est très heureux. Quand on s'est rencontrés en 1975, mon mari et moi, j'avais dix-neuf ans et lui vingt. Depuis, on est restés ensemble et on est toujours très heureux. On peut se balader ici, main dans la main, sur les petits sentiers, en se disant : « Qu'est-ce qu'on est bien tous les deux ! » Je crois aussi qu'on est parvenu à cet équilibre parce qu'on a toujours eu chacun une vie à côté. Moi, je suis toujours sortie avec des copines pour faire la fête... Je prends des cours de danse, pendant que lui pêche avec ses copains.___L'important est de se faire confiance ; on sait qu'on est là l'un pour l'autre et qu'on reste honnête.

Sens de la vie / Il y a tant de choses à dire là-dessus !___D'abord, c'est prendre du plaisir, profiter de chaque jour, s'amuser.___Ensuite, c'est important de laisser des documents aux générations futures. Je prends beaucoup de photos de nos vieux objets et je note ce que j'en sais : ainsi, la vie des gens et des choses continue...___Mon père a beaucoup écrit sur mon grand-père et sa famille. J'aime qu'ils redeviennent vivants quand on les feuillette et qu'on regarde les photos...

Christina

Vit à Los Angeles, États-Unis

Mon rêve, ce serait d'apprendre à me contenter de ce que j'ai.

Présentation / Je m'appelle Christina. Je vis aux États-Unis. J'ai trente-sept ans. Je suis actrice et j'enseigne le théâtre.

Souvenir / Waouh ! mon premier souvenir ? Ça remonte sûrement à la maternelle, donc je devais avoir trois ou quatre ans... Ma meilleure amie, qui s'appelait Felicia, était noire... ___C'est important, parce que je suis mexicano-américaine et, comme vous savez, aux États-Unis, il y a beaucoup de ségrégation selon le groupe ethnique... Or, j'étais attirée par elle, la seule Noire de l'école, moi sans doute la seule Mexicano-Américaine... Je nous revois avec nos poussettes remplies de nos poupées... et cette image m'est restée. C'est marrant d'y repenser maintenant !

Difficile à dire / C'est difficile de parler politique avec mon père, parce qu'il s'est battu pendant la guerre de Corée : il lui en reste une sorte d'orgueil et de sentiment patriotique d'être américain, que je respecte mais qui est parfois difficile à supporter. Avec les événements actuels en Irak, le reste de ma famille est plutôt, je suppose, contre la guerre, et mon père a du mal à rester objectif.___Donc, on a des discussions passionnées et pas du tout rationnelles ! Il pique des colères ou reste sur la défensive. Le fait d'être américain, d'appartenir au meilleur pays du monde... Je pense que tout vient de son expérience de soldat.

Heureux / Je ne suis pas heureuse dans ma vie quotidienne.___Je pense que, dans la culture américaine, il est difficile d'être heureux. Ça peut paraître étrange, mais je pense que nous sommes trop mis en avant dans ce pays. On nous dit : « Tu devrais ressembler à ça !... Tu dois avoir ça !... Tu devrais obtenir ce boulot !... Tu devrais être ce genre de personne !... Tu devrais être beau !...Tu devrais être sexy !... Tu devrais avoir de l'argent !... Tu devrais avoir cinq enfants à vingt-cinq ans, même si tu es pauvre !!!... »___Je me trouve confrontée à cette société qui nous gâte, qui nous donne envie d'avoir toujours plus, plus, plus !... Parce que nous pensons que c'est la seule manière d'être heureux ! Je sais que ça devrait être plus simple. Je sais que je devrais être heureuse en étant simplement qui je suis. Je devrais être heureuse : je suis en bonne santé ; j'ai une famille ; j'ai des amis... Mais c'est très difficile au quotidien de se souvenir que le peu qu'on a est suffisant pour la plupart des gens dans le monde.___Je pense vraiment que c'est la maladie de la société américaine. J'y suis confrontée en ce moment et je suis, en un sens, constamment en dépression. Récemment, je me suis dit : « Pourquoi ne puis-je pas être heureuse ? » Quotidiennement, ma vie est commandée par le modèle qui nous est vendu, le modèle de la société capitaliste. Tu allumes ta télévision aujourd'hui : c'est ridicule, ce qu'on nous montre ! Ça me rend malade ! Tout nous rappelle que notre vie n'est pas valable, puisque nous n'avons pas tout ce que la télévision nous dit d'avoir ! Et même si, intellectuellement, je le comprends, émotionnellement et psychologiquement je me sens victime et prisonnière... Je dramatise un peu mais je le ressens !

Amour / L'amour entre humains, à mon avis, est l'essentiel. Mais je pense qu'on l'oublie, parce qu'on est trop occupés à se battre dans des guerres ou entre nous, à essayer de trouver un boulot, à essayer d'avoir une histoire sentimentale qui marche... et il y a tellement de distractions maintenant...___Je trouve que c'est compliqué même si ça devrait être très simple. Mais dans ma tête c'est compliqué et c'est un vrai défi de se souvenir que l'amour, c'est simple !

Épreuve / Le moment le plus dur de ma vie ? Je ne sais pas s'il y a eu un moment, je pense que j'ai vécu un tas de moments pénibles dans ma vie. Sûrement, cela remonte à l'enfance... le fait d'avoir un père alcoolique... la déception, la confusion... Et le conflit provoqué par la cohabitation avec quelqu'un qui vous aime mais disparaît le lendemain. Quelqu'un qui vous prépare un bon petit déj' le dimanche matin, vous emmène camper et tous ces trucs sympas, mais qui ne se montre pas au dîner du lendemain.___Je pense que commencer sa vie avec cette tristesse et cette anxiété est très lourd pour un enfant. J'avoue que c'est sans doute le plus dur en ce moment : vivre avec ce poids qui pèse toujours dans mes relations masculines.

Rêves actuels / Apprendre simplement à « être ».___C'est peut-être un rêve à un niveau un peu existentiel, mais je pense que ça en dit beaucoup. Je suis engluée dans des préoccupations sur ce que j'ai... ce que je n'ai pas... ce que je devrais avoir. Je ne parviens pas à être satisfaite. Là, franchement, mon rêve, ce serait d'apprendre à me contenter de ce que j'ai. Si d'autres choses doivent venir, elles viendront.

Cent dollars / Cent dollars, si vous me les donniez maintenant ? Je les utiliserais sans doute pour me faire couper les cheveux... euh... peut-être même les teindre. Parce que j'ai des cheveux blancs qui commencent à venir.___Finalement, je m'en servirais pour des dépenses très futiles, mais bon, vous savez, j'ai un peu besoin de me dorloter. Alors...

Peur / Ma plus grande peur, c'est d'abandonner. La peur de laisser tomber la vie, de me dire : « Merde, je ne peux plus la supporter… C'est trop difficile d'être heureuse. Trop dur de vivre avec ce que j'ai ou n'ai pas. » C'est vraiment la peur de renoncer, quoi… Je pense que parfois je souffre énormément parce que je suis très sensible, trop sensible à ce qui m'entoure. Je suis émue par les événements dans le monde : j'ai beaucoup de compassion. Et je trouve parfois que ça fait beaucoup. C'est lourd à porter. Alors j'essaie de voir comment canaliser ça de manière positive, vous voyez ?___J'ai peur de mon pays. En fait, j'ai peur de son pouvoir. J'ai peur de ce qu'on en a fait et de ce qui va en résulter. Et je sais qu'on le mérite.___Et, bizarrement, je ne souhaite pas la violence ici… Enfin, le 11 septembre, évidemment, c'était violent ! Mais je ne pense pas qu'on ait fait le lien, que la plupart des gens aient compris la raison : ce ne sont pas seulement des gens qui ont décidé de faire exploser *le pays le plus puissant du monde*. Mais c'est parce qu'on est allés dans d'autres pays, qu'on a *diffusé* la démocratie comme si on était la Police du monde. On est entré, on a détruit des cultures, des communautés, des antiquités, des musées, pour… je pense… pour du pétrole !___Alors, quand arrivent les terroristes, on dit : « Pourquoi détestent-ils les États-Unis ? Pourquoi nous détestent-ils ? On est si gentils ! si riches ! On a Mac Donald ! et Mickey Mouse ! »___C'est une culture malade !

Femme / Je pense que, pour que les hommes arrêtent de faire la guerre, il faut que des femmes dirigent la planète !___Je sais qu'il y a eu des guerres dues à des femmes, mais il y a quelque chose qui fait que les hommes au pouvoir dans tous les pays, ce n'est pas sain pour la planète.___Peut-être parce que nous, les femmes, donnons la vie, parce que nous avons une autre idée de la valeur de la vie en la donnant. C'est une sorte de force, d'intuition, d'énergie ancestrale, une sensation de vie commune qui nous est plus naturelle.___Tant que les hommes gouverneront les pays… Je sais que ça peut paraître excessif, mais pourquoi pas ? On a essayé d'une façon. Essayons maintenant d'une autre ! Voyons ce que ça donne quand les femmes prennent le pouvoir… les changements que ça peut entraîner…

Sens de la vie / Le sens de la vie c'est… l'amour. Quoi d'autre ? On en a tous besoin. On en a tous envie. Ça nous permet de nous sentir bien si on a la chance de le vivre. Malheureusement, tout le monde n'a pas cette chance.___Vous savez, il y a une citation… les Américains sont très bons pour débiter des citations… C'est : « Il vaut mieux connaître l'amour et le perdre que de ne l'avoir jamais ressenti. »___Ça vaut le coup de prendre le risque et de dire : « OK, je vais t'aimer ! Peut-être que je vais souffrir, que tu peux me trahir, que tu peux t'en aller… Mais ça veut aussi dire que tu peux m'aimer en retour et ça, ça pourrait être tellement génial ! »

Mario

Nuha

Silvana

Darryl

Saideh

Buddhi Maya

QU'EST-CE QUE LE BONHEUR ?
ÊTES-VOUS HEUREUX ?

Mario / *Vit à Buenos Aires, Argentine*
J'ai eu plusieurs moments de bonheur. Être à côté d'une montagne m'inspire plein de bonheur. C'est comme un contact avec l'infini, avec l'énormité de la nature et du monde. Un échange de regards avec ma femme est aussi un moment d'immense bonheur. Lorsque ta femme n'est pas seulement ta femme, mais qu'elle est aussi ton amie, et que votre dialogue marche bien, ce sont des moments de bonheur. Et même dans la douleur, quand il y a eu des décès dans la famille, quand il y a eu des maladies graves, ce regard c'est, c'était et – j'espère – continuera d'être un moment de grand bonheur.

Nuha / *Réfugiée irakienne, vit en Syrie*
Le moment le plus heureux de ma vie, ce fut le jour où j'ai vu mon nom inscrit au département d'anglais sur la liste des candidats qui avaient réussi. Parce que mon amour pour la langue anglaise est incomparable. J'adore tout ce qui est en rapport avec les langues étrangères. C'était comme si on m'invitait pour un voyage sur la lune ou vers les étoiles.

Silvana / *Vit en Argentine*
Le moment le plus heureux de ma vie n'existe pas : j'ai de nombreux moments heureux. Les derniers moments heureux dont je me souvienne, c'était il n'y a pas très longtemps, en faisant l'amour.

Saideh / *Vit en Iran*
La première fois qu'on devient mère. Et spécialement quand l'enfant bouge dans le ventre. J'avais un sentiment étrange qu'un autre être vivait à l'intérieur de moi, ces sensations-là ont créé du bonheur pour moi.

Buddhi Maya / *Vit au Népal*
Quand j'étais malade et que je ne pouvais pas travailler, mes beaux-parents me détestaient, j'ai alors demandé à mon mari de se remarier avec une autre femme pour qu'elle puisse travailler dans la maison, mais il m'a dit : « Écoute-moi, tu es venue dans ma maison en quittant ta famille ; comment pourrais-je épouser une autre femme ? Je t'aime tellement ! » Peu de temps après, j'ai eu un fils. C'était le moment le plus heureux de ma vie.

Darryl / *Vit à La Nouvelle-Orléans, États-Unis*
Quand mon fils est né, j'étais dans la salle d'accouchement. J'étais à la fois nerveux et effrayé. J'avais à peine vingt ans. Quand j'ai vu la tête sortir, puis j'ai vu les épaules sortir, je ne pouvais plus rien faire. Je souriais, je riais, et j'ai vu son visage, même s'il était tout recouvert... J'ai vu en lui un petit peu de moi. Ça m'a fait rire parce que c'est ce que mon père avait vu, il était là quand je suis né. Je ressemble à mon père et mon fils me ressemble. Ça m'a rendu très très heureux ce que j'ai fait.

Anna / *Vit en Italie*
Comment fait-on pour être heureuse quand on est seule ? dites-moi un peu… j'étais heureuse avec mon mari. Maintenant, il est mort, et il n'y a plus de soleil.

Carola / *Vit en Tanzanie*
Oh, mon Dieu ! je ne sais pas, je ne crois pas qu'il y ait une recette pour le bonheur, parce que je pense que le bonheur vient quand on est satisfait. Il est très difficile d'être satisfait ; lorsque j'étais jeune, je pense que je pouvais facilement ressentir le bonheur parce que de petites choses pouvaient me faire tout oublier. Mais quand vous grandissez, et que vous avez plus de responsabilités, quand vous avez des enfants, vous cherchez les moyens pour qu'ils aillent à l'école, et pourtant vous n'avez pas beaucoup d'argent. Vous savez, le bonheur devient une chose réelle et, parfois, vous vous retrouvez en train de rire, mais en fait, au fond de vous, vous n'êtes pas très heureux, parce que vous avez tout le temps des problèmes.

Norbert / *Vit à Madagascar*
Moi, dans la vie, j'ai toujours l'impression de ne pas être satisfait, j'ai le sentiment que ce que je vis est incomplet. Le résultat est que je cherche toujours à avoir plus. Si j'ai un franc, je voudrais avoir dix francs, si j'ai dix francs, je voudrais avoir cent francs, si j'ai cent francs, je voudrais avoir mille francs. Si j'ai une bicyclette, je voudrais avoir une moto, si j'ai une moto, je voudrais avoir une voiture.

Akusawa / *Vit à Los Angeles, États-Unis*
Oui, je suis très heureuse parce que j'ai finalement compris que le bonheur vient de l'intérieur de soi-même. Je me souviens, lorsque j'étais jeune, je cherchais tout autour de moi, dans d'autres gens, d'autres endroits, d'autres choses, mais j'ai finalement compris que le bonheur on le possède à l'intérieur.

Jovan / *Vit en Bosnie-Herzégovine*
Je suis marié depuis quarante-sept ans et depuis le premier jour, tous les matins, ou presque, ma femme dit qu'elle a mal à la tête, qu'elle a mal dormi, qu'elle a mal à l'épaule… Moi, chaque matin, je suis heureux de voir un rayon de soleil, de vivre une nouvelle journée.

Oh, mon Dieu ! je ne sais pas, je ne crois pas qu'il y ait une recette pour le bonheur, parce que je pense que le bonheur vient quand on est satisfait.

Carola

nna

Jovan

Norbert

usawa

Yusuf

Sadiev

Claudia

Tsatsita

Putali

Julie

Yusuf / *Vit en Turquie*
Le soir, quand je rentre chez moi, je prends ma douche, je change mes vêtements, je m'assois sur mon balcon avec mes coussins, je m'appuie le dos ; s'il y a des fruits je mange mes fruits, j'appelle mes enfants autour de moi, on discute, on rigole, on boit un thé, est-ce qu'il existe un bonheur plus grand que celui-là ?

Putali / *Vit au Népal*
Que faut-il pour être heureux ? Il faut une maison, un champ pour semer le maïs, il faut un bœuf ; si on peut planter, cultiver tout ce qu'on veut, alors on a le bonheur. Si on ne peut rien cultiver, on n'a pas de bonheur, on a le malheur.

Sadiev / *Vit au Kirghizistan*
Pour être heureux, il faut se fixer des buts. Si tu les atteins avec succès, c'est ça le bonheur. Comme je garde les moutons, le but est de bien garder la totalité du troupeau, de bien les engraisser et de les ramener ainsi à leur propriétaire. C'est ça mon bonheur.

Claudia / *Vit en Allemagne*
Je pourrais essayer de le définir. Mais je trouve formidable le mot français « bonheur », ce qui veut dire une bonne heure ; et quand il y a des coïncidences formidables qui se croisent, c'est ça le bonheur.

Tsatsita / *Vit en Tchétchénie*
C'était le 15 ou 16 janvier, je m'en souviens comme si c'était aujourd'hui. Tout d'un coup, c'était le silence absolu. Plus d'avions, plus d'explosions, on pouvait de nouveau tout entendre.

Je me rappelle être remontée de la cave pour me retrouver dehors, et j'ai vu une énorme lune ; c'était la pleine lune, et, associée à ce silence, c'était vraiment sublime. Alors je me suis dit que si la huitième merveille du monde existait, ce devait être celle-ci : quand le silence survient après la guerre. Même si ça dure, une, deux ou dix secondes, le silence, c'est trop beau.

Julie / *Vit au Tamil Nadu, Inde*
J'ai eu une joie immense dernièrement en travaillant à l'orphelinat avec les enfants. Il y avait une petite fille qui avait été abandonnée à l'âge de onze mois, c'était un petit bébé encore, et elle a été abandonnée dans la rue. Les sœurs de l'orphelinat l'ont emmenée, et cette petite fille, ce bébé d'une année, elle avait beaucoup, beaucoup de tristesse, et elle soupirait. J'étais profondément touchée de voir un si petit bébé ressentir déjà autant de tristesse, et du coup tous les jours j'essayais d'aller la voir, de la faire rire et de la faire danser. Finalement, au bout de deux semaines, elle m'a fait un magnifique sourire ; je crois que ce moment a été pour moi un pur bonheur.

Pour être heureux, il faut se fixer des buts. Si tu les atteins avec succès, c'est ça le bonheur.

Isabelle / *Vit en France*
J'ai eu un accident d'avion, j'ai été la seule survivante. À la suite de cette catastrophe où j'ai été cassée de la tête aux pieds, je suis restée huit mois grabataire, et pendant deux ans j'étais une morte vivante. Je n'ai jamais été très grosse, mais je pesais alors 38 kilos. Et puis je me suis remariée, j'ai attendu un enfant, alors que je revenais de la mort, que je me disais que je ne serais plus jamais une femme normale. Le jour de la naissance de cet enfant, au moment où je l'ai mis au monde, ça a été pour moi un bonheur absolu, mais un bonheur fugitif. Le bonheur pour moi est fugitif, on a des moments de grand bonheur, des espèces de fulgurance de grand bonheur dans la vie, et c'est pour ça qu'on vit.

Ruth / *Vit en Israël*
Le bonheur vient par étincelles, des secondes et peut-être des instants. Tu fais quelque chose dans la vie et d'un seul coup tu éprouves cette sensation : «Wouah ! c'est super, je suis heureuse !» Mais ce n'est pas quelque chose qui se maintient de manière permanente. Il y a tellement d'adrénaline dans ce mot ! Le bonheur, ce sont des étincelles. Tu me demandes s'il y a des étincelles, il y a des étincelles. S'il y en a beaucoup ? Pas beaucoup, mais il y en a.

B. / *Vit en France*
Quand ma fille me serre dans ses bras et qu'elle me dit : «Je t'aime comme le ciel.» C'est grand comme une montagne, quand elle me dit ça. Ce sont des paroles... Cela sort d'elle, personne ne lui a appris à dire ça, c'est beau ! Et puis, quand on est derrière des barreaux, on a toujours peur qu'ils aient des *a priori* ; mais, en fait, les enfants, ils sont nature.

Gabriel / *Vit à Los Angeles, États-Unis*
Avant je n'étais pas heureux, mais maintenant je le suis vraiment, maintenant que je suis sorti de prison et tout, la vie c'est une belle chose, parce que, vous savez, on ne va pas être jeune très longtemps. Donc j'adore la vie, vous savez, et avec un peu de chance la vie m'aime aussi.

Sharon / *Vit à Los Angeles, États-Unis*
Le bonheur, le bonheur, le bonheur... C'est la vérité. Le bonheur c'est dire la vérité et savoir qu'on est entendu. Le bonheur, c'est voir que la justice est rendue. Le bonheur, c'est regarder un enfant connecté à son imagination, ce qui lui permet d'être libre. Le bonheur, c'est danser. Le bonheur, c'est une mangue. Le bonheur, c'est oh !... Le bonheur est potentiellement là à chaque instant, le bonheur est si proche, le bonheur est juste si proche, tout le temps. On peut faire rire un enfant si facilement ! C'est ça le bonheur ! Le bonheur est partout, mais ce n'est pas un truc énorme, très visible, non. Le bonheur ce n'est pas un gros truc qui coûte cher ! Le bonheur, c'est une petite et discrète connexion entre humains.

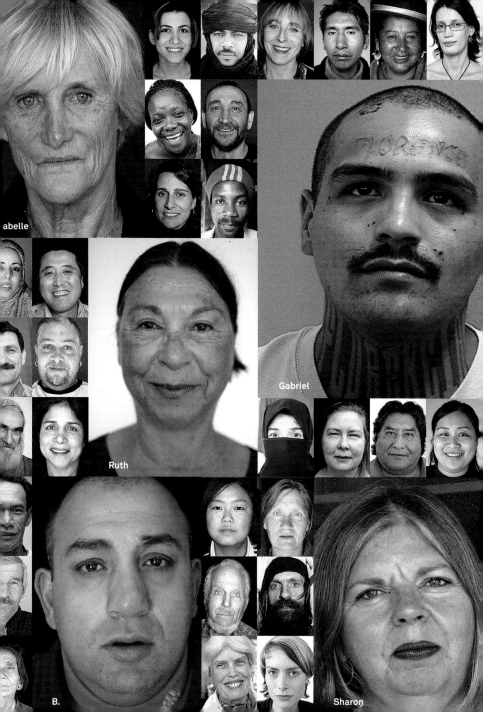

abelle

Gabriel

Ruth

B.

Sharon

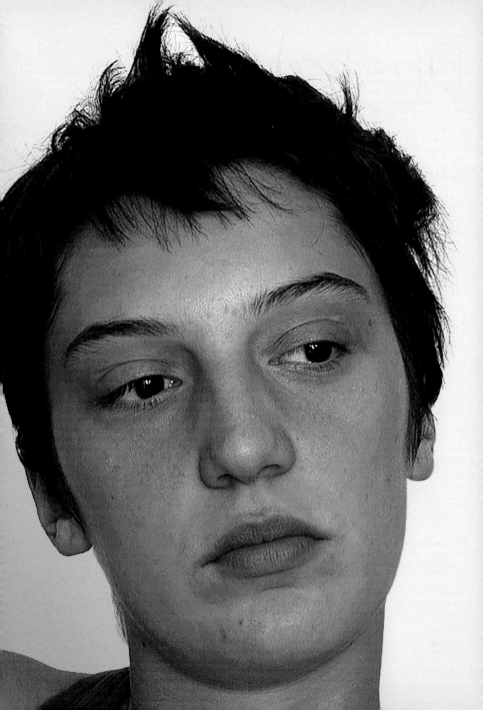

Dushka

Vit au Kosovo

Ma plus dure expérience a été la drogue. Je le sais maintenant parce que c'est derrière moi.

Présentation / Je m'appelle Dushka. J'ai vingt-deux ans. Je suis née à Pristina et j'y habite. Je suis étudiante.

Rêves d'enfant / Mon rêve était d'être astronaute quand je serais grande. Comme beaucoup d'autres... Et puis, d'être peintre. J'aimais dessiner et je rêvais de partir pour Paris avec mon meilleur ami et d'y être peintre. Et astronaute, bien sûr ! Je rêvais de ces deux métiers-là.___Je voulais être astronaute parce que je réfléchissais toujours sur le cosmos, les étoiles, les planètes... Je me suis toujours demandé quelle était la forme du cosmos, ce qu'il y avait derrière les planètes, derrière la Terre, ce qu'il y avait en dehors du système solaire. Et comme je n'avais pas les réponses à ces questions...___Ce qui s'est passé avec ce rêve ? J'ai grandi. J'ai étudié la géographie et j'ai appris plein de choses. J'ai appris aussi que certaines questions sont sans réponses. Et j'ai lu seulement hier qu'un mathématicien russe a trouvé la réponse à ma question sur la forme du cosmos. J'ai donc compris que je ne l'aurais pas découverte, même si j'avais été astronaute. Mais j'aimerais toujours être astronaute !

Rêves actuels / Mes rêves d'aujourd'hui... je ne sais pas... À cause de problèmes que j'ai eus ces derniers temps, je n'ai pas beaucoup rêvassé. Je n'avais pas le temps... Mais j'aimerais travailler dans le théâtre : être costumière, faire de la peinture... Ainsi, je serais comblée. Je n'ai pas eu d'autres rêves. Je n'ai vraiment pas eu le temps pour...! J'étais malade, et tout simplement je ne pouvais pas me laisser aller à la rêverie...

Transmettre / Est-ce que j'aimerais avoir des enfants ? J'y pense souvent. À chaque fois que je fais une grosse « connerie » à la maison, que je crée un problème à mes parents, je me dis toujours que je ne veux pas avoir d'enfants pour ne pas vivre la même chose que ce que je fais subir à mes parents.___J'ai appris beaucoup, j'ai eu beaucoup d'expériences. J'aimerais transmettre cette expérience à mes enfants. Mais j'agirais différemment de mes parents : je serais un peu plus froide avec eux. Je ne les chouchouterais pas autant que mes parents l'ont fait avec moi. À mon avis, c'est une erreur de leur part, même si c'est une preuve d'amour.___Je voudrais leur apprendre l'expérience quotidienne, grâce à ce qui m'est arrivé : les bonheurs et les malheurs. Mais surtout le contact avec les gens. Je leur apprendrais comment cerner les gens : surtout qu'ils ne soient pas naïfs !___Je faisais confiance aux gens parce que mes parents m'ont appris à être bonne. Mais j'ai compris qu'avec les gens il ne faut pas être bon. Peut-être que les temps ont changé. À leur époque c'était le communisme en Yougoslavie. La vie était simple : peut-être qu'ils pouvaient être bons. Bien sûr, je me comporte bien. Je me comporte bien avec mes amis. Mais je ne suis pas bonne avec tout le monde !

Épreuve / Ma plus dure expérience a été la drogue. Je le sais maintenant parce que c'est derrière moi. Maintenant je vais bien et je sais que c'est ma pire expérience, celle qui m'a fait basculer.___J'ai eu pas mal de temps pour y réfléchir. Je pense que la guerre en est responsable. Bien sûr, il y a des gens qui se droguent dans les pays où il n'y a pas eu de guerre depuis cinquante ans. Mais je pense que, dans mon cas, la guerre en a été la cause : c'est la guerre qui m'a séparée de mes parents.___J'étais une enfant très gâtée et je me suis retrouvée seule dans une grande ville. J'allais à l'école ; je recevais de l'argent de mes parents ; je gérais tout toute seule à quinze ans... Et j'ai alors pris cet autre chemin.___Les bombardements ont commencé en Yougoslavie le 24 mars 1999. Au tout début, il n'y avait plus d'électricité à Pristina et les pillages ont commencé... les épiceries... les magasins, c'était une anarchie totale.___Comme je viens d'un mariage mixte – mon père est serbe et ma mère albanaise – et que c'étaient les deux camps en guerre, un voisin de l'immeuble, un Serbe con, nous a menacées ma sœur et moi en disant que toutes les Albanaises allaient être violées : il pensait à ma mère, à ma sœur et à moi. On était jeunes : j'avais quatorze ans et ma sœur seize ans. J'avais très peur et j'ai dit à mon père que je ne voulais plus rester ici. Alors, avec l'aide d'amis, on a quitté le Kosovo en cachette. On n'a pas pris le bus à cause de nos prénoms : ma sœur a un prénom albanais et elle n'aurait pas pu traverser la frontière. On est donc passées en voiture et on a réussi à arriver en Serbie chez ma grand-mère. C'est comme ça qu'on s'est séparées. C'était très douloureux. On pleurait... On pensait qu'on ne reverrait plus mon père et ma mère qui étaient restés ici. Une Albanaise et un Serbe ensemble ? Tout le monde voudrait les tuer ! Des deux côtés ! C'était très dur...

Appris de la vie / Le meilleur souvenir de ma vie ? Prendre de la drogue... C'est le meilleur souvenir de ma vie. J'ai appris beaucoup : je sais que les gens qui n'ont pas pris de drogue ne comprennent pas... « Comment peut-elle penser comme ça ?... » Mais je pense que c'est mon meilleur souvenir : j'ai appris ainsi les mauvais côtés du monde et cela m'a aidée pour les bons côtés. C'est le meilleur souvenir. C'est douloureux, mais je pense que tout ce qui est très douloureux est très fort et permet d'apprendre beaucoup. Tu le prends comme ta croix sur ton dos.___Quand j'ai commencé à aller au lycée… c'était une très mauvaise école… la plupart des élèves prenaient de la drogue et c'est là que j'ai commencé. Je pensais : « Whaou ! On fait ce que les autres ne font pas ! » Totalement stupide !___Pendant deux ans, tout a été super : pas de douleur, que des fêtes ! Des fêtes… et puis ça a commencé à devenir très douloureux. Je suis restée seule, sans personne. J'étais tout le temps couchée. Je pensais : « Les autres sortent le matin. Ils font des choses. Je suis toute la journée dans mon lit et je ne fais rien. Je me sens *dizzy*. »___Pour de la drogue, tu fais tout… Tu te vends toi-même, ton âme, ton corps… Pour ton shoot… pour rien ! Et là commence une très mauvaise expérience avec des gens malsains, avec des criminels… les pires choses… l'enfer. L'héroïne c'est Lucifer ! C'est le diable ! Tu es amoureuse du diable. C'est comme si tu étais amoureuse de quelqu'un et c'est ton obsession. Comme un psychopathe, tu aimes trop quelqu'un et tu tues pour cette personne. Tu fais n'importe quoi. Tu aimes ça et tu fais tout pour ça. Et comme c'est le diable –je suis sûre que c'est le diable –, tu commences à faire des bêtises… C'est comme prendre un couteau et se couper soi-même. Juste de la douleur… douleur ! douleur ! Tu aimes la douleur, tu adores la douleur…___Et les années passent. Et, comme tous ceux qui prennent de la drogue, j'ai commencé à détester cette vie. Si tu es forte et intelligente, tu t'en sors. Si tu ne l'es pas, tu y restes.

Heureux / Oui, je suis heureuse. Il y a des choses que je voudrais changer pour être plus heureuse et je travaille dessus. Mais je suis heureuse. Je ne m'arrêterai pas là. Je pense que je peux faire mieux et qu'il me reste beaucoup à faire. Mais par rapport à ma vie avec la drogue, maintenant je suis très heureuse !

Bonheur / Mon bonheur est de me réveiller le matin et de boire un café. Ne plus me soucier des moyens pour trouver de l'argent et de la drogue. Ne plus se dire : « Oh oh ! je me sens mal ! je suis malade ! oh, mon Dieu ! j'ai des douleurs partout dans le corps… »___Maintenant je peux me réveiller comme une princesse. Boire un café et penser : « Aujourd'hui, qu'est-ce que je vais faire ?… » C'est le plus grand bonheur : boire un café sans douleur !

Pleurer / Je n'ai pas pleuré depuis longtemps !___La musique m'a fait pleurer très souvent. Quand j'entends une très belle chanson… j'ai envie d'exploser : je pleure pour de la musique ! Bien sûr, je pleure pour des choses tristes, mais souvent je pleure à cause de la musique et j'aime ce sentiment. Pourquoi ? Parce que c'est à moi… je ne sais pas comment expliquer… j'exprime mes sentiments… Il y a des gens timides qui n'expriment pas ce qu'ils sentent et gardent tout à l'intérieur. C'est mauvais parce que, parfois, ils explosent, et ce n'est pas bon !

Guerre / Mon expérience de la guerre, c'est étrange parce que c'était agréable ! À l'époque des bombardements, j'avais quinze ans. On restait assis dehors toute la nuit sur le pont avec des «tee-shirts cibles». Et on attendait les bombes. C'était stupide, mais c'était bien : tout le monde était là ; il se passait des choses chaque soir. J'ai eu de très bons moments...___Et les sirènes à 7 heures !... La première fois que j'ai eu un petit ami, c'était à cette époque, et quand il y avait les sirènes à 7 heures, on commençait à s'embrasser ! Première expérience... c'était un grand amour ! J'ai eu de très bons moments pendant la guerre. C'est stupide, mais c'est comme ça !___La guerre, je la regarde comme une chose simple, une chose désespérément simple. Je pense que c'est très stupide ! Je pense que tous les gens comme moi, les gens normaux, simples, pensent comme moi. Les gens qui tuaient, qui volaient, c'étaient des criminels. Et ça s'est terminé quand un type important dans l'ombre a dit : «Hop ! c'est fini !»___On a commencé à revivre ensemble... ce n'est pas aussi facile ! Même si on ne veut pas, on doit rester... Parce que c'est notre terre. Tout le monde reste sur sa terre... et tu recommences à parler avec les gens. Il y a des gens dont toute la famille a été tuée : ils pensent différemment à propos de la guerre. Mais de mon point de vue, n'ayant pas tellement senti la guerre, je pense qu'elle est tout simplement stupide !

Quitter son pays / Ma mère, une Albanaise, s'est mariée avec un Serbe. Ils ont une culture différente. Quand je suis avec des Serbes, je préfère les Albanais. Quand je suis avec des Albanais, je préfère les Serbes ! Ils ne peuvent pas comprendre ce que je ressens, parce que je suis mixte. J'adore être mixte ! Parce que je pense que nous seuls, ceux qui sont mixtes, pouvons penser objectivement par rapport aux deux camps. C'est une chance...___Donc, je ne crois pas que je vais rester ici.___Au moment de la guerre, je n'avais pas l'impression de quitter mon pays. Ce n'était pas partir pour voyager : c'était un mauvais départ, celui d'une réfugiée. Quand tu es une réfugiée, tu pars de chez toi parce que tu le dois, non parce que tu le veux. Et puis, j'étais séparée de mon père et de ma mère : c'était un *mauvais* départ.

Colère / Je me sens serbe, je me sentirai toujours serbe. Mais c'est très dur : je suis une fille ; je suis jolie... Les Albanais aiment en général les filles serbes parce qu'elles sont plus libres. C'est une culture différente...___Quand je sors avec des amis, ils aimeraient me rendre albanaise, ils me disent : «Ta mère est albanaise ? Tu es albanaise !» Ils veulent me mettre ça dans la tête ! Je suis moitié serbe, moitié albanaise, mais mon père est serbe et je porte son nom : je me sens ainsi.___Mais ils disent aussi le contraire ! C'est stupide ! Ils disent à d'autres : «Tu es albanaise parce que ton père est albanais.» Et à moi ils disent : «Tu es albanaise parce que ta mère est albanaise.» Ça me met en colère.

Nature / Si tu considères la plupart des paysages du Kosovo avant et après la guerre... Avant la guerre, c'était la campagne. Maintenant, ce sont des villes. Chaque jour, en une nuit, il y a de nouvelles maisons qui ont poussé comme des champignons, *toup! toup! toup!* Chaque jour, quand je me réveille, il y a une nouvelle maison : c'est un changement continuel sous mes yeux.

Dieu / Je crois en Dieu. Oui, je crois en Dieu... La religion, c'est plus une histoire de tradition que de croyance. J'aime aller à l'église à cause des fresques, des icônes...___Je pense que la religion est plus faite pour manipuler les gens, pour les rendre moins libres. C'est réconfortant dans la vie de croire en quelque chose. Mais je préfère croire en Dieu à ma façon plutôt que selon la religion.

Amour / L'amour, c'est ce petit sentiment qui met des fleurs dans la vie. Tu as des fleurs dans ta vie, des papillons, plein de couleurs partout, c'est l'amour dans la vie ! Et puis, il y a l'autre côté : la colère... les mauvais sentiments qui mettent de l'obscurité dans ta vie. Et l'amour y met de belles couleurs.

Amoureux / Oh oui ! je me souviens ! J'avais dix ans et j'étais amoureuse comme une folle... Il avait deux ans de plus que moi et nous étions ensemble, petits amis à dix et douze ans ! Quand je revenais de l'école, j'allais dans notre appartement : on habitait au treizième étage ; on était très haut et je le regardais d'en haut pour voir où il était. J'étais folle de lui. Je me souviens très bien de mon premier amour, très beau...___J'aimerais tellement, mais je ne suis pas amoureuse ! J'attends trop peut-être. J'aime beaucoup le théâtre. Alors, peut-être que je joue un rôle : j'attends quelque chose comme dans un film et ce n'est pas la réalité...___Ou bien je me mens à moi-même : « Oh ! je suis amoureuse ! » Une centaine de fois, au cours du dîner avec mon père et ma mère, je leur ai dit : « Je suis amoureuse, aujourd'hui ! » Et eux de me répondre : « Bon ! allez... » C'était chaque jour un nouvel amour... Je crois que j'attends toujours trop... C'est sans doute pour ça que je ne suis pas amoureuse.

Message / Tout le monde devrait profiter de chaque jour de sa vie. Parce qu'on parle de sa prochaine vie ou de sa vie antérieure, mais on ne pense pas assez à cette vie. C'est pourtant la clé ! C'est si beau, si important...!___En fait, on ne se souvient de rien de sa vie antérieure et on ne sait pas ce qu'on sera plus tard : raison de plus pour vivre la vie présente. Vraiment la sentir... pour que, quand la mort survient, on ait vécu sa vie complètement.

Mon expérience de la guerre, c'est étrange parce que c'était agréable !

Maria Rosa

Luis

Queen Ra

Thomas

Véronique

Gallina

QUELLE FUT L'ÉPREUVE LA PLUS DIFFICILE À LAQUELLE VOUS AVEZ DÛ FAIRE FACE ?

Thomas / *Vit en France*
La chose la plus difficile à laquelle j'ai dû faire face, c'est que j'ai dû m'opposer à mon père et à sa violence afin de ne pas être comme lui et de ne pas rater ma vie. C'est quelque chose qui m'a pris beaucoup de temps, tout seul.

Luis / *Vit au Portugal*
L'épreuve la plus difficile de ma vie, ça a été de ne pas avoir ma mère. Je n'ai pas eu de tendresse, je ne pouvais pas rentrer à la maison et dire le mot « maman », je n'avais pas de soutien. Pour moi, c'est un souvenir très dur que je garde avec moi. Ça a été mon enfance, le plus dur. Je n'ai pas eu d'amour.

Queen Ra / *Vit à Los Angeles, États-Unis*
Le moment le plus difficile que j'ai vécu, ce sont dix ans de dépendance au crack, vivre sans abri, connaître la prostitution. J'ai tout arrêté en 1987-1988. C'était cela la plus dure période de ma vie.

Maria Rosa / *Vit à Buenos Aires, Argentine*
Le moment le plus difficile de ma vie a été de passer trois ans en prison, de vingt et un à vingt-quatre ans. Je crois que le plus dur a été de sortir et d'apprendre que mes amis et mon compagnon n'étaient plus là. J'ai appris à me remettre, à me redresser, à avoir de nouveau envie d'être heureuse.

Véronique / *Vit en France*
L'épreuve la plus difficile ? Je vais dire des choses que je n'ai pas dites à beaucoup de gens : ça a été l'incarcération de ma fille aînée en Italie, et un combat de tous les jours pour la faire sortir de prison. Ce que ça m'a appris particulièrement, c'est qu'on peut donner sa vie pour ses enfants, parce que, à l'époque, je voulais être emprisonnée à sa place.

Gallina / *Vit en Ukraine*
Quand la centrale nucléaire a explosé, c'était comme le jugement dernier. Je vivais ici et les vaches devaient paître plus loin. Il y avait beaucoup de voitures sur le chemin, on ne pouvait pas traverser la route avec les vaches. La période était très dure à cause de ce malheur. C'était très dur pour tout le monde, pour les jeunes et pour les vieux. Pour tous ce fut un grand traumatisme. On a survécu, mais pourquoi sommes-nous tous malades ? Parfois on a mal au ventre, à la tête. Nous, nous sommes déjà vieux, mais les jeunes ? Depuis cette catastrophe nucléaire, les gens sont malades.

L'épreuve la plus difficile de ma vie, ça a été de ne pas avoir ma mère.

Darabe / *Vit en Tanzanie*
La chose la plus difficile, c'est la sécheresse et la faim comme l'année dernière.

Nadia / *Vit en Turquie*
L'expérience la plus difficile, c'était il y a six ans : j'ai eu une tumeur au cerveau. Le jour où je l'ai appris, j'ai fait une IRM à Istanbul et le médecin m'a tout de suite dit : « Vous avez une tumeur au cerveau. » Je suis sortie dans la rue, il y avait beaucoup de circulation, comme toujours à Istanbul, et je me suis demandé ce que j'allais faire. Je me suis dit : « J'ai une tumeur au cerveau et tout le monde bouge autour de moi, et je vais mourir, c'est ça. » J'ai appelé mon mari qui était occupé à ses affaires, il y avait beaucoup de bruit où il était, il n'entendait pas ce que je lui disais. Je me suis retrouvée seule et je me suis dit : « Ça y est je vais mourir. » Cette expérience a été la plus difficile dans ma vie, et aussi la meilleure... Car une fois que j'ai été opérée, ma vie a complètement changé, j'ai radicalement modifié mon mode de vie, j'ai commencé à faire exactement ce que je voulais faire, j'ai cessé de voir les gens que je n'avais pas envie de voir. Cette expérience a donc été la plus mauvaise et la meilleure en même temps.

Angela / *Vit en Espagne*
L'expérience la plus difficile de ma vie a sans aucun doute été le fait d'être mère. Je ne parle pas de l'éducation de ma fille, mais plutôt de l'expérience physique de la grossesse et de l'accouchement. C'est brutal, c'est merveilleux ; je suppose que toutes les mères pensent de même, mais c'est une expérience physique brutale, de laquelle on ne dit jamais rien de mal et dont on ne parle pas avec rancœur parce que ça ne se fait pas. Il y a une pression sociale pour que nous, les mères, nous soyons enchantées et reconnaissantes de notre nature reproductrice, mais c'est une expérience brutale. Brutale. Avoir tout à coup un autre être humain à l'intérieur, c'est quelque chose qui bouleverse tout notre appareil chimique, tout notre corps, et tout notre esprit.

L'épreuve la plus dure de ma vie a été d'affronter le tsunami.

Risma / *Vit en Indonésie*
L'épreuve la plus dure de ma vie a été d'affronter le tsunami et de subir la perte de tout ce que j'avais, comme ma famille bien-aimée. Alors jour après jour, la vie est devenue si vide pour moi ! Mais comme il me reste un frère, je sens que je dois vivre. Pour lui au moins.

Nadia

Darabe

Risma

ngela

Ana

Ibrahim

Adria

Schie

Ana / *Vit à La Nouvelle-Orléans, États-Unis*
Ricky est rentré tout de suite pour voir les dégâts de la maison. Tout était en ruine : nous n'avons pas pu retourner voir notre maison pendant plus d'un mois. Juste après Katrina, le cyclone Rita est arrivé. Quiconque se trouvait là devait à nouveau évacuer les lieux. La ville a été inondée une deuxième fois. L'eau atteignait plus de trois mètres de haut. Ce fut la pire semaine de ma vie : nous avions tous évacué, et pendant près d'une semaine aucun téléphone portable ne fonctionnait puisque toutes les antennes étaient hors service. Il n'était pas possible de joindre ceux qui étaient là : je ne pouvais savoir si Ricky était vivant ou non. J'avais plus ou moins accepté le fait d'avoir peut-être perdu notre chien, Chewie. Les seules informations que nous avions provenaient des journaux télévisés.

Ibrahim / *Réfugié soudanais, vit au Tchad*
Ils ont tué mon oncle, ils l'ont éventré et l'ont jeté dans le feu. Ils ont violé mes deux sœurs et les ont emportées je ne sais pas où. J'avais un bébé de six mois, ils l'ont jeté contre un arbre. Et devant moi il y avait un imam qui s'appelait Ali Ahmed qui prêchait pour la religion et l'amitié : il y avait le feu et ils l'ont jeté dedans. Ça a été quelque chose de terrible qui m'a fait pleurer ce jour-là.

Adria / *Vit au Rwanda*
Ce qui me fait le plus peur et qui me revient tous les jours ce sont les Interahamwe (milices à cheval) qui nous ont fait du mal en 1994. Ils m'ont fait du mal, ils m'ont découpée, ils ont provoqué mon handicap, ils m'ont violée. En fait ils ont provoqué un « handicap incurable » jusqu'à aujourd'hui, chaque nuit les blessures me font mal dans la tête, dans les bras, dans les cuisses et partout où ils m'ont blessée. Ça m'angoisse et je pense à ceux qui m'ont fait du mal. En plus ils continuent à me persécuter en me faisant savoir qu'ils peuvent me tuer à tout moment.

Schie / *Vit au Mexique*
L'épreuve la plus difficile ? J'ai vécu de nombreux moments totalement désespérés. Mais l'expérience d'avoir perdu ma famille dans la chambre à gaz… Dans la même chambre, j'ai perdu ma mère, parce que mon père avait déjà été exécuté, mais donc ma mère, mes trois sœurs, et mes neveux. Il ne restait que les trois frères. Ma famille : papa, maman, trois sœurs, trois frères. Les trois frères, nous fûmes sélectionnés, nous fûmes mis à droite, ce qui voulait dire « vie », c'est-à-dire que nous resterions en vie. Les autres, ils les ont tués dans une chambre à gaz, comme des insectes, comme s'ils étaient coupables d'assassinats, de méchancetés dans le monde.
Qui condamne-t-on à mort ?
Des personnes méchantes. Je ne crois pas que mes neveux de trois ou quatre ans méritaient la mort pour avoir commis une mauvaise action.

Kosal / *Vit au Cambodge*

Les conditions de vie pendant la période de Pol Pot étaient difficiles pour tout le monde. J'avais quatorze ou quinze ans et je faisais partie du groupe qui exécutait les tâches les plus physiques et les plus lourdes. Je me souviendrai toujours quand on a tué un ami à moi. Il était malade, et au moment où il a décidé de se reposer, il est mort. Ils sont venus taper sur lui avec des bâtons, il a reçu quatre ou cinq coups avant que ses tortionnaires réalisent qu'il était déjà mort. Cette cruauté sur quelqu'un qui est mort, torturer un mort... Vous pouvez imaginer les souffrances infligées aux vivants.

Kerstin / *Vit en Suède*

La violence dont j'ai été victime, je veux appeler ça de la torture. Mon père est probablement la plus gentille personne que j'ai jamais rencontrée. Nous, on apprenait à écouter aux portes pour savoir si c'était le moment d'y aller. On savait qu'on disait ce qu'il ne fallait pas et on savait que, quand on disait ce qu'il ne fallait pas... Je ne dis pas qu'on se faisait frapper, parce que, quand on frappe un enfant avec une chaîne, je n'appelle pas ça frapper. Je veux appeler ça torturer. Mais après il y a l'autre côté de la violence qui est psychologique. Celle qui dit : « Si tu ne fais pas ce que je te dis de faire, je ne te protégerai pas contre la violence physique. » Il m'a fallu beaucoup d'années pour comprendre que mon père utilisait la violence physique et que ma mère avait recours à la violence psychologique.

Yavuz / *Vit en Turquie*

Durant toute ma vie, ce qui m'a fait le plus de mal c'est la torture et le temps passé dans la prison militaire. Nous disons que la torture est un « crime contre l'humanité ». Nous disons ce mot assez facilement, mais il faut vraiment le vivre pour comprendre ce que cela signifie. Je n'ai pu comprendre la barbarie et l'inhumanité qu'en les vivant, et j'en suis encore à comprendre les dégâts que cela a pu causer sur mon état mental et mon esprit. Mais ce n'est pas possible d'expliquer ce que j'ai vécu à la prison militaire de Diyarbakir avec les mots « barbarie » et « inhumanité ». Là, j'ai appris ce qu'était la souffrance, la barbarie, le désespoir, j'ai appris jusqu'où pouvait aller la barbarie des hommes, j'ai appris ce qu'était l'absence de droit, j'ai appris la cruauté causée par l'absence de droit, j'ai appris ce qu'était la dictature. J'ai appris comment des hommes innocents pouvaient être transformés en êtres violents. La vérité est que j'ai appris ce que pouvait engendrer le mal, la peine, la violence. Et quand j'ai vu les dégâts que cela pouvait causer à l'humanité, j'ai su que je ne devais pas le faire.

La violence dont j'ai été victime, je veux appeler ça de la torture.

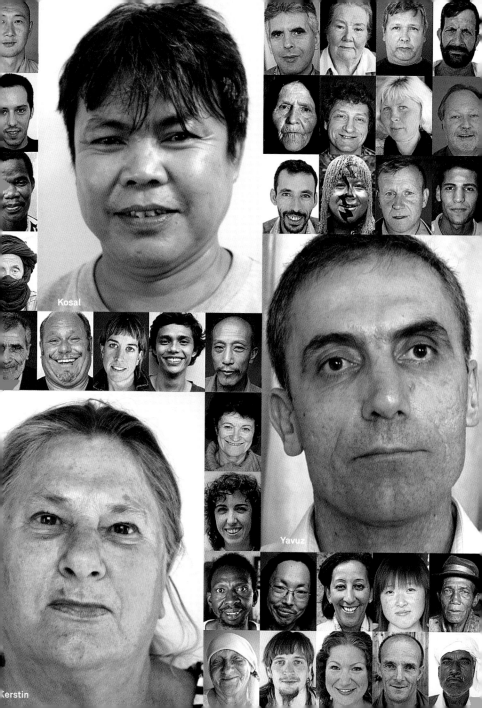

Kosal

Yavuz

Kerstin

Kanha

Malika

Concepcion

Oscar

Kanha / *Vit au Cambodge*
Le moment le plus difficile pour moi, c'est quand je ramassais le plastique et le fer à la décharge publique. Cette situation m'était insupportable. C'est très dur d'en parler, « difficile », c'est vraiment le mot. J'étais petite, je ne connaissais rien, je ne mangeais pas à ma faim, je n'avais rien comme les autres enfants qui ont des moyens. Tous les jours je commençais le travail tôt le matin jusqu'à tard le soir. Je ne connaissais que les ordures. Que du plastique et du fer à ramasser afin de gagner un peu d'argent pour nourrir la famille. Je travaillais nuit et jour sous la chaleur ; je n'osais pas me plaindre, même quand je me blessais ou me coupais avec la ferraille, même quand j'avais faim... Parfois je n'avais rien à manger pendant une journée entière, il fallait supporter. La grosse difficulté c'était la faim, la soif, la chaleur, et j'étais petite : vivre sur la décharge, c'était très très dur. Mais cette expérience m'a appris à savoir ce que c'est que d'avoir faim, et j'ai appris à m'abstenir. Ça reste dans ma mémoire. Quand j'aurai un bon avenir, un jour, je ne l'oublierai pas, car ce bel avenir, je l'obtiendrai grâce à tous ces efforts, à toutes ces luttes et ces difficultés que j'ai traversées.

Oscar / *Vit à Buenos Aires, Argentine*
Le moment le plus difficile a été quand je n'ai pas eu d'emploi pendant plusieurs mois. Ça m'a beaucoup marqué ensuite dans ma vie, lorsque j'ai été obligé de licencier ou d'engager des gens. L'impact provoqué sur quelqu'un par la perte de son emploi, je crois que c'est une des choses les plus terribles dans la vie.

Concepcion / *Vit au Mexique*
Dans ma vie, le plus difficile ça a été mon mari. Ça n'a pas fonctionné avec lui, et ce que j'ai appris, c'est que je ne ferais plus la même erreur. Ni avec lui ni avec personne, en fait. Je ne ferais plus la même erreur, parce que j'aurais dû me méfier : il buvait beaucoup. Il me frappait. Et... non, je ne le ferais plus...

Malika / *Vit au Pakistan*
J'étudiais pour mon diplôme, je devais rendre des devoirs. Un jour, mon oncle est venu et m'a dit : « Demain ce sont tes fiançailles. » J'avais vaguement entendu dire que j'allais être fiancée. J'ai été surprise de la façon dont j'ai été fiancée, de manière aussi impromptue. Il n'y avait aucune préparation. Je n'étais pas prête à me fiancer le lendemain ! Mais mon père et mon oncle sont venus le soir, et le lendemain j'étais fiancée !

La perte de son emploi, je crois que c'est une des choses les plus terribles dans la vie.

Nompucuko Gloria / *Vit en Afrique du Sud*
J'avais dix-huit ans, j'étais au lycée, ma mère adoptive m'a dit que ça suffisait et qu'elle allait me marier. Elle m'a «prêtée» à des gens. Le fait qu'elle ne m'ait jamais éduquée était blessant pour moi, puis elle a défendu son fils lorsqu'il m'a violée. Elle disait que cet incident ne devait pas sortir de la maison. En plus, elle ne m'a jamais parlé de mes vrais parents dans mon enfance. Tout cela, ce sont les expériences négatives que j'ai endurées. Une chose positive ressort de toutes mes expériences négatives : cela m'a donné de la force et la certitude que je ferai étudier mes enfants.
La malhonnêteté... Avec mes enfants, je veux être toujours honnête. Mes enfants ont des pères différents. Mais ils le savent, et je pense que c'est bien pour eux de le savoir. Même si je meurs, ils sauront qui est leur père et ils auront un endroit où aller.

Màrio / *Vit au Portugal*
La chose la plus difficile qui me soit arrivée, la plus compliquée, c'est la mort de ma mère. Ce que j'ai appris ?
J'ai appris qu'on réussit à vivre sans ceux qu'on a aimés ; on peut continuer à sourire, on peut continuer à pleurer, on peut continuer à être heureux malgré tout. Mais il reste, il reste à jamais un très grand manque.

Marie / *Vit à la Réunion, France*
La plus grande souffrance a été la mort de mon mari. On était ensemble, il était vivant, on discutait, et il est mort. Rupture d'anévrisme. Ça va très vite, en un claquement de doigts. Tu es en vie, tu es mort. Avant de vivre ça, j'avais l'expérience de la mort, parce que à la Réunion on participe aux veillées mortuaires, on en parle, voilà. Ça fait partie de la vie, vraiment. Perdre mon père, il y avait une sorte de logique. Mais perdre un mari, alors que l'on est vraiment dans des projets de vie, avec un enfant petit, ça a été d'une violence sans nom.

Rachid / *Vit en Égypte*
La pire épreuve, je crois que je la porte depuis mon enfance : c'est la disparition de mon frère aîné, il avait un an et quelques mois de plus que moi, on vivait pratiquement comme des jumeaux. Il a été emporté par la mer. Je n'étais pas présent ; mon père, ma mère et l'un de mes frères étaient là... on n'a jamais retrouvé le corps. Aujourd'hui encore il m'arrive d'en rêver. J'avais quinze ans quand il a disparu, et lui en avait un peu plus de seize. Aujourd'hui, chaque fois qu'il me vient en rêve, il me dit des choses et je l'interromps : «Attends, je t'arrête, dis-moi d'abord où tu étais tout ce temps-là...» C'est une béance qui reste ouverte.

Perdre mon mari, [...] ça a été d'une violence sans nom.

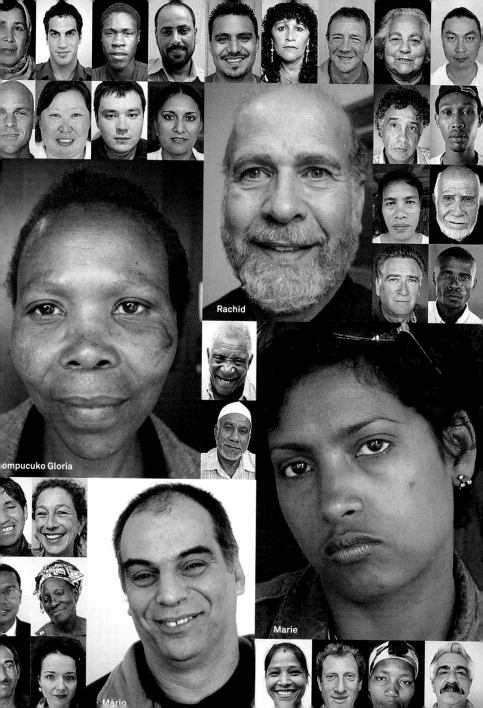

ompucuko Gloria

Rachid

Marie

Màrio

John

Akusawa

John / *Vit à New York, États-Unis*
L'expérience la plus difficile de ma vie fut quand une personne que j'aimais beaucoup, beaucoup, et qui m'aimait je pense beaucoup, s'est tuée. C'est quelque chose à quoi je pense tous les jours. Mes proches me répètent sans cesse que je ne suis pas responsable, mais je ne peux me détacher de cette idée. C'est terrifiant d'être proche de quelqu'un qui se suicide. C'est un des puzzles de la vie que je ne suis pas sûr d'avoir percés à jour. En tout cas j'ai compris que la responsabilité de chacun, qu'il en soit conscient ou non, est énorme. Chacun doit se juger soi-même et doit se sentir responsable de ses propres actions. Je me suis rendu compte à quel point mon attachement à cette personne avait été profond, et je sens que je porterai une partie de la responsabilité de sa mort sur mes épaules toute ma vie. C'est ce qui, j'en ai bien peur, me définira toujours.

Akusawa / *Vit à Los Angeles, États-Unis*
Le moment le plus dur de ma vie c'est lorsque j'ai appris que mon plus jeune fils, qui avait vingt-cinq ans, avait été brutalement assassiné. Ça a été très très dur, et j'ai appris la nouvelle par le *coroner*, ce qui n'était pas la meilleure façon de l'apprendre. Je me souviens que mon cœur battait à cent à l'heure, je pensais avoir une crise cardiaque ; je me revois leur demander : « Pourquoi ? Que s'est-il passé ? Je n'ai jamais fait quoi que ce soit pour qu'un tel malheur tombe sur moi ! » Plus je me posais cette question, plus je me demandais combien de gens ont perdu la vie, combien de personnes meurent de mort violente, combien de mères ont souffert au point où je souffre. J'ai appris qu'il faut traverser des épreuves, parfois, et ceux qui sont assez forts pour les surmonter en tirent une leçon. Il y a une leçon dans chaque chose de la vie et la vie a un sens que nous devons trouver. Je cherche toujours le sens du meurtre de mon fils parce que je crois que cela même a un sens. Je sais aussi que la force intérieure que j'en ai tirée, je peux la partager avec d'autres gens qui n'ont peut-être pas la force et l'énergie pour supporter la perte d'un être cher. Pas seulement perdre un être cher, mais le perdre des mains d'un autre. Je dois dire que c'est cela l'épreuve la plus dure que j'ai eue à affronter dans la vie.

Lynette / *Vit en Australie*
Je n'aime pas parler de choses malheureuses. Si vous vous y complaisez, elles finiront par vous bouffer. Pour moi, tout ce que j'ai appris vient des malheurs que j'ai subis : l'abus sexuel, l'inceste, la violence domestique, l'angoisse psychique, le déplacement de force, le décès de ma mère, avoir été reniée, me faire prendre ma fille... Toutes ces choses sont des leçons : voilà comment je les vois. Si je m'étais posée en victime, je n'aurais pas pu survivre. J'ai décidé de montrer aux autres qu'il est possible de changer sa vie, en se reposant sur plus fort que soi et sur la solidité de ses valeurs, de ses convictions, de son identité et de sa spiritualité grâce auxquelles il est possible de réussir n'importe quoi.

Misbah

Vit dans les Territoires palestiniens

Ce qui me fait peur, c'est qu'on puisse changer l'avenir que j'essaie de construire

Présentation / Je m'appelle Misbah, je suis né à Gaza, dans le camp de Brej. Je suis né en 1981, j'ai vingt-sept ans. J'ai étudié les mathématiques à Ramallah et par la suite j'y ai trouvé du travail. Actuellement, je suis webdesigner.

Souvenir / Je me rappelle certains endroits à Gaza. J'aimais beaucoup la nature et les animaux. J'avais de la famille aux alentours. On allait chasser les oiseaux, on grimpait aux arbres, on jouait dans les champs et dans les petits prés.___J'adore vraiment la mer, je me souviens d'un jour où on est sortis en famille à la plage. Pour moi, c'était comme un jour de fête, car on allait s'amuser pendant toute la journée, on allait nager. Ce sont pour moi de très beaux souvenirs.___Je vivais au camp de Brej où il y avait beaucoup de circulation, beaucoup de monde. Dans les rues, tu pouvais voir cinq cents enfants en train de jouer!___Je trouvais que j'avais de la chance d'avoir de la famille vivant en pleine nature, avec de l'espace et des arbres, de l'espace pour jouer.

Appris de ses parents / Mon père m'a beaucoup appris à compter sur moi-même. Je me souviens qu'une fois, ou plutôt plusieurs fois, il m'a demandé mon avis. Par exemple, quand j'avais dix ans, il travaillait dans la maison et il me demandait : « Tu en penses quoi ? Tu veux qu'on fasse comme ça, ou comme ça ? »___Bien sûr, il connaissait la réponse, mais il adorait me faire participer à ses travaux ; il voulait avoir mon avis, afin que je m'habitue à prendre des décisions. Dans la suite, je crois que ça a énormément influencé ma personnalité.

Appris de la vie / J'ai l'impression que mon enfance a influé ma vie actuelle. Comme la situation était très dure, je travaillais pour participer aux revenus de la maison... J'avais le sentiment que c'était interdit, que je n'avais pas l'âge de travailler, mais malgré tout j'ai travaillé.___Aujourd'hui j'éprouve deux sentiments, un négatif et un positif. D'un côté, j'ai passé mon enfance à travailler, avec des responsabilités au-dessus de mon âge. Mais d'un autre côté, ça m'a permis de construire ma personnalité, d'apprendre à assumer les problèmes de la vie et à les résoudre seul. J'ai connu plein de situations qui m'ont appris des choses qu'on n'apprend pas à l'école, qu'on acquiert uniquement par l'expérience.___Un autre aspect de mon enfance a été négatif. J'adore la musique, mais quand j'étais petit on n'avait pas le droit d'en écouter, car notre famille était très conservatrice. Dans la majorité du camp, la musique était interdite et considérée comme un péché.___Je n'avais donc pas l'occasion d'en écouter. Aujourd'hui, je me dis que c'est dommage d'être passé à côté de ça, que j'ai raté beaucoup de choses. Si j'avais pu en écouter à loisir, aujourd'hui je penserais différemment et je m'amuserais davantage.

Épreuve / L'expérience la plus dure que j'ai vécue ? Mon arrestation et mon incarcération dans les prisons israéliennes.___En 2002, il y a eu une invasion à Ramallah, alors que j'étais dans la rue. N'importe qui pouvait être arrêté n'importe où. Il y avait des vagues d'arrestations dans toute la Cisjordanie. J'ai passé les trois mois les plus durs, oui, les plus durs de ma vie.___C'était une situation folle... Personne ne comprenait ce qui se passait. Ils arrêtaient les gens et les rassemblaient dans les Jeep israéliennes, puis ils procédaient à un tri. Par exemple : « Toi tu as fait quelque chose contre nous, donc tu restes. Toi tu n'as rien fait, donc tu rentres chez toi. » Ils commençaient par arrêter tout le monde et ils faisaient le tri après.___Moi, par manque de chance ou je ne sais quoi, j'étais dans une situation spéciale. D'après ce qu'on m'a raconté, c'est à cause de mon frère qui est mort martyr à Gaza pendant l'Intifada. On disait qu'il faisait partie d'un groupe d'activistes. C'était donc à leurs yeux une bonne raison pour m'arrêter et m'interroger.___Cela m'a affecté d'autant plus que j'étais encore sous le choc de la mort de mon frère. Ça peut te paraître bizarre que le choc de la prison soit l'expérience la plus dure de ma vie, et non la mort de mon frère. Mais l'expérience de la mort d'un proche, chacun la fait un jour ; c'est logique. Tandis que la prison, ce n'est pas logique, surtout pour un innocent. J'avais beaucoup entendu parler de la prison et de ce qui s'y passe. Mais je n'aurais jamais imaginé que ce soit si dur, surtout quand tu es innocent et que tu n'as aucune raison d'être incarcéré.___Bien que ma vie actuelle soit aussi une « prison », une prison plus grande, connaître la vie dans une vraie prison, c'est beaucoup plus dur.___Je suis resté vingt-six jours dans une cellule d'un mètre sur deux. Si tu veux parler à quelqu'un, c'est avec un inspecteur, et c'est épuisant moralement.

Joie / Ma plus grande joie, c'est quand je suis sorti de prison. J'étais très ému. « Je suis sorti, je suis hors de prison ! » me disais-je. Je n'en revenais pas. J'avais été enfermé pendant un mois dans une cellule sans voir le soleil. Je me suis retrouvé dehors : il y avait des gens dans la rue et du soleil ! C'est le moment le plus exceptionnel de ma vie !

Colère / Je suis arrivé à Ramallah avec une autorisation valable un jour. Évidemment, je savais que j'allais étudier pendant quatre ans. Ensuite, il y a eu l'Intifada et la situation est devenue critique à Gaza. En plus, là-bas, il n'y a pas de travail. J'ai réussi à en trouver ici.___Je ne parviens pas à voir mes parents. Ça fait huit ans que je suis à une distance d'une heure en voiture. Mais ni mes parents ni moi ne pouvons nous rendre visite. Si je pouvais aller les voir, cela changerait le cours de ma vie. La situation est très dure.___Beaucoup de gens demandent des autorisations qui sont rejetées par les Israéliens, parce que leur fils était dans la résistance et est mort pendant l'Intifada. Du coup, ils sont interdits de sortie. Pour moi, c'est la même chose : si je vais à Gaza, j'ai une chance d'en revenir libre, mais ils peuvent tout aussi bien m'arrêter une deuxième fois.

Peur / Depuis sept ou huit ans que je suis à Ramallah, je ne suis pas sorti de la ville. J'ai peur du moindre soldat israélien qui n'a même pas son bac et qui peut bouleverser ma vie.___Ce qui me fait peur, c'est qu'on puisse changer l'avenir que j'essaie de construire dans l'ombre de ce chantier. Je peux envisager de me marier, acheter une maison ici, mais il suffit qu'un soldat me prenne et m'embarque à Gaza pour que ma vie soit détruite. Alors, je ne peux rien construire ici.

Changer sa vie / Si je pouvais changer quelque chose dans ma vie, je ferais en sorte que mon enfance ne se soit pas déroulée à Gaza. J'aurais aimé vivre avec ma famille en liberté et davantage dans la nature. On s'en fout complètement que la situation financière soit mauvaise, qu'on ait ou pas une belle maison... Peu importe, pourvu qu'on soit ailleurs qu'à Gaza, libres et en sécurité...

Amour / Mon seul contact avec mes parents, actuellement, c'est le téléphone. Mais parfois je déteste le téléphone. Parce qu'il filtre la tendresse et les émotions. Il ne laisse que la voix. Mes sentiments profonds passent à travers la vue, l'ouïe, le toucher. J'aimerais voir mes parents de mes yeux, les toucher de mes mains, j'aimerais pouvoir les embrasser. Quand je les entends au téléphone, certes ils me manquent moins ; mais je n'entends que leurs voix : tout le reste me manque.

Religion / La religion a été très importante à un moment donné de ma vie. Mes parents m'ont élevé de façon que la religion influe sur mon comportement. J'adorais la religion. Mais, plus tard, j'ai fait la différence entre le vrai et le faux sans que la religion intervienne. Je sais que Dieu existe. Ça je le sais. Mais mon éducation n'a plus la même valeur aujourd'hui.___Je me dis parfois que chacun est libre d'avoir sa propre religion qui détermine son comportement. Je respecte ceux qui agissent avec humanité sans distinction de couleur, de race ou de religion. À partir du moment où l'on se comporte en êtres humains, la religion n'a plus d'importance.

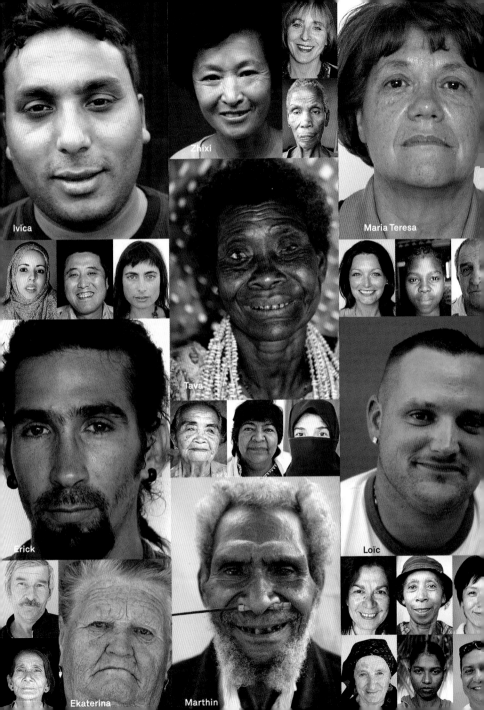

Ivica

Zhixi

Maria Teresa

Tava

Erick

Loïc

Ekaterina

Marthin

QUELLE EST VOTRE PLUS GRANDE PEUR ?

Ivica / *Vit à Belgrade, Serbie*
Ce dont j'ai le plus peur, ce sont les femmes, les belles femmes, et le manque d'argent. En Serbie, c'est de ça dont j'ai le plus peur. Autrement pour tout le reste, la vie est belle.

Maria Teresa / *Vit en Italie*
Je ne peux vous révéler ma plus grande peur, j'ai honte. Ma plus grande peur est horrible, je ne sais pas si je peux vous l'avouer. Je vous la dis ? C'est que l'on me mette dans un cercueil alors que je ne suis pas morte.

Zhixi / *Vit à Pékin, Chine*
Ma plus grande peur, c'est que mon fils ramène une femme qu'on n'aime pas et qu'elle vienne habiter chez nous. Et qu'après le mariage, elle s'impose trop et qu'on ne soit plus une famille unie.

Tava / *Vit en Papouasie-Nouvelle-Guinée*
J'ai très peur du volcan. J'ai peur qu'il se réveille à nouveau. J'ai survécu à une éruption volcanique il y a dix ans. Aujourd'hui, j'ai très peur de sa force, j'espère qu'il ne se réveillera jamais.

Ma plus grande peur, c'est… que Dieu n'existe pas.

Ekaterina / *Vit en Sibérie, Russie*
Avant, je n'avais peur de rien, j'étais courageuse. Aujourd'hui encore, je n'ai peur de rien ni de personne. Il vaut mieux que ce soit eux qui aient peur de moi, non ?

Ma plus grande peur ce serait de savoir que Dieu existe vraiment.

Marthin / *Vit en Papouasie-Nouvelle-Guinée*
J'ai peur de Satan. J'ai très peur d'aller en enfer et de rencontrer le diable ! J'essaie donc d'être quelqu'un de bien.

Erick / *Vit à Cuba*
Ma plus grande peur, c'est… que Dieu n'existe pas. Qu'on soit tout seuls dans l'univers, voilà ma plus grande peur.

Loïc / *Vit en France*
Que Dieu existe : je crois que ce serait ma plus grande peur, je pense, ouais. Ma plus grande peur ce serait de savoir que Dieu existe vraiment.

Bruno / *Vit en Indonésie*
La dernière fois que quelqu'un m'a demandé quelle était ma plus grande peur, j'étais sur un bateau à Sumatra et je lui ai dit que ma plus grande peur c'était de perdre mes jambes. Trois mois plus tard, j'ai eu un accident de voiture, je me suis cassé le dos et j'ai justement perdu mes jambes. Alors ma plus grande peur aujourd'hui… J'ai appris à ne pas avoir de grande peur, de lâcher l'idée même de la peur dès qu'elle me saisit.

Penda / *Vit au Mali*
Ce qui me fait peur, ce sont les démons. Ceux qu'on ne voit pas. Je sais qu'ils existent et ça me préoccupe. La nuit, ça m'empêche même de dormir.

Safyyeh / *Vit dans les Territoires palestiniens*
Quand un enfant naît, il y a des mamans qui ne cessent de lui dire : «Attention, tu vas rencontrer le chacal, tu vas rencontrer El houmamé : une bête bizarre.» Ce n'est pas bien de dire de telles choses à un enfant. L'enfant, tu dois le laisser se frayer son chemin pour qu'il n'ait pas peur, qu'il grandisse et qu'il s'habitue à marcher la nuit là où il veut, sans avoir peur.

Anja / *Vit en Suède*
Si je me permets d'être un peu philosophe, je pense que c'est la peur elle-même que je crains, parce que dès qu'on la laisse s'installer, on perd le contrôle de soi. Oui, je pense que c'est la peur elle-même que je crains, parce que si on laisse la peur s'installer, on ne voit plus d'espoir, on désespère.

Meenakshi / *Vit au Tamil Nadu, Inde*
J'ai peur de mon mari. Quand il boit, j'ai peur des disputes, qu'il me frappe et que j'en meure.

Georgette / *Vit à Madagascar*
Ce dont j'ai peur dans ma vie et qui peut avoir de mauvaises répercussions dans mon existence actuelle, c'est d'avoir d'autres enfants. La vie est déjà difficile, j'ai déjà beaucoup d'enfants, et les terres qui me permettent de les nourrir sont très petites.

Willem / *Vit en Afrique du Sud*
La seule chose qui me fait vraiment peur, c'est que je pourrais contaminer ma femme. On a toujours été très prudents dans notre vie amoureuse, et ça serait très dur pour moi si ma femme devenait séropositive à cause de moi, parce que je l'aime ; je prends tellement soin d'elle ! Je ne voudrais pas lui faire de mal en aucune façon, et surtout pas qu'elle devienne séropositive.

C'est la peur elle-même que je crains, parce que dès qu'on la laisse s'installer, on perd le contrôle de soi.

Wenyuan

Evguenia

Miora

Mark

Kurfa

Maria

Mario

Esperanza

Wenyuan / *Vit au Yunnan, Chine*
Ma plus grande peur, c'est de tomber malade. Les problèmes de santé, pour la plupart des gens, c'est le plus terrible, et surtout pour nous, paysans. Parce que d'abord on n'a pas de protection, et on n'a pas beaucoup d'argent ; donc tomber malade c'est terrible, c'est même catastrophique. Moi je crains la maladie, pour moi, mais surtout pour ma mère. À mon avis, ce n'est pas grave d'être pauvre, mais la seule chose, c'est qu'on ne doit surtout pas tomber malade.

Evguenia / *Vit en Sibérie, Russie*
Nous ne touchons pas de salaire depuis des mois. On vit comme on peut, tout le monde en Russie a peur du lendemain, on ne vit pas, on survit, on lutte pour vivre.

Mark / *Vit en Irlande*
Pour être franc, l'une de mes plus grandes peurs et inquiétudes est de perdre mon emploi.

Kurfa / *Vit en Éthiopie*
La chose qui me fait le plus peur, c'est la faim. Quand mes enfants reviennent de l'école, ils doivent avoir quelque chose à manger. Je leur apprends à ne pas trop manger afin de garder de la nourriture pour le lendemain, parce que nous n'en avons pas assez.

Mario / *Vit en Bolivie*
On raconte beaucoup qu'il n'y aura plus de pluie, alors s'il ne pleut pas, il n'y aura pas de récolte, c'est ce que nous craignons. Espérons que Dieu ne le veuille pas. Toujours, quand il pleut, c'est une bénédiction de Dieu. Quand il pleut, il y a une récolte, et si on la vend, il y a de l'argent, il y a un revenu pour la famille.

Esperanza / *Vit à Cuba*
Ma plus grande peur, c'est de rester toute seule dans le monde, sans amis, sans famille. Ça m'atterre, la solitude, ça me met dans un sale état. La solitude m'inquiète.

Maria / *Vit en Argentine*
J'ai peur de la mort. J'y pense souvent. Chaque fois que je me couche, j'y pense, et je ne sais pas si je me relèverai.

Miora / *Vit en Roumanie*
Ma peur c'est de perdre la tête, ne pas rester lucide jusqu'à ma mort. Nous, les vieux, on a peur d'une maladie de la tête et de devenir fou, ou de devenir un légume. On préférerait mourir debout et maintenant, plutôt que d'être à la charge de quelqu'un. Je ne veux pas que quelqu'un prenne soin de moi, j'aimerais mourir d'un seul coup, mais ça, on ne le choisit pas.

J'ai peur de la mort. J'y pense souvent. Chaque fois que je me couche, j'y pense.

Robin / *Vit à New York, États-Unis*
Ma plus grande peur est de mourir avant
d'avoir accompli quelque chose de
vraiment bénéfique pour le monde.
Avant, j'étais très occupée à élever mes
enfants, je n'avais donc pas le temps de
faire du bénévolat. Or je sens que je dois
en faire avant de mourir. Ma deuxième
grande peur – croyez-le ou non – est
de subir une autre attaque terroriste,
car je me trouvais à Manhattan le
11 septembre. Je pénétrais dans le
tunnel lorsqu'un avion nous a survolés.
Je dormais et mon voisin m'a réveillée
en s'exclamant : « Mon Dieu, comme
cet avion vole bas ! On dirait qu'il va
s'écraser ! » Il s'agissait du premier avion
qui a percuté le World Trade Center.
Depuis, chaque jour où je m'apprête
à entrer dans le tunnel, je crains qu'il
s'effondre. Ma troisième peur est qu'il
arrive quelque chose à mes enfants.
Mon bonheur dépend beaucoup du leur.
Tant qu'ils vont bien, je me sens bien.

Birgit / *Vit en Suède*
La chose la plus difficile qui m'est
arrivée, c'est quand j'ai perdu mon fils,
il n'y a rien de plus difficile pour une
mère, pour une femme, que de perdre
un enfant. Après cela, on n'a peur de
rien, parce qu'on a déjà vécu la pire
chose qui puisse arriver.

Myriam / *Vit en Israël*
Deux de mes enfants sont soldats dans
des unités de combat et j'ai très peur
qu'il leur arrive quelque chose. Et dans
notre pays, ce risque est quotidien.

Norma / *Vit à Buenos Aires, Argentine*
La peur était présente constamment.
Je me rappelle, un jour, on a sonné
à ma porte, ils ont dit : « C'est la police ! »
J'ai pensé que c'était une blague, mais
non, ce n'était pas une blague. Bon,
ce n'était rien d'important, ils venaient
juste vérifier mon adresse. Moi,
j'ai quand même caché mes enfants.
J'étais tranquille parce qu'il n'y avait
plus de livres, nous les avions tous
brûlés ou enterrés. Tout ce qui aurait
pu être suspect, je ne sais pas... même
le livre de poèmes de Neruda était caché.
La peur était constamment présente.
Quand tu marchais dans la rue,
une voiture pouvait arriver et te jeter
par terre, puis on te fouillait pour savoir
si tu possédais des armes. C'était la
terreur, c'était terrifiant.

Kouta / *Vit au Japon*
Ce qui me fait le plus peur, c'est la
guerre. Quand j'étais enfant, il y avait
des bombardements par les Américains
et ça se passait toujours le soir.
Pourquoi toujours le soir ? Pour que
nous ne puissions pas dormir. Le bruit
des avions de combat est un souvenir
très fort de mon enfance, je ne pourrai
jamais l'oublier. Dès que la sirène
sonnait pour avertir tout le monde,
il y avait des avions de bombardement
qui arrivaient avec fracas dans le ciel
et ensuite je les voyais partir au loin.
Vous savez, la ville de Hiroshima est
entourée par trois montagnes, il y a un
projecteur géant sur les sommets de ces
montagnes pour repérer des avions.
Et dans ma tête, il y a toujours l'image

Norma

Myriam

rgit

Kouta

Robin

Reiha

Tihoti

Meriem

Aron

d'une lumière qui flotte sur la mer d'encre, ça me faisait vraiment peur à l'époque, et cette image-là n'est jamais sortie de ma tête.

Étant un rescapé de l'Holocauste, je n'ai pas de grande peur. Pire que ça, ce n'est pas possible.

Tihoti / *Vit à Tahiti, France*
Ma plus grande peur, c'est que les grands États du monde entier nous détruisent avec leurs guerres, avec leur politique, avec toutes ces bombes nucléaires, c'est ça ma plus grande peur. Qu'un jour l'humain détruise toute la planète avec toutes ces guerres, ce choc des mentalités. C'est une chose qui me dépasse. Quand tu regardes dans le monde entier autour, tu as vraiment des raisons d'avoir peur qu'on détruise la planète, nous-mêmes, l'humain. Voilà ma grande peur.

Aron / *Vit en Israël*
Étant un rescapé de l'Holocauste, je n'ai pas de grande peur. Pire que ça, ce n'est pas possible. Par rapport à ce que j'ai vécu dans mon enfance, tout le reste n'est qu'une bagatelle.

Meriem / *Vit en Tunisie*
J'ai peur des Hommes, j'ai peur de la méchanceté humaine, des phénomènes de groupe, de la cruauté qui est en chacun de nous, j'ai très peur de ça. Les phénomènes de masse. La grégarité des humains...

Reiha / *Vit en Bosnie-Herzégovine*
Je suis persuadée qu'on peut vivre ensemble. D'ailleurs, on est obligé de le faire. Nous avons vécu ensemble pendant des siècles, et il faudrait continuer de le faire. Là d'où je viens, les maisons serbes et musulmanes étaient côte à côte, et il n'y avait jamais de séparation ; on allait aux fêtes religieuses les uns chez les autres. Cela a été comme ça pendant des siècles, et je ne comprends pas qu'on puisse vivre l'un à côté de l'autre sans communiquer, sans se rendre visite. J'aimerais que la vie redevienne comme avant : qu'on aille aux fêtes religieuses les uns chez les autres, aux anniversaires, aux baptêmes... Qu'on s'entende bien et qu'on vive comme des gens normaux, sans craindre son voisin ni quiconque.

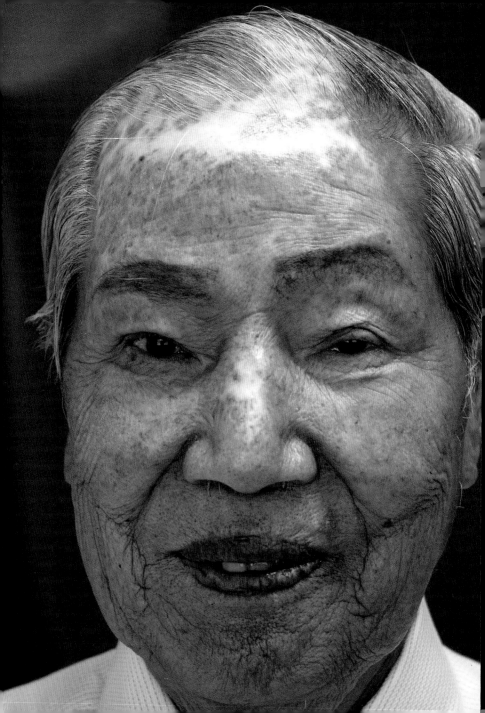

Sunao

Vit au Japon

J'avais vingt ans quand j'ai vécu l'attaque de la bombe atomique sur Hiroshima.

Présentation / Je m'appelle Sunao. J'ai quatre-vingt-un ans. Je suis président d'une association de *hibakushas* [victimes irradiées de la bombe atomique].

Épreuve / J'avais vingt ans quand j'ai vécu l'attaque de la bombe atomique sur Hiroshima, à un kilomètre de l'épicentre.___J'étais sur le chemin de l'université quand j'ai été soufflé. Mon corps s'est écrasé dix mètres plus loin. Bien sûr, j'ai perdu connaissance. Quand je me suis réveillé, tout était noir. Je ne comprenais rien. Je n'ai pas vu le champignon atomique. Je ne pouvais pas voir à cent mètres devant moi, tellement il faisait noir.___D'abord, j'ai été choqué, et puis j'ai senti mon visage carbonisé. Mes oreilles étaient déchirées, mes lèvres gonflées. Ensuite, j'ai vu mes mains noires, carbonisées elles aussi. Ma chemise était en lambeaux, mon pantalon, pareil.___Juste après, je me suis rendu compte que je courais avec ma chemise qui brûlait sur mon dos. J'ai bien couru dix à quinze minutes, mais j'avais tellement mal que j'ai enlevé ma chemise et éteint les flammes. J'étais torse nu, je n'avais plus que mon pantalon.___Même aujourd'hui, soixante et un ans après, j'ai encore les cicatrices des brûlures. Sur mes pieds aussi, si j'enlève mes chaussettes, ma peau est toute tirée. Ma hanche aussi... Enfin, sur tout mon corps, ou presque, j'ai des cicatrices de brûlures.___Pendant une semaine, j'ai réussi à garder conscience des événements, parce que j'étais obligé de fuir Hiroshima en flammes. J'ai passé plusieurs nuits dehors. On ne voyait plus rien dans les rues. Même les maisons avaient brûlé. Tout était détruit. C'était un désert sauvage. J'ai survécu pendant une semaine comme ça, en recevant la nourriture de bénévoles.___C'est après que j'ai complètement perdu conscience. Je ne savais même pas qu'on était le 15 août et que la guerre était terminée. Finalement, je suis resté quarante jours inconscient. Et puis ma mère m'a retrouvé et je suis revenu à la maison.___Et pendant cinq mois, à chaque fois que mon médecin me voyait, il me répétait que j'allais mourir. De mon côté, je n'avais pas toute ma lucidité et je ne pouvais rien faire ; j'étais immobilisé.___L'année suivante, en janvier, j'ai commencé à pouvoir bouger un peu les membres. Un an plus tard, je parvenais à ramper. J'ai été hospitalisé à dix reprises.___Et ce n'est pas tout ! J'ai encore de quoi raconter ! Lors de mes dix séjours à l'hôpital, trois fois on m'a dit le soir que j'allais mourir dans la nuit.___On me faisait des transfusions, je recevais le sang des autres___Ce matin encore, j'étais à l'hôpital.

Mariage / Il n'y a pas que l'apparence qui compte, même si mon visage a été déformé par les irradiations.___Pour les femmes non plus, l'apparence n'est pas tout… Mais tout le monde a envie de se marier avec une personne en bonne santé. Je pourrais vous citer un bon nombre de femmes qui sont restées célibataires.___Le bruit courait qu'elles ne pourraient pas avoir d'enfants. Les hommes les fuyaient. On a vécu longtemps dans cette discrimination. Et, à l'époque, comme l'information circulait mal, les gens croyaient que c'était contagieux d'être irradié.

Amour / Quand je suis tombé amoureux de ma femme et que j'ai voulu l'épouser, ses parents s'y sont opposés. C'est pour ça que nous avons attendu sept ans.___Nous nous sommes dit : « Puisque nous ne pouvons nous marier dans ce monde-ci, marions-nous dans l'au-delà… » Nous pensions tout simplement nous suicider. Nous avons pris des pilules pour mourir dans notre sommeil, mais n'étant pas des pros, nous nous sommes trompés sur les doses… Et nous nous sommes réveillés tous les deux !___Alors là, nous avons pensé : « Impossible de vivre ensemble dans ce monde et dans l'autre ! » Et on s'est mis à pleurer tous les deux. Finalement, quand on a réussi à se marier, la joie a été immense, beaucoup plus grande que pour les autres !

Si un pays se trompe dans l'éducation à transmettre, le bonheur de l'humanité ne peut être atteint.

Famille / Ma famille... Ma femme n'est plus là ; elle est morte il y a treize ans. Maintenant je vis chez mon fils. J'ai un fils, deux filles et sept petits-enfants.___Pour les irradiés, les *hibakushas*, il était très difficile d'avoir des enfants. J'ai eu une chance inouïe de pouvoir fonder une famille.___Nous avons eu nos trois enfants à la suite : cela paraissait irréalisable pour un *hibakusha*. Je suis vraiment heureux d'avoir une famille.___Je ne souhaitais pas qu'un membre de ma famille devienne connu ou célèbre. J'étais juste content que mes enfants naissent et grandissent en bonne santé. Voilà ! C'était tout ce que j'attendais de ma famille, pour toujours !

Travail / Le plus triste et le plus douloureux pour nous, c'est quand l'association des médecins d'Hiroshima a déclaré que les *hibakushas* ne pouvaient pas guérir. Comme c'était la première bombe atomique de l'Histoire, ils pensaient qu'on mourrait dans les deux ou trois années à venir.___Les *hibakushas* qui avaient encore la force de travailler devaient cacher leur handicap pour être embauchés. Mais comme on était physiquement faibles, on demandait plus de congés que les autres. Alors les patrons ont fini par se douter qu'ils employaient des *hibakushas* et, dès que ça a été révélé, certains ont été licenciés.___À la fac, j'étais dans une section industrielle. J'avais prévu de travailler dans l'industrie. Mais à cause de ma faiblesse physique, j'ai choisi d'enseigner pour bénéficier des congés : vacances de printemps, vacances d'été, vacances d'hiver...___J'ai donc enseigné pendant quarante ans. J'ai même été directeur d'une école de mille cinq cents élèves encadrés par soixante-douze enseignants. Au cours de toutes ces années, j'ai souvent été hospitalisé. Du coup, j'ai travaillé réellement pendant trente ans.

Peur / Ce qui me fait le plus peur, ce sont les êtres humains. L'intelligence humaine a découvert l'énergie atomique qui est un instrument merveilleux. Mais les hommes ont aussi inventé la bombe atomique.___Les scientifiques ou les hommes politiques qui exploitent cette énergie à des fins militaires sont les individus les plus dangereux du monde. En une seconde, ils peuvent provoquer la mort de dizaines de milliers de personnes.

Message / Si un pays se trompe dans l'éducation à transmettre, le bonheur de l'humanité ne peut être atteint. L'enseignement s'inculque dès l'enfance. Moi, par exemple, j'ai reçu une éducation militaire qui m'a borné l'esprit plus qu'elle ne l'a ouvert. Avec ce genre d'éducation, les Japonais ne pouvaient être heureux ; d'ailleurs, ils se sont lancés dans une guerre d'invasion...___Alors, quand j'y pense, je me dis que l'éducation est capitale. Grâce à une éducation solide, l'idéal dont j'ai parlé peut se réaliser.

Ernestine

Vit au Rwanda

De tous ceux avec lesquels j'ai grandi, je suis la seule survivante.

Présentation / Je m'appelle Ernestine. Je suis née près de Mwogo, dans la région de Bugesera. Encore aujourd'hui ça s'appelle Bugesera.__De toute ma famille, de tous ceux avec lesquels j'ai grandi, je suis la seule survivante. Avant le génocide, j'étais en deuxième année du secondaire. Mais depuis je n'ai pas pu continuer, parce que je suis toujours malade.__En 1997 ou 1996, je me suis mariée.

Guerre / Pendant la guerre, la première chose que j'aie vue, c'est la mort de mes frères. Je l'ai vue de mes propres yeux. Ils ont tué mes deux frères sous mes yeux. Ils leur ont coupé la tête, le tronc d'un côté, la tête de l'autre, et ils les ont jetés dans la rivière. Ils ont tué un autre frère sous mes yeux.__Moi, ils m'ont attrapée, ils m'ont frappée. Mais avant de me frapper, ils m'ont violée, et j'en garde des séquelles. Quand ils ont eu fini de me violer, ils ont voulu me faire boire un poison. Mais certains les ont empêchés de me tuer si méchamment. Alors, ils m'ont frappée avec un marteau. Mon handicap vient de ces coups. Ils m'écrasaient les seins, ils m'écrasaient le bas-ventre, en disant : « On va voir comment les Tutsies font quand elles mettent au monde... » De ça aussi je garde des séquelles. Ils me frappaient la tête avec des marteaux, des gourdins pleins de clous... Ma tête ne fonctionne plus comme il faut. À la fin, ils m'ont ligotée, les bras derrière le dos, et ils piétinaient ma poitrine. Et puis, ils m'ont jetée dans la rivière Nyabarongo, cette rivière qui coule là-bas. Ils m'ont dit : « Vous, les Tutsis, retournez en Éthiopie ! C'est de là que vous venez ! » Ils se moquaient, parce qu'ils pensaient m'avoir tuée.__L'eau était très haute, parce que en avril il pleut beaucoup. La rivière m'a projetée sur la rive, j'y ai passé trois jours, gisant dans l'eau.__Finalement, j'ai vu les autres qui sortaient de leurs cachettes. Quand ils m'ont vue ligotée, ils m'ont détachée. Mais avant de me détacher, ils ont vu que j'avais des fourmis sur tout le corps, qui était couvert de plaies, même au niveau du bassin. J'étais très mal. Ils ont vu que je respirais encore, mais ils m'ont abandonnée en disant qu'ils ne pouvaient rien faire de plus pour moi, parce qu'eux aussi étaient fatigués. Ils allaient chercher les *Inkotanyi* [les soldats du Front patriotique rwandais, ou FPR] sur le pont de Gatare. Ils ne pouvaient pas m'emmener jusque-là parce que j'étais mourante, mais ils m'ont laissé un peu d'eau. J'ai passé à peu près cinq jours, gisant sur le sol.___Ça faisait cinq jours que je faisais mes besoins sur moi et j'avais le ventre gonflé d'eau. Je ne m'explique pas comment j'ai réussi à vivre. Je pense que j'ai survécu grâce à cette eau. Plus tard, j'ai entendu des bruits de pas dans l'eau des marais. C'étaient les militaires du FPR. Comme les fourmis continuaient à me piquer, je continuais à bouger. Les militaires m'ont portée sur leur dos et m'ont emmenée au village en direction du camp de réfugiés de Rebero. Près de là, à Kicukiro, beaucoup de gens ont été tués. Ils m'ont portée du bord de la rive jusque-là.___Parmi ceux qui m'avaient détachée, certains ont appris que je vivais encore. Ils m'ont reconnue et m'ont emmenée sous une tente du camp de Ndera. Là, ils m'ont confiée à des réfugiés. Quand j'ai vu qu'il y avait un semblant de tranquillité, je leur ai dit que je voulais rentrer chez moi à Nyamata, où j'avais échappé à la mort. Une camionnette militaire m'y a conduite. J'ai croisé des connaissances avec lesquelles je m'étais cachée, dont la maman qui était ici tout à l'heure, avec son bras amputé. Ils m'ont tous reconnue : à chaque fois, ils criaient : « Voilà Ernestine ! » Le moral est revenu, je souriais.___À Nyamata, est arrivé un homme qui par la suite est devenu mon ami. Il était encore militaire. J'allais me faire soigner. Il voyait que j'avais une vie très difficile. Il m'a demandé si je mènerais toujours cette vie. Il m'a dit : « Viens, on va vivre ensemble. » Il m'a proposé de le suivre à Kigali. Je lui ai répondu que je ne voulais pas ; il a insisté en disant qu'il me faciliterait la vie. C'est comme ça qu'on a vécu ensemble, sans mariage. Je ne l'ai jamais dit à ceux qui restaient de ma famille. C'est comme ça que j'ai été avec lui.

Épreuve / À un moment donné, tu te mets à penser que tu es handicapée par la volonté de Dieu, mais c'est à cause des hommes ! Il y a des moments où je rechute et où je tombe gravement malade. Je me dis que si j'avais encore ma mère, au moins... Lorsque je suis hospitalisée, je vois les autres avec leur maman, et je me dis que si moi j'avais la mienne, ce serait moins dur. Si j'avais encore toute ma famille... Encore, être handicapée... Mais avec ma famille, ce serait plus facile. Lorsqu'on est seule, qu'il n'y a plus aucun membre de la famille, ça fait très mal. Mais on vit toujours.___Les médecins essaient de nous calmer, de nous soigner. Ils nous demandent d'être forts, de résister, et l'on vit avec cette douleur, en permanence. Même si vous me voyez comme ça aujourd'hui. À Kigali, je ne suis pas riche, mais c'est parce que je ne fais rien de ma vie. Je vis, tout simplement. Mais puisque je crois en Dieu, je supporte tout ce malheur.

Mort / Personne ne peut se résoudre à sa propre mort. Ça fait trop peur. Lorsque je suis en crise, j'ai très peur et je me dis : « Cette fois, ma vie s'arrête. » On me met une sonde et je sens que tout se calme. Je reprends mon souffle, mais je ne sais plus où je suis. Chaque fois, j'ai très peur de la mort.___En ce qui concerne l'après-guerre, j'ai très peur de la mort : j'ai peur de laisser mes enfants seuls.

Dieu / Le fait que j'ai survécu au milieu de tous ces morts, je Lui en suis reconnaissante. D'autres personnes sont complètement handicapées et en meurent. Des filles ont été violées et contaminées par le sida. J'en connais une qui vit avec le sida. Chaque fois que je la croise, je pense à la manière dont elle l'a attrapé, en subissant la même chose que moi, et je souffre pour elle. Du coup, je remercie Dieu de ne pas être atteinte de cette maladie.

Paroles / En kinyarwanda, on dit : « Les gens bien élevés marchent la tête haute malgré les problèmes intérieurs qui les minent. » Je peux ne pas avoir à manger, mais je me lave et je me fais belle, pour que ces gens qui m'ont tuée ne voient pas que ça ne va pas. Qu'ils voient que je suis bien portante. En plus, quand je suis malade, je donne beaucoup de souci à mon mari et je me demande souvent jusqu'à quand je supporterai cette vie. Parfois, quand un ami vient me voir à l'hôpital, je lui demande d'aller téléphoner à mon mari et de lui dire de venir me voir pour la dernière fois parce que je vais mourir.

Pardonner / Quand quelqu'un t'a fait du mal et qu'il vient te l'avouer avec beaucoup de sincérité, tu te dis : « Voilà, de toute façon, ce qui s'est passé est passé. On ne pourra plus ramener les miens. On va se contenter de cette vérité. » Tu lui dis : « Au moins, toi, tu as le courage de me le dire » et ça fait du bien. Tu te dis : « Il n'y a pas de problème, il me dit la vérité. » C'est mieux que ceux qui n'avouent pas. On peut lui pardonner mieux qu'aux autres.

Aimer son pays / J'aime mon pays. Beaucoup. Surtout en ce moment, après avoir vu les *Inkotanyi* qui ont combattu les tueurs. Pendant qu'ils me transportaient, j'étais comme morte. Ils me disaient : « Ne t'inquiète pas, ceux qui t'ont fait du mal ne reviendront plus. » Je croyais que c'était impossible. Mais, pour le moment, quand je vois que personne ne me pourchasse, que personne ne m'attaque... ___Quand je leur parle de mes problèmes, même si je sais qu'ils ne peuvent pas les régler, cela me réconforte malgré tout. ___Une autre raison qui fait que j'aime mon pays, c'est que le Rwanda parvient à pardonner aux criminels.

Peur / Ce qui me fait peur, c'est surtout de me dire que tout ce qu'on a vécu au Rwanda peut se répéter. Surtout pour nous, qui l'avons vécu. On y pense la nuit, surtout pendant les périodes de commémoration. Quand on annonce les noms des personnes décédées, on replonge alors dans ces souvenirs, et l'on se dit : « Et si ça recommençait, cette nuit !... » Le génocide : voilà ce qui fait très peur.

Renoncer / Dans la vie, j'ai perdu ma confiance absolue, parce que les gens qui nous ont tués, ce sont des voisins auxquels mon père avait offert une vache. On partageait tout. On les invitait aux mariages. Et puis, tout à coup, ils se sont retournés contre nous sans aucune raison. Jamais plus je n'aurai confiance en quelqu'un à cent pour cent. C'est ancré en moi.

Denis

Nura

Fatima

Aghsam

D'APRÈS VOTRE EXPÉRIENCE, QU'EST-CE QUE LA GUERRE ?

Nura / *Vit en Bosnie-Herzégovine*
Toutes les conséquences de la guerre sont restées en moi. J'ai compris qu'en vingt-quatre heures tout peut changer et que les esprits fous, les criminels, les dictateurs peuvent faire tout ce qu'ils veulent. C'est ce que j'ai appris avec la guerre. Et je ne crois plus à l'impossible. Car il est possible de tout faire en ce monde. C'est la leçon de cette guerre. Jusqu'à la guerre, la vie était tellement belle ! On était au xxe siècle, on vivait bien et je ne pouvais pas imaginer que de telles choses puissent arriver et que l'on puisse basculer dans un temps presque préhistorique, où la vie de l'Homme ne vaut rien, où elle n'a plus aucune valeur.

Aghsam / *Vit dans les Territoires palestiniens*
La guerre, c'est la sauvagerie. C'est la haine qui crée la peur, toutes les choses mauvaises sont dans la guerre. Tout ce qui est bon disparaît, l'enfance s'en va, l'innocence s'en va, la beauté s'estompe. Et tout ce qui est bon en l'Homme se réduit pour laisser le mal grandir en lui. L'homme bien se transforme en quelqu'un de mauvais, l'homme qui aime se met à haïr. La guerre éduque les hommes en criminels et en bourreaux.

Denis / *Vit au Rwanda*
Moi je n'en reviens pas du tout parce que durant toute mon enfance, mon adolescence, mon âge adulte, j'ai vu que les Rwandais cohabitaient dans la symbiose. Alors je ne sais d'où est venu le démon qui a semé la haine. Connaissant les Rwandais d'auparavant, je ne parviens pas à m'expliquer le génocide qui a exterminé des gens innocents.

Fatima / *Vit en Tchétchénie*
Je me souviens quand, dans l'un des villages, j'ai vu des jeunes gens qui avaient été brûlés. Ils gisaient dans ces ruines, et j'ai le souvenir de cette mère qui s'est approchée de l'un des corps… il y en avait plusieurs, mais ils étaient carbonisés. Elle a enlacé le crâne de l'un d'eux ; elle était apparemment en état de choc. Elle s'est mise à chercher une cicatrice sur ce crâne, tout en cherchant du doigt, cette mère s'est mise à parler : « Mais tu avais une cicatrice ici mon fiston ! » ; puis, regardant alentour, elle a ajouté : « Mais non, tu n'étais pas si maigre ! » Autour d'elle, c'était un vrai tas de corps. Elle les a tous regardés attentivement, puis elle s'est mise à pleurer et à hurler : « Tu n'es pas mon fils unique, vous êtes tous mes fils ! »… Elle ne retrouvait pas le corps de son propre fils.

D'APRÈS VOTRE EXPÉRIENCE, QU'EST-CE QUE LA GUERRE ?

Zijada / *Vit en Bosnie-Herzégovine*
Ça a été très dur, très dur ! J'étais enceinte de ma fille cadette. Je courais quotidiennement quand on me disait que de l'aide était distribuée quelque part, j'étais prête à attendre debout cinq ou six heures pour deux pommes de terre. Les obus tombaient et j'imaginais qu'ils se dirigeaient droit sur moi. Je vivais dans les caves, je fuyais avec mes enfants. Tous les jours, quand mon fils partait sur le front, je me demandais si je le reverrais, mais j'ai toujours été très courageuse, je ne voulais pas verser une larme. Je priais Dieu pour qu'il me revienne, mais mes vœux ont été de courte durée. Il est parti un jour sur le mont Igman. C'était le 4 décembre 1992. Il n'est jamais revenu.

Emmanuel / *Vit au Rwanda*
J'ai tué ces gens parce que le régime en place venait de se durcir. Il a envoyé chez nous des soldats et des policiers. À moi, personnellement, ils m'ont dit qu'ils allaient me montrer où prendre des richesses. Nous sommes alors allés là où habitait la première famille dont j'ai parlé. Et là ils m'ont dit de tuer ces gens et je les ai tués. Ils étaient quatorze. Nous avons continué et nous sommes arrivés dans une autre famille, où j'ai tué trois personnes. Nous avons continué et nous sommes allés dans une autre famille, et là encore j'ai tué une personne. Voilà ce que j'ai fait pendant le génocide.

Seu / *Vit au Cambodge*
On nous forçait à devenir militaire pour aller tirer sur les Khmers rouges. Comme ils ne réussissaient pas à vaincre les Khmers rouges, on a décidé de rentrer dans les rangs des Khmers rouges afin d'échapper à l'enrôlement de force. Je n'aime pas faire la guerre, mais j'ai quand même été un soldat Khmer rouge, parce que le simple citoyen était méprisé. On méprisait les pauvres. En fait, nous sommes tous les mêmes Khmers et les mêmes militaires, et quand on se retrouve face à face on se tire l'un sur l'autre.

> ## Et là ils m'ont dit de tuer ces gens et je les ai tués. Ils étaient quatorze.

Chirahamad / *Vit en Afghanistan*
Aujourd'hui, aux informations, j'ai entendu que deux commandants se battaient entre eux. De part et d'autre ce sont des Afghans, mais au nom d'un parti ou d'autre chose ils se battent ! Et c'est à cause de ces gens-là qui font la guerre que cinq, six ou cinquante personnes se font tuer, n'ont plus de parents et deviennent orphelins. Ces chefs qui dirigent les partis, c'est leur devoir de finir ces guerres. La paix est venue, le monde entier est là pour la paix, pour nous venir en aide, pour reconstruire le pays, mais ce n'est que l'apparence des choses ! Ces commandants ont des pressions de tous les côtés et se battent entre eux, ils ne pensent pas à notre pays et ne

ijada

Emmanuel

ahamad

Seu

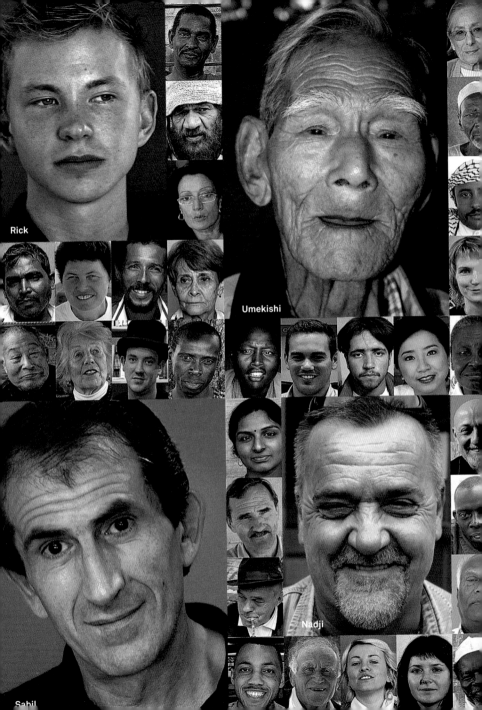

Rick

Umekishi

Nadji

Sahil

pensent pas à ces vingt-cinq ans de guerre : qu'a-t-on gagné ? Et les gens pauvres comme moi, qui n'ont rien… Si on me donne un fusil, 500 ou 600 afghani pour aller à la guerre, et si je n'ai pas de travail, je n'ai pas d'autre solution que d'y aller ! Mais ces Afghans qui m'envoient à la guerre, il faudrait qu'ils pensent que ceux d'en face, eux aussi, ils ont des frères, pourquoi est-ce que je tuerais l'autre en face ? Lui aussi c'est une pauvre personne, comme moi, qui n'a pas de travail, comme moi, qui a des parents, comme moi.

Rick / *Vit à Los Angeles, États-Unis*
Mon père manque vraiment d'assurance, il essaie donc de paraître plus fort qu'il est, et il veut que je prétende être physiquement très fort. Quand je parle de mon expérience en Irak, quand je raconte que je devais « prendre soin » de certaines personnes, et que j'en tombais malade, mon père me dit toujours : « N'en parle à personne, ils n'ont pas besoin d'entendre ça ! Ils ont besoin d'entendre qu'un soldat est fort, qu'il est toujours grand, qu'il protège tout le monde. Ils ne veulent pas entendre les émotions, les pleurs ou quoi que ce soit de ce genre ! »

Sabil / *Demandeur d'asile kosovar, vit en France*
J'ai été mobilisé au début de la guerre du Kosovo, au début de 1999, et j'ai fait la guerre jusqu'à la fin des bombardements, donc jusqu'au départ des Serbes du Kosovo, je veux dire de la police et de l'armée serbes. Comment ai-je vécu la guerre ? Je ne sais pas

comment vous expliquer, c'est un sentiment étrange, car je ne suis ni serbe ni albanais (minorité goranakslave-musulmane), et personnellement je n'ai d'ennemis ni chez les Serbes ni chez les Albanais. J'ai fait la guerre seulement parce que j'y étais obligé. Et le seul devoir que je me donnais, c'était de rester en vie, et si possible de protéger les miens. Je n'avais pas d'idéaux dans cette guerre. J'attendais juste que tout cela se termine…

Umekishi / *Vit au Japon*
L'ordre de mobilisation est arrivé. À l'époque, le prix d'un timbre était de un sen. Vous savez, l'ancienne monnaie japonaise. Pour un sen… c'est comme ça qu'on a tous été enrôlés. Le courrier rouge, c'était l'ordre de l'empereur. Et c'est ainsi que j'ai été embarqué dans l'Histoire, jusqu'à la défaite.

Nadji / *Vit en Bosnie-Herzégovine*
Tirer sur des gens ? Je ne peux pas dire que je ne l'ai pas fait : je l'ai fait. Je n'ai pas dû tirer plus de dix balles. Je ne sais pas ce qui s'est passé plus tard, mais au moment où j'y étais, personne ne me forçait, personne ne me forçait… J'y allais tout seul. Ils ont attaqué ma maison, j'ai mis mon uniforme, et voilà. Et quand j'ai compris tout ce qui se passait, j'ai enlevé l'uniforme, j'ai rendu le fusil… ça ne me concernait plus.

D'APRÈS VOTRE EXPÉRIENCE, QU'EST-CE QUE LA GUERRE ?

Safi / *Vit en Afghanistan*
Quand il y a la guerre, on ne fait pas de quartier. Quand il y a la guerre, les ennemis sont loin, à 20 kilomètres de nous. Comment peut-on savoir si on touche la tête ou le ventre ? Si ce sont des adultes ou des enfants qui sont blessés ? Si c'est moi qui les tue ou quelqu'un d'autre ?

Yehuda / *Vit en Israël*
Oui, je réfléchis sur ce que j'ai fait quand j'étais soldat. Nous étions 600 000 Juifs en Israël, face à l'invasion de cinq pays arabes. Nous avions la gâchette facile, cela ne veut pas dire que nous mettions des gens devant un mur et que nous les abattions, mais parfois on tirait alors qu'il n'était pas nécessaire de tirer. Aujourd'hui je me réveille la nuit avec ce champ de bataille. Ça me tourmente réellement : est-ce que je devais appuyer sur la gâchette ou non ?

Jovan / *Vit en Bosnie-Herzégovine*
Pendant la guerre j'ai fait des bêtises, et quand j'y repense aujourd'hui je me demande pourquoi je les ai faites. Il m'arrivait, pour le moral des troupes, de faire le poirier ou de faire la roue à 100 mètres de la ligne de front, ou encore de courir d'une rue à l'autre dans le périmètre des snipers pour montrer aux habitants qu'il ne fallait pas avoir peur, et pour qu'ils se disent : « Si Jovan peut le faire, je peux le faire aussi. » Et, vraiment, la question de la peur, je ne me la pose jamais. Je n'ai peur de rien.

Hans / *Vit en France*
Je me souviens très très bien de la rentrée des classes, ce fut vraiment un choc pour moi, terrible ! On rentrait donc pour la première fois à l'école, et le salut qu'on devait faire était *Heil Hitler !* Et moi je n'avais pas appris ça à la maison, personne ne m'avait jamais dit ça. Chez moi, on disait *Guten Tag*, « Bonjour ». Et là il fallait dire *Heil Hitler !* Comme j'ai refusé de le dire, on m'a aussitôt renvoyé à la maison, dès le premier jour.

La question de la peur, je ne me la pose jamais. Je n'ai peur de rien.

Schie / *Vit au Mexique*
C'était l'époque du camp d'Auschwitz, j'y suis arrivé en train, j'étais parmi les premiers Juifs d'Europe, du fait que la Pologne a été la première victime. Nous avons continué à nous organiser pour nous défendre, et nous avons réussi quelque chose, un rien du tout, parce que en fait nous n'avons pas pu faire grand-chose ; mais en y repensant on se rend compte que ça a été quelque chose, parce nous étions vraiment prêts à donner notre vie. Nous avons réussi

Safi

Hans

ehuda

Jovan

Schie

Epimaque

Mario Stefano

Mohammed Suleman

à faire exploser l'une des quatre chambres à gaz d'Auschwitz.
À Auschwitz, il y avait quatre chambres, et dans chaque chambre on tuait deux mille personnes par jour. C'est-à-dire que huit mille personnes périssaient chaque jour. Dans ces circonstances, ça a été très difficile de réussir, mais nous avons réussi à faire exploser l'une des chambres.

Mohammed Suleman / *Vit en Inde*
Il y avait beaucoup de guerres autour de nous, alors je me suis dit que je devais faire quelque chose. Je suis un ancien militaire, j'ai été pendant neuf ans dans l'armée. Je voulais me faire connaître pour quelque chose dans mon pays.
Je suis parti faire le tour de l'Inde avec une pancarte sur laquelle était écrit : « Hindous, musulmans, sikhs, chrétiens, on est tous des frères. »

Nous avons réussi à faire exploser l'une des quatre chambres à gaz d'Auschwitz.

Epimaque / *Vit au Rwanda*
La raison pour laquelle j'ai décidé de cacher ces Tutsis qui étaient pourchassés, est que je suis une personne qui aime les gens, qui a eu une bonne éducation, et de plus je suis chrétien. Je pensais que ces gens qui étaient en train de mourir étaient aussi des hommes. Il n'y avait donc aucune raison qui pouvait justifier leur mort et non la mienne. J'étais à tout instant prêt à mourir à leurs côtés. Je pensais qu'ils étaient aussi des êtres humains, ils n'avaient commis aucun crime et, en outre, comme je m'entendais très bien avec ma femme tutsie, mes beaux-frères, tout le monde, je pensais vraiment que mourir était plus courageux que de tremper dans ces massacres.

Mario Stefano / *Vit en Italie*
Quand j'étais au Kosovo, juste après la signature du traité, j'ai senti une odeur très forte de mort dans l'air. C'est une chose que je garde ancrée en moi. L'autre chose – j'utilise cet exemple pour expliquer les effets d'une guerre –, c'est un petit souvenir, un fragment. J'étais en train de patrouiller avec des collègues dans une citadelle totalement abandonnée, il n'y avait plus personne, sauf cette odeur très forte de la mort, et, dans le néant, à l'intérieur d'un salon de coiffure, il y avait un cheval qui se promenait seul, presque comme si on voulait souligner la disparition totale de l'homme et le retour au règne animal et à la nature dans ce village.

D'APRÈS VOTRE EXPÉRIENCE, QU'EST-CE QUE LA GUERRE?

Jasna / *Vit en Bosnie-Herzégovine*
Cette dose de haine qu'on ressent, c'est une haine qu'on a tous et qu'on aura tous, même les enfants. Je ne sais si c'est parce que quand on est petit on entend ce qui se passe et qu'en grandissant on voit ce qui s'est passé, ces images, les gens tués. Et comment tout ça s'est passé, même si tu ne l'as pas senti étant petit. Mais quand tu regardes tout ça, bien sûr tu vas sentir une haine vis-à-vis de cette guerre et de ceux qui nous ont fait ça ; bien sûr que ça ne s'effacera jamais, je le sais je le porte en moi, ça sera toujours comme ça. Ça ne s'effacera pas, et je pense que ça se transmettra à mes enfants.

Tom / *Vit en Allemagne*
Mon père n'a jamais parlé de la guerre. Il faisait des allusions, mais tout ce que je sais aujourd'hui, toutes les choses horribles qu'il a vécues quand il avait quinze ans, je les ai apprises par son frère. Mon père n'a jamais pu en parler. Parfois, il disait seulement : « Si vous saviez... »

Jean-Marc / *Vit en France*
Quand mes parents sont revenus de la guerre, mon père est resté très silencieux ; ma mère, elle, a été terriblement marquée. Je suis allé la chercher à l'hôtel Lutetia, à Paris, c'était là que les déportés arrivaient. C'était en été, je me souviens, il faisait beau, c'était en 1945, probablement en mai ou en juin. J'ai vu sortir ma mère, je l'ai reconnue, j'étais contre les barrières et j'ai vu ma mère sortir. Elle était en tenue de déportée, habillée de cette robe que

vous connaissez, grise et blanche. Elle avait sur le côté le triangle rouge des déportés politiques. Et, chose étonnante, elle portait à la main le drapeau français. Un drapeau qu'elle avait fabriqué en Allemagne. Nous sommes rentrés à pied, et ma mère m'a donné le drapeau, je tenais sa main, et nous sommes rentrés à pied chez nous. Ensuite, ma mère a été obsédée par ce qu'elle avait connu à Ravensbrück et à Buchenwald, et elle le ressassait sans cesse. Elle était dans un état physique et psychologique très affaibli, grande invalide de guerre. Et je dois avouer qu'à partir d'un certain moment, je n'ai plus pu supporter ce qu'elle disait. Ce n'est finalement que tout récemment que j'ai refait le chemin inverse, que je me suis intéressé à la vie de mon père, que je me suis intéressé à la vie de ma mère, et j'ai pu constater une nouvelle fois que j'avais des parents formidables. À chaque fois je me demande – c'est une question terrible –, à chaque fois je me pose la question : si j'avais été dans leur cas, comment aurais-je fait ?

Jean-Marc

m

Jasna

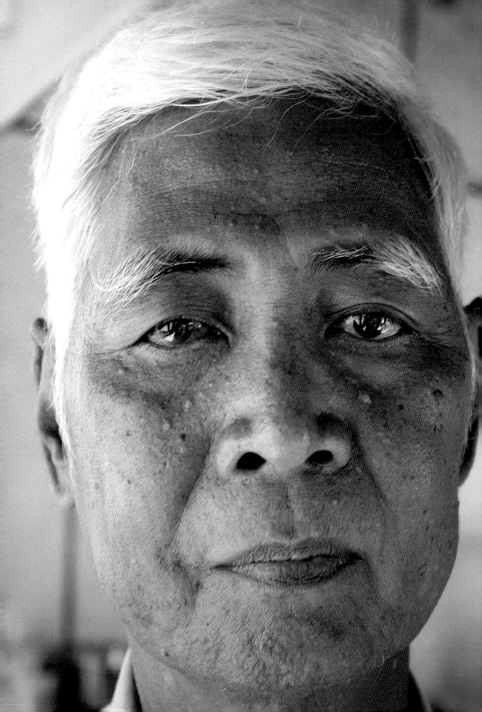

Vann

Vit au Cambodge

Comment pardonner, si les criminels ne reconnaissent pas qu'ils ont commis une faute ?

Présentation / Je m'appelle Vann Je suis né en 1946. Je suis marié, six enfants. Trois sont morts sous le régime des Khmers rouges, les trois autres sont nés après, en 1980, 1984 et 1990, un garçon et deux filles.___Actuellement, ma femme tient un petit restaurant qui permet de subvenir à nos besoins. Moi, je suis peintre. Je peins quand je ne suis pas malade. Nous vivons correctement, en toute dignité : nous sommes une famille modeste.

Difficile à dire / Il est très difficile de raconter ce que nous avons traversé. On ne peut pas tout raconter. Nous racontons ce que nous pouvons. Ce n'est pas que nous ne voulons pas. Mais nous ne trouvons pas les mots pour décrire l'ampleur de l'horreur, de la souffrance et de la peur.___Par exemple, quand on avait les yeux bandés et les bras attachés, quand on savait qu'on allait nous exécuter, il est impossible de trouver les mots pour dire à quel point nous avions peur. Je peux juste dire : à ce moment-là, j'ai eu très peur. Je me souviens de ce que j'ai vécu avec mes parents, ma femme, mes enfants. Je me souviens de tout, mais je ne peux pas expliquer à quel point j'étais terrorisé, ni combien je souffrais. Non, ce n'est pas possible.

Épreuve / La période la plus dure a été celle des trois ans, huit mois et vingt jours du régime de Pol Pot. Mais un mois a été particulièrement épouvantable : entre le 1er janvier et le 3 février 1978. Pendant ce mois-là, j'ai failli mourir dans le Centre S 21. C'est inimaginable qu'on ait pu vivre de cette façon, car nous avions fait totalement confiance à ce nouveau régime. Ça devait être une société pure, qui devait nous libérer d'une société oppressante et corrompue.___On pensait que le régime des Khmers rouges allait mettre en place une société juste et intègre, une société patriotique vouée à la reconstruction du Cambodge. Mais dès la libération de 1975, c'est devenu le contraire.

On a subi des souffrances de toutes sortes. Premièrement, il n'y avait plus aucun médicament ni de médecins pour soigner les malades. Deuxièmement, nous avons été privés de nourriture et il était interdit de manger. Troisièmement, nous étions tenus de faire un travail forcé au-delà de nos forces. Quatrièmement, nous subissions des accusations de trahison et autres griefs.___En réalité, pour moi comme pour mes amis morts au Centre S 21, on ne cessait de travailler pour eux le mieux possible. On ne comprend toujours pas pourquoi ils ont tout détruit. Car le pays avait un gouvernement organisé.___Pourquoi nous ont-ils assassinés méthodiquement ? Nous n'avions pourtant commis aucune faute. Nous respections leurs lois et leurs horaires de travail.___Ils ont brisé les liens de parenté, les sentiments entre parents, entre frères et sœurs. Pourquoi ne nous laissaient-ils pas vivre ? Or, ce n'était pas seulement moi, mon village, ma province, mais le pays tout entier. Je ne comprends pas. Lorsqu'on m'a arrêté et emmené au Centre S 21, j'ai eu la chance de survivre grâce à mon métier de dessinateur que j'avais toujours pratiqué. En fait, il y avait beaucoup de dessinateurs : tous sont morts. Pourquoi pas moi ?___Au début, ils m'ont demandé de faire un dessin. Je suis honnête par nature, donc quand ils m'ont demandé de reproduire une photo, je leur ai répondu que je ne pourrais pas faire une copie exacte, mais que je ferais de mon mieux pour satisfaire l'Angkar, le parti... Ils ont été satisfaits et m'ont gardé à leur service jusqu'au 7 janvier 1979, jusqu'à l'arrivée de l'armée vietnamienne, date où j'ai pu m'enfuir.___Je suis heureux de ma destinée, d'avoir survécu à ces épreuves. Si on me demande les raisons de leurs mauvais traitements, je ne connais pas le pourquoi. Tout ce que je sais, c'est qu'on m'a arrêté pour m'incarcérer. Pourquoi ? Je l'ignore toujours.

Justice / Justice et injustice marchent côte à côte, comme le jour et la nuit. Si vous êtes dans un cas, vous êtes à l'opposé de l'autre.___Ceux qui ont commis des crimes, on dit qu'ils sont injustes. On dit aujourd'hui qu'on cherche les innombrables injustices commises sous le régime de Pol Pot. C'est vrai, nous cherchons. Mais à quoi servirait que la justice soit rendue, puisque tout le monde est déjà mort... ? Ce n'est pas pour qu'on nous rende ce qui a été perdu, mais nous voulons que ceux qui ont commis des injustices et qui sont encore vivants reconnaissent leurs méfaits. Voilà, c'est tout ce que je souhaite.

Violence / La violence de cette époque a laissé des traces profondes. Actuellement, les assassins qui osent encore tuer, éventrer ou décapiter les gens sont les hommes de trente à quarante ans qui étaient surveillants khmers rouges à douze, treize ou quatorze ans. Ils ont conduit des gens à la mort, ils les ont attachés et abattus : c'est devenu chez eux une habitude. Nous qui n'avons jamais tué, nous avons peur ; eux sont habitués, ils n'ont pas peur.___Voilà ce qui reste de la période précédente. Ceux qui ont pratiqué la violence banalisée continuent de nos jours comme si c'était normal. Ils n'ont pas compris que les lois ont changé, la société aussi. Eux n'ont pas changé.

Colère / Dans le passé, certains m'ont mis très en colère, mais pas au point de vouloir les tuer. Je ne sais pas pour les autres, mais je ne suis pas rancunier : je n'ai jamais souhaité me venger par le meurtre. Je n'ai qu'un souhait : que cette personne sache reconnaître les problèmes qu'elle a causés et les erreurs qu'elle a commises. C'est ça que j'aimerais.___Aujourd'hui, celui qui m'a arrêté et emprisonné au Centre S 21 est toujours vivant. Je suis allé le voir. Je l'ai rencontré, mais c'était pour avancer dans ma recherche sur des points que je n'avais pas compris. Il n'osait pas me rencontrer. Il s'est sauvé et s'est caché par peur de ma vengeance. En réalité, je n'ai jamais eu l'intention de me venger de lui.

Torture / Quand j'ai été interrogé, je leur ai dit que je ne comprenais rien à ce qu'ils me racontaient. Je ne savais pas ce que signifiait CIA... J'habitais Battambang...___Tout est dans mon dossier que j'ai ici : « Vous faites partie du peuple nouveau, vous êtes peintre dans la zone ennemie et donc vous êtes membre de la CIA. »___Où voulez-vous que je vive ? Mes parents et mes grands-parents ont toujours vécu en ville. Je ne pouvais pas vivre tout seul dans les rizières. Réfléchissez un peu !___Le fait qu'ils m'ont accusé à tort et que je n'ai rien eu à répondre a fait de moi un suspect pour de bon, parce qu'ils m'ont forcé à dire ce que je n'ai jamais été. Mais si je ne disais pas ce qu'ils voulaient, ils me frappaient, m'électrocutaient jusqu'à ce que je perde connaissance ; cela est arrivé trois ou quatre fois, parce que je ne voulais pas parler.___À la fin, j'ai dit : « Oui c'est vrai. » C'était très dur d'avouer ce que je n'avais jamais fait. On peut mentir aux autres et que les autres vous croient. Mais là, on devait se mentir à soi-même, reconnaître ce qu'on n'avait pas fait. Nous étions obligés d'inventer une histoire et de l'écrire. Se mentir à soi-même, mentir aux autres, mentir à tout le monde... pour arrêter la douleur des coups.

Pardonner / Comment pardonner, si les criminels ne reconnaissent pas qu'ils ont commis une faute ? Ça, c'est très important. Ceux qui ont massacré des milliers de personnes ne reconnaissent même pas leurs fautes. Comment voulez-vous leur pardonner ?___Ceux qui ont donné des ordres et prétendent n'avoir été au courant de rien, comment voulez-vous leur pardonner ? Ces comportements me stupéfient. Je dois pardonner à qui ?___En ce moment, on parle de « réconciliation ». Il faut « se réconcilier » pour reconstruire le pays. Mais avec qui dois-je me réconcilier ? Qui va se montrer pour se réconcilier avec moi ? Quel est son nom ? Qui est-il ? Qu'il se montre ouvertement, qu'on organise une conférence de presse, quelque chose de ce genre. Qu'on soit mis face à face et qu'on se confronte. Que je puisse poser des questions. Et qu'il me réponde et me donne ses raisons, que j'aimerais connaître.

Mamadou

Majji

Noosuri

Khalef

Corinne

Michel

PARDONNEZ-VOUS FACILEMENT ?

Majji / *Vit en Tanzanie*
J'ai pardonné à de nombreuses
personnes. J'ai pardonné à celui qui est
venu pour voler mes chaussures,
j'ai pardonné à celui qui a frappé mes
enfants, j'ai pardonné à celui qui m'a
donné de mauvais produits pour vendre
dans mon commerce... Je leur ai
pardonné à tous ! Je peux dire que
je n'ai pas d'ennemi.

Khalef / *Vit en Algérie*
Ah oui ! Si quelqu'un me fait mal, je lui
pardonne la première fois. Mais je lui
explique qu'il m'a fait mal pour qu'il ne
recommence pas. Mais s'il le fait exprès,
s'il recommence, alors je ne lui
pardonne pas.

Michel / *Vit en France*
Oui il y en a à qui je n'ai pas pardonné.
Pourquoi ? Trahison. Un mec que j'ai
aidé et qui m'a tout cassé, qui a cassé
mon atelier et que j'ai poursuivi...
J'ai eu envie de le tuer, oui, je l'ai
poursuivi dans les rues, la nuit, avec un
manche de pioche. Je l'ai revu après et je
ne lui pardonne toujours pas. Là, je suis
intransigeant. A priori, je fais confiance
aux gens, mais si je suis déçu, si je suis
trahi, il n'y a plus de retour possible.
Je les élimine de mes fréquentations.

Mamadou / *Vit au Mali*
Comment régler une querelle ? Parmi
nous, il y a des anciens qui sont chargés
de réconcilier les gens et de leur
demander de se pardonner. Quand

les gens se battent, même s'ils sont au
nombre de vingt ou mille, si les anciens
se lèvent, ils vont se réconcilier, ils vont
demander pardon et se pardonnent.

Corinne / *Vit à la Réunion, France*
Non, je ne pardonne pas, ou très peu.
J'ai appris il n'y a pas longtemps que
j'avais du sang sicilien, donc je
comprends un peu mieux pourquoi.
Quand on m'a fait une crasse, je n'oublie
jamais, je suis plutôt rancunière. Et si je
ne me venge pas, je n'oublie pas. Je n'ai
pas la notion du pardon catholique.
Du tout. Je ne pardonne pas. J'ai sans
doute tort, car, finalement, je sais qu'il y a
autour de moi des gens à qui j'en veux
terriblement, à qui je ne pardonne pas
et qui continuent leur vie car ils n'en ont
rien à faire. Au fond je suis plus
malheureuse qu'eux, parce que, moi,
j'ai toujours une dent contre eux, alors
qu'ils sont passés à autre chose.

Noosuri / *Vit au Kenya*
Je pardonne facilement parce que je veux
aussi être pardonnée.

Je leur ai pardonné à tous ! Je peux dire que je n'ai pas d'ennemi.

Nicholas / *Vit à Los Angeles, États-Unis*
J'ai fait des choses dans ma vie dont je ne suis pas fier. J'ai blessé énormément de gens dans le passé. J'ai blessé ma famille, j'ai blessé des gens qui m'aimaient, et ils m'ont pardonné. À cause de cette expérience, il y aura toujours une chance de pardon avec moi.

Yvonne / *Vit en France*
C'est très joli de dire «je te pardonne», quand ce sont des petites choses à pardonner, c'est facile. Mais quand on a été vraiment meurtri… je pense que c'est comme une blessure qui reste. Il faut prendre du temps.

Peter / *Vit en Californie, États-Unis*
Pardonner? On ne peut pas pardonner. Pas ça. Ma mère pouvait entendre le bruit des fours crématoires dans lesquels sa mère a été brûlée. Elle n'en a pourtant pas voulu à l'Allemagne moderne. Mon père et elle ont parcouru l'Europe en tant que touristes, puis sont allés visiter l'Allemagne. Mais pardonner? Non. Je doute que de toute sa vie elle puisse jamais pardonner.

Patrick / *Vit en Tanzanie*
J'essaie de faire tout ce que je peux pour pardonner, mais c'est difficile d'oublier. Cependant, voici ce que je me répète : quand quelqu'un te fait quelque chose de mal, écris-le dans le sable. Quand quelqu'un te fait quelque chose de bien, grave-le dans la pierre. Et quand viennent le soleil et la pluie, ce qui est écrit dans le sable disparaît, et ce qui est gravé dans la pierre finira par disparaître, mais dans très longtemps.

Sachiko / *Vit au Japon*
Ceux auxquels je ne peux pas pardonner, ce sont les gens qui portent préjudice aux autres. Pour donner un exemple concret, l'une de nos geishas est venue m'emprunter de l'argent en invoquant des raisons, en pleurant. Et même si je n'avais pas beaucoup d'argent, je lui en ai prêté sur parole. Elle me disait : «Je vous le rendrai l'année prochaine…» Je lui ai prêté 10 millions de yens ! [environ 70 000 euros] Le fait qu'elle ne me les a pas rendus, ça, je ne peux pas lui pardonner. C'était la première année de l'ère Heisei, donc ça fait maintenant près de dix-huit ans. Malgré ça, son visage ne laisse rien paraître. Quand je lui en parle, elle répond : «Attendez un petit peu ! » Ça, j'ai du mal à lui pardonner.

Quand quelqu'un te fait quelque chose de mal, écris-le dans le sable. Quand quelqu'un te fait quelque chose de bien, grave-le dans la pierre.

Sachiko

Patrick

...nolas

Yvonne

Alicia

Javier

Christian

Norma

Javier / *Vit au Mexique*
Ce que j'ai beaucoup regretté jusqu'à aujourd'hui, c'est... Mon père, il travaillait très dur pour pouvoir bâtir notre maison, construire des étages et des chambres. Et moi qui étais dans l'alcool, dans la bringue, je lui ai volé toutes les économies qu'il avait réalisées pour pouvoir construire la maison. À ma sœur aussi, je lui ai volé beaucoup d'argent. Mes frères, qui sont plus âgés que moi – je suis le petit de la famille –, travaillaient. Alors je regardais où ils rangeaient leur argent, et je le leur volais. Je volais leurs bijoux pour aller les boire, pour continuer à me droguer. Aujourd'hui je m'en repens vraiment. Je sens que je ne peux même pas leur demander pardon, parce que... Eux, ils ont déjà tout oublié, mais moi, pas encore. J'ai plein de regrets. Eux, ils travaillaient dur pour gagner leur argent, et moi, je le leur ai volé, tout simplement. J'ai encore des regrets.

Alicia / *Vit en France*
Est-ce qu'il y a quelqu'un à qui je n'ai pas pardonné ? La seule personne, ce serait ma mère, que je n'ai pas connue... Mais au bout du compte je lui ai pardonné. Je pardonne à tout le monde. Et à elle aussi, je lui ai pardonné. Pourquoi ? Parce qu'elle m'a donné une vie en France, et même si ça ne se passe pas bien tous les jours, elle m'a donné une famille bien, et ça me suffit ! C'est l'essentiel, et pour ça je lui pardonne.

Christian / *Vit à New York, États-Unis*
Si je me pose la question du pardon, c'est à mes parents que je devrais penser, pour savoir si je leur ai pardonné ou non ; mais leur pardonner quoi ? Le besoin que je ressens de les voir parfaits, mon désir d'avoir eu une vie plus facile, une meilleure enfance... Peut-être ne suis-je vraiment qu'un imbécile qui regarde trop la télévision, en pensant que j'aurais dû avoir une vie parfaite. En fait, je suis désolé de ne pas leur avoir pardonné. Je suis désolé de ne pas avoir été assez fort pour le faire, parce qu'ils le méritent.

Norma / *Vit à Buenos Aires, Argentine*
Je ne peux pas pardonner à ma mère. Son attitude autoritaire pendant mon adolescence et ma jeunesse, et encore maintenant, je ne peux pas lui pardonner ! Elle m'a toujours donné l'impression d'une personne très mesquine par rapport aux réussites des autres. Ma mère ne s'est jamais réjouie, même pas de la naissance de mes enfants. C'est une personne très distante et très froide. L'autre chose que je ne peux pas pardonner, et je crois que je n'y parviendrai jamais, c'est quand le père de mes enfants est parti, le jour où il m'a abandonnée avec les deux bébés. Ça, je ne lui pardonnerai jamais ! Jamais !

Nirmala / *Vit au Népal*

Qu'est-ce qui m'aurait fait très mal ? Rien. Ah si ! Mon mari ! Ça oui, et jamais je ne lui pardonnerai. Jamais je ne lui pardonnerai ! Même s'il meurt, je ne veux pas voir son visage, parce que à cause de lui j'ai beaucoup souffert. Alors que nous vivions ensemble, il n'a rien trouvé de mieux que de se remarier avec d'autres femmes. Deux ou trois fois, il s'est remarié. Ça a été tellement dur de vivre avec lui ! J'ai tellement souffert pour élever mes enfants ! J'ai lavé la vaisselle chez des gens, je me suis occupée des enfants, je leur ai donné une éducation, je les ai nourris...

Eike / *Vit en Allemagne*

Ce que je n'ai pas pu pardonner est d'être trompé. Le fait qu'on m'a menti dans des choses essentielles de la vie, c'est très dur à pardonner. Si quelqu'un me dit qu'il m'aime, et que derrière mon dos il dit : « Héhé, tu es bien bête, je ne t'aime pas ! » Ça c'est dur à pardonner.

Miriam / *Vit en Bolivie*

Ah... j'ai connu ça longtemps, l'horreur de vivre dans une ambiance très violente à cause de l'alcool. À cette époque, il y a beaucoup de choses que je ne comprenais pas, mais j'ai pardonné. Je suis en train d'essayer de faire changer la personne qui m'a fait souffrir. C'est très difficile, mais pas impossible. Je suis un être humain qui doit agir en comprenant les autres, et ainsi trouver la paix à laquelle tout être humain aspire. Et, bon, il faut comprendre les erreurs des autres.

Megan / *Vit dans l'Ohio, États-Unis*

Je dirais que je n'ai pas pardonné à l'homme qui m'a violée. J'ai eu beaucoup de mal à gérer le fait que je ne parvenais pas à pardonner. Ma foi en Dieu est très importante, et j'avais le sentiment que je devais pardonner à cet homme. Jusqu'au jour où l'un de mes meilleurs amis m'a dit que la raison pour laquelle Dieu existait, ou l'une de ces raisons, est qu'on n'a pas à pardonner aux gens, parce que Dieu le fera, que c'est à Lui de gérer ce genre de choses. Nous, nous n'avons pas à le faire, nous ne sommes que des hommes, c'est trop difficile à gérer pour nous. Donc je ne lui ai pas pardonné, mais ça ne me pose plus de problème.

> J'ai eu beaucoup de mal à gérer le fait que je ne parvenais pas à pardonner.

Fatiha / *Vit en Algérie*

Ce gouvernement qui parle du pardon, qu'est-ce qu'il a fait pour nous, les victimes, pour qu'il appelle au pardon ? Mon mari est porté disparu depuis onze ans, je n'ai aucune nouvelle de lui ! Qu'ils viennent voir comment nous sommes, comment nous vivons, notre

irmala

ike

Fatiha

Megan

riam

Ljilja

Musa

Alija

Hajrija

Seum

situation de vie, et après ils pourront nous parler du pardon ! Ces terroristes qui ont égorgé, tué, qui ont commis toutes ces atrocités, sont devenus les bons, et nous, nous restons les victimes du terrorisme.

Musa / *Réfugié soudanais, vit au Tchad*
Je pardonnerais s'ils réparaient l'injustice qu'ils nous ont infligée. Si quelqu'un vient chez toi, prend tes biens, tue tes proches, tu ne peux cohabiter avec lui en l'absence de lois parce qu'il est fort possible qu'il recommence et que personne ne le juge.

Ljilja / *Vit en Serbie*
Je ne peux pas pardonner aux politiciens d'avoir choisi de faire la guerre, voilà, c'est ça. Parce que ça n'aurait pas dû arriver. Si quelqu'un avait besoin d'un territoire, on aurait pu l'obtenir de façon pacifique, sans faire mourir les gens ni les réduire à cet état de pauvreté et de désolation... Ce n'était pas utile, toutes les guerres sont inutiles. Tout le monde est perdant, il n'y a pas de gagnant. Ce sont les âmes innocentes qui ont payé. En quoi mon enfant est-il fautif pour qu'on lui prenne tout et qu'il se retrouve sans rien ?

Seum / *Vit au Cambodge*
Je ne pardonnerai jamais aux Khmers rouges parce qu'ils ont tyrannisé toute ma famille et ils ont provoqué la mort de mes enfants en ne nous donnant rien à manger. Ils m'ont attaché les bras et m'ont abandonné dans la montagne. À tous, sans exception, il faut leur couper la tête.

Hajrija / *Vit en Bosnie-Herzégovine*
Je ne pardonnerai jamais à tous les criminels de guerre, jamais. Jamais je ne leur pardonnerai. Quel est le crime des enfants innocents ? Mon enfant était en classe de sixième quand il est mort. Est-ce que ça a un sens ? Ils n'avaient rien d'humain en eux [les responsables du massacre de Srebrenica].

Alija / *Vit en Bosnie-Herzégovine*
C'est très intéressant de voir que moi et mon collègue et voisin Zrinko Pulic, on était les meilleurs amis avant. Tant qu'on était ici, dans la même armée croate, on était tous les deux officiers, avant de se retrouver tout d'un coup dans deux camps opposés...
Et maintenant quand on se voit, que voulez-vous qu'on fasse ? Il faut continuer à vivre, il faut pardonner, on doit pardonner... On ne doit pas en rester à l'esprit guerrier.

Je ne pardonnerai jamais à tous les criminels de guerre, jamais.

Edison / *Vit au Rwanda*
Pour pouvoir sortir de prison, j'ai dû reconnaître les faits. J'ai demandé pardon aux rescapés, à leurs familles, à l'État rwandais et à Dieu.

Jean-Pierre / *Vit au Rwanda*
Je pense que je réussirais à pardonner si quelqu'un venait me demander pardon, mais je ne peux pas dire aujourd'hui « écoutez, je vous pardonne », alors que personne ne m'a demandé pardon ! Parlons du cas du génocide ici au Rwanda. L'État libère beaucoup de gens, et ces gens disent : « Écoutez, on a demandé pardon à l'État. » Comme si on avait tué l'État ! Au président de la République. Comme si on avait tué le président de la République ! Et à tout le peuple rwandais et à l'humanité tout entière. Moi je ne suis pas l'humanité tout entière ! Moi je m'appelle Jean-Pierre, je ne suis pas un État, je suis un individu, je ne suis pas non plus président de la République. Donc, pour que je pardonne à l'assassin de ma famille, il faut qu'il vienne me demander pardon. Je n'irai jamais chez lui pour lui dire : « Écoute, je te pardonne. » Il faut qu'il vienne vers moi et qu'il me dise exactement dans quelle condition il a tué les miens, et là, je lui pardonnerai.

Adria / *Vit au Rwanda*
Lorsqu'ils s'approchent de moi pour me parler des membres de ma famille qu'ils ont tués, pour me dire l'endroit où ils ont jeté leurs corps, et qu'ils m'aident à déterrer ces corps de là où ils les ont jetés, à ce moment-là ils me demandent pardon. Et moi je leur pardonne.

François / *Vit au Rwanda*
J'ai eu la haine, un sentiment humain irrésistible, un sentiment auquel tu ne peux échapper en tant qu'être humain. Lorsque quelqu'un te fait du mal, tu ne peux pas ne pas le haïr. Je ne suis pas un saint, je suis un homme comme tous les autres. Lorsque quelqu'un te fait quelque chose de mal, tu le hais. Je ne peux pas te dire que je les aime, il en existe encore certains que je n'aime pas, je ne parviens toujours pas à les aimer aujourd'hui. Celui que j'apprécie, c'est celui qui m'a demandé pardon, sinon je n'aime toujours pas les autres, parce que j'ai peur d'eux. Quand tu n'aimes pas quelqu'un, tu as peur de lui ; nous cohabitons ensemble parce que la loi l'impose, mais j'ai peur de lui. Et je pense qu'il a aussi peur de moi, parce que s'il essaie de me faire du mal, la loi est là ! Cette nature humaine existe toujours.

Pour pardonner, il faut que quelqu'un vienne demander pardon.

Edison

Jean-Pierre

rançois

Adria

Renata

Vit en Roumanie

« Regardez la Gitane ! On ne joue pas avec eux parce que ce sont des Gitans. »

Présentation / Je m'appelle Renata. J'habite à Craidorolt. Mais je suis née à Timisoara. Je m'occupe des enfants à la maison ; pour le moment, je ne travaille pas. J'espère que je travaillerai quelque part, un jour, je ne sais pas où, mais j'espère, afin de pouvoir aider, moi aussi, en rapportant un peu d'argent à la maison, parce que pour mon mari, c'est trop dur tout seul. Et c'est tout !

Transmettre / Ce que je transmets à mes enfants ? Je leur transmets de n'obéir qu'à leurs parents, parce que leurs parents ne peuvent pas vouloir qu'il leur arrive du mal. Qu'ils apprennent à l'école, parce que, grâce à l'instruction, ils iront plus loin. Mais sans elle ils finiront dans la rue, parmi la racaille ou je ne sais quoi... Ce n'est pas bien sans école.

Famille / Je ne m'entends bien ni avec ma mère ni avec mes frères, mais avec ma nouvelle famille, ma belle-famille, tout se passe très bien. Je peux parler de tout avec eux. Si j'ai des problèmes, je vais chez eux.___Comment pourrais-je aller à Timisoara ? Et qu'est-ce que je ferais, là-bas, chez mes parents ? Rien. Je reviendrais comme je suis partie. J'irais pour rien.___J'ai deux enfants : s'ils me voyaient avec deux enfants, ils me mettraient dehors. J'ai des parents méchants, très très méchants. Tu te rends compte ? Je suis mariée depuis quinze ans et on ne se parle presque pas. En quinze ans, j'ai dû parler dix fois avec eux. Je ne leur suis pas attachée, mais j'aime beaucoup mes nouveaux parents. De nouveaux parents, je peux le dire... !

Amoureux / J'ai rencontré Bobby ici, à Craidorolt. J'étais venue rendre visite à mes grands-parents. On s'est rencontrés ; on jouait comme des enfants : on avait douze ans quand on s'est connus. Et de l'enfance et du jeu, un amour est né ! Cinq ans après, il m'a demandé d'être sa femme.___Mes parents n'ont pas voulu. Je ne sais pas... ils ne l'aimaient pas. J'ai dit que j'allais fuguer avec lui s'ils ne me laissaient pas libre de choisir, et un jour on s'est décidés à partir, parce qu'ils m'avaient battue à cause de Bobby. Ma mère était ivre : elle m'a battue très fort. Alors, j'ai dit que j'allais m'en aller sur-le-champ, que ça ne m'intéressait plus : «Vous ne voulez pas que je reste avec lui ? Vous voulez me blesser?»___Une semaine après, on s'est mariés. Depuis je suis très heureuse. Le jour du mariage a été pour moi un immense bonheur, une très grande joie.

Amour / On tient beaucoup, beaucoup, l'un à l'autre. Beaucoup ! Beaucoup ! J'ai souvent peur qu'on se sépare. Du coup, la nuit, quand je me couche, je pense à une foule de bêtises... Je demande à mon mari : «Qu'est-ce que tu ferais si nous étions séparés ? Est-ce que nous pourrions vivre encore ?... comme d'autres vivent, avec leurs enfants séparés, chez l'un, chez l'autre...» Et on pleure, la nuit, quand on parle de choses comme ça. Et mon mari pleure. Et moi je pleure. Je ne sais pas, on tient beaucoup l'un à l'autre.

Pauvreté / Mon mari ne travaillait pas encore à l'usine Dressmaier. C'était très dur. On vivait d'aides sociales et de l'allocation qu'on recevait pour Bobby, notre fils aîné. On avait à l'époque 60 000 leis (environ 2 euros) par jour. Et je n'ai pas honte de le dire, on a été très très pauvres. On n'avait pas un morceau de pain à la maison, pas un morceau de pain ! Et les enfants pleuraient de faim. On a été si pauvres...___On allait vendre au village nos vêtements en bon état. Ceux qu'on avait, je ne peux pas dire que c'étaient des vêtements de luxe, mais ils étaient plutôt en bon état. On en vendait à 10 000-15 000 leis la pièce, ce qui nous permettait d'acheter du pain. Cette époque a été très très dure. Tu te rends compte ? On allait bêcher la terre, et lorsqu'on rentrait à la maison, on achetait un pain, un paquet de cigarettes, de l'huile et 2 ou 3 kilos de pommes de terre, et c'était tout ! Il n'y avait plus d'argent ! Et chaque jour c'était la même chose.___Et souvent on n'avait pas d'endroit où travailler, parce qu'au village il n'y a pas beaucoup de travail... Ailleurs, il y en a, mais ici on peut mourir de faim.___Et je remercie Dieu de m'avoir permis d'arriver jusqu'ici. Je ne peux pas dire qu'on est riches, même maintenant, mais nous ne vivons plus comme on a vécu. Nous avons tous les jours de quoi manger et j'en remercie Dieu.

Argent / Mon mari Bobby gagne 5 millions par mois (environ 200 euros). Et les 5 millions ne me suffisent pas pour payer les dettes. C'est très peu comme somme, très peu. Et quand son salaire est versé on le donne à l'usine pour payer nos dettes.___Mon plus petit a besoin de lait tous les soirs. Je lui en achète, mais c'est 15 000 leis le litre. Je dépense donc 2 millions de leis chaque mois uniquement pour le lait, alors que mon mari gagne 5 millions ! Qu'est-ce que je peux faire ? Presque rien. Surtout pas leur acheter une paire de chaussures, ou un pantalon, ou un tee-shirt, ou je ne sais quoi... Je ne sais pas... L'argent ne suffit pas : 5 millions, c'est très très peu. L'argent n'a pas de valeur.

Sens de la vie / Le sens de ma vie ? Qu'est-ce que je peux en dire ? Je suis devenue tout ce que je désirais dans cette vie, tout ce que j'ai souhaité. Sauf que je ne suis pas riche. Ma richesse, c'est l'amour maintenant, je suis riche en amour. J'ai une grande famille, je tiens beaucoup à mes enfants et à mon mari. C'est mon amour, ma famille.

Joie / C'est surtout le matin, le dimanche ou le samedi, lorsque Bobby ne va pas travailler, alors on se réveille et le petit se réveille en riant. Le petit Nicolas, il vient vers Bobby, il lui donne une petite tape, Bobby se réveille ; il jette un coussin vers nous et c'est comme ça… On joue toute la journée : on se réveille, on mange, on sort ou alors on va se baigner à Crasna. On va se baigner, c'est très bien lorsqu'on n'a pas trop de problèmes. C'est rare que nous soyons de très bonne humeur, mais, pour les enfants, on essaie de ne pas montrer nos problèmes, pour qu'ils ne soient pas blessés eux aussi. C'est assez que nous, les parents, soyons blessés.

Peur / De quoi j'ai peur ? Qu'il arrive quelque chose à mes enfants. J'ai toujours peur de ça. Même la nuit, quand je me réveille, j'ai peur qu'il y ait une inondation très sérieuse, et j'ai très peur parce qu'ils ne savent pas nager. Ma plus grande peur, c'est qu'il arrive quelque chose à mes enfants.

Discrimination / Oui, quand j'étais enfant, à l'époque, il y avait du racisme. On jouait devant l'immeuble et les enfants qui n'étaient pas des Gitans nous disaient, à moi et à mes frères : « Regardez la Gitane ! On ne joue pas avec eux parce que ce sont des Gitans. »___Et je ne sais pas… on s'est mis à part. Encore aujourd'hui, quand je vais quelque part avec des gens, je me sens comme une Gitane. Je ne sais pas comment dire, lorsque les enfants m'ont dit ça, ils m'ont mis en tête que j'étais une Gitane, que personne ne ferait attention à moi ni ne voudrait aller nulle part avec moi. J'étais une enfant comme eux, et je l'ai très mal pris parce qu'ils me traitaient de Gitane, alors que j'étais une enfant propre : habillée normalement, comme eux… j'avais juste le visage un peu plus foncé.

Avenir du monde / Je ne sais pas comment sera le monde dans vingt ans. Ça, je ne sais pas. Je ne peux pas le dire à l'avance. J'espère que ce sera mieux que maintenant. J'espère que ce sera plus civilisé. Aujourd'hui aussi c'est civilisé, mais je n'aime pas la manière dont ça l'est.___Disons que je suis gitane, c'est comme ça. Une Roumaine vient et elle dit : « Regarde ! Une Gitane ! » Moi je n'aime pas ça, car je suis aussi un être humain, comme une Roumaine, comme un Hongrois. Je suis une personne… Je suis gitane, mais je suis une Gitane propre ! J'aime la propreté… ___J'aimerais avoir une bonne vie, mais nous n'avons pas de moyens. Parce que si nous avions les moyens, moi aussi je pourrais dire : « Regardez qui je suis moi aussi : une dame ! » Mais non, nous, nous sommes comme ça : nous sommes restés en bas de l'échelle.

Hannah

Lilu

Yeter

AVEZ-VOUS DÉJÀ SOUFFERT DE DISCRIMINATION ?

Hannah / *Vit en Afrique du Sud*
Les Noirs sont une race différente. Leurs valeurs sont différentes, leurs rêves et leurs ambitions sont différents, ils veulent arriver au sommet mais ils n'ont pas encore de quoi y parvenir. Je pense que l'enseignement et le fait de faire des études, ça aiderait. Mais qu'ils soient vraiment capables de diriger un pays correctement, je ne sais pas, parce que si je regarde le reste de l'Afrique, aucun d'eux ne sait diriger un pays correctement. Il y a toujours des luttes, des bagarres et toutes sortes de choses pas sympas qui se passent. Donc je ne sais pas, je n'ai pas vraiment grand espoir que les Noirs réussissent à diriger le pays.

Lilu / *Vit au Népal*
J'ai commencé à aller à l'école à onze ans, il fallait marcher deux heures pour arriver à l'école qui se trouvait à Bahun Danda, le village des Brahmans (caste). Il n'y avait pas d'école dans mon village de Gurungs (caste). Comme l'école était à Bahun Danda, des amies me proposaient parfois d'aller chez elles et moi j'acceptais. Mais pour les repas ils me faisaient asseoir toute seule en bas. Dans la maison des Brahmans, on ne peut servir un repas à une femme Gurung que de très haut (comme pour le thé marocain). Ils étaient tous dans la cuisine en haut et moi on m'avait mise toute seule tout en bas de la maison. Chez nous, les Gurungs, les invités ne font pas leur vaisselle, on la fait nous-mêmes. Mais dans la maison des Brahmans, il m'a fallu laver mon assiette moi-même. Je n'y comprends rien ! Je dormais avec leur fille, j'étudiais à l'école avec elle, je mangeais des biscuits avec elle, on partageait des idées, mais quand j'allais dans leur maison, on me faisait toujours asseoir très loin.

Yeter / *Vit en Turquie*
Ma famille était de la mer Noire, donc très nationaliste. Sa façon de voir les races du monde était très différente. Par exemple, avec le recul que j'ai aujourd'hui, je m'aperçois que j'ai une famille qui ne voit pas les Kurdes positivement, qui ne les voit pas comme des êtres humains. C'est une famille qui ne se prononce jamais quand il s'agit des droits des Kurdes, ou sur le fait de les aider ou non. C'est une famille qui veut promouvoir le nationalisme turc. J'ai compris qu'elle m'avait transmis cela quand je suis venue ici et que je me suis posée des questions.

On partageait des idées, mais quand j'allais dans leur maison, on me faisait toujours asseoir très loin.

Rina / *Vit en Afrique du Sud*
Quand nous allions à la plage – sur les plus grandes plages –, il n'y avait pas d'Africains. Et quand je demandais à ma mère où étaient les Africains, elle me répondait : « Ils ont leurs propres plages, parce qu'ils ne veulent pas être avec nous. » Nous avons été élevés comme ça, en pensant qu'ils ne voulaient pas vivre avec nous. Et aussi, même si ça me sidère de dire ça aujourd'hui, les Noirs étaient considérés comme des êtres sans intelligence. Et donc, si vous parliez à un Africain, vous parliez lentement parce que vous pensiez qu'il n'était pas intelligent. Quand nous étions petits, les Africains étaient censés ne pas être intéressés par l'éducation, ils étaient juste une classe de population inférieure. Ils n'étaient pas intéressés par ce qui nous intéressait, c'est comme ça que nous avons été élevés.

Florentino / *Vit à Cuba*
Je me rappelle même une fois où celle qui était ma belle-mère m'a dit très sérieusement : « Florentino, moi j'avais quelque chose contre vous parce que vous étiez noir, mais le problème c'est que je ne vous connaissais pas, parce que la seule chose que vous avez d'un Noir, c'est la couleur. » Alors je lui ai dit : « Parce que pour être noir, il faut autre chose que la couleur ? – Non, parce que vous parlez comme un Blanc ! » m'a-t-elle répondu. « Non, Madame, je ne parle pas comme un Blanc, je parle comme moi je parle. J'ai poursuivi mes études jusqu'à la fin et, à ma connaissance, si on ne m'a pas menti, pour être noir ou blanc,

il n'est question que de couleur de peau. » Elle est restée bouche bée... Notre mariage n'a pas duré deux jours, mais dix-huit ans, alors ils ont fini par s'habituer un peu à la situation.

Pachaiamma / *Vit dans le sud de l'Inde*
On ne peut pas changer les choses ! Depuis la nuit des temps, depuis le temps des rois, ce système de caste est perpétué de génération en génération. Quand un père travaille à un endroit, si son fils veut étudier et sortir de sa condition, aucune des personnes de son entourage ne le laisserait faire. Les gens lui diraient : « Ton père a fait ce travail et toi tu feras le même ! » Donc on ne peut jamais progresser ; cela se passe de manière presque naturelle, et nul ne peut changer ni corriger le cours des choses.

Chafiqa / *Vit en Afghanistan*
Quand les filles et les garçons sont petits, leurs parents leur disent qu'ils ne sont pas égaux. Et malheureusement les mères le disent aussi, surtout les femmes illettrées. Notre société est contrôlée par les hommes, les mères préfèrent donc avoir des garçons. Comme elles favorisent les garçons quand ils grandissent, ils se sentent naturellement supérieurs aux filles. Les filles ne font rien sinon travailler à la maison, alors que les garçons peuvent avoir un emploi à l'extérieur, faire du business, vendre des moutons... et peuvent donc ainsi gagner de l'argent. C'est pour cette raison que les mamans préfèrent avoir des garçons.

ìna

Florentino

Chafiqa

Pachaiamma

Isabelle

Amine Bouzarine

Rahmatou

Cecilia

Rahmatou / *Vit au Mali*
Dans notre milieu, la femme ne connaît pas de discrimination, c'est elle la patronne. Elle décide. On a même eu des femmes chefs, des femmes guides spirituels, des femmes guides guerrières, des conseillères... Quand une femme se fait remarquer par sa valeur, elle est respectée.

Isabelle / *Vit en France*
Quand j'étais plus jeune, je me disais : « Le féminisme, c'est un combat de mes parents. Merci de l'avoir fait, mais ce n'est plus de mon époque. » C'est faux !
À notre époque encore, si on regarde notre gouvernement, les gens qui sont à la tête de l'État, il n'y a presque que des hommes parmi les députés, dans les cabinets ministériels, sans parler des ministres. On n'a presque que des hommes ! Imaginez la situation inverse. Imaginez que le président soit une femme, que le Premier ministre soit une femme, que le ministre de l'Intérieur soit une femme, que le ministre de l'Économie et des Finances soit une femme... Les Français diraient : « Mais qu'est-ce que c'est que ça ? On est pris en otage par les femmes ! » Et pourtant, le fait que ce sont des hommes ne nous choque pas. Cela prouve bien qu'on est à mille lieues de l'égalité entre les hommes et les femmes.

Amine Bouzarine / *Vit en Algérie*
La situation de la femme en Algérie a beaucoup évolué. Il y a quelques années c'était comme au Moyen Âge : on se demandait si cette femme était un être humain ou un démon, un objet, ou je ne sais quoi. Elle n'avait ni le droit de parler, ni le droit de sortir ; elle n'avait tout simplement pas le droit. Elle connaissait par cœur cette expression : « pas le droit ». Et elle respectait cet état de fait. Mais aujourd'hui elle commence à s'ouvrir sur la société, à s'ouvrir sur l'extérieur, à voir, à parler, à s'exprimer, à prendre des responsabilités. J'adore ça !

Cecilia / *Vit au Texas, États-Unis*
Quand j'ai eu mon diplôme d'ingénieur au Venezuela, j'ai cherché un travail. J'ai donc répondu à une offre d'emploi. Je correspondais au profil demandé. Et quand je suis allée porter mon dossier de candidature, ils m'ont dit qu'ils ne recherchaient pas de femme, mais un ingénieur. Je leur ai répondu : « Je suis ingénieur ! – Mais tu es une femme ! On ne recherche pas de femme ! »
Ça a été très difficile d'endurer cette situation. Néanmoins, j'ai trouvé un travail dans une branche dominée à 100 % par des hommes. C'était dans l'industrie du pétrole. Comme quoi, tout arrive !

Dans notre milieu, la femme ne connaît pas de discrimination, c'est elle la patronne.

Abdel Aziz / *Vit en France*
Une fois, je suis allé voir un patron – c'est véridique ce que je vais vous dire ! Donc je vais le voir, je gare ma voiture et entre dans l'usine. Tout le monde disait : « Ils cherchent grave de monde dans l'usine là-bas. » J'avais vingt-trois ans. Je vais là-bas. J'arrive, je vois le gars, j'étais habillé correctement : « Bonjour monsieur. – Oui bonjour. – C'était pour vous demander si vous cherchiez quelqu'un pour travailler. – Mais vous tombez très bien, on cherche quelqu'un ! Vous avez un CV ? – Oui, oui, je vais le chercher, il est dans ma voiture. » Je cours à ma voiture, je rapporte le CV. Il le prend. Il lit mon nom. Je m'appelle Abdel Aziz. Il lit mon nom et me dit : « Oui, effectivement, je vous contacterai. Il y a votre numéro de téléphone. Je vous appellerai. Normalement c'est bon s'il y a le boulot... » Vous avez compris ! Il ne m'a jamais appelé. Je sais que si j'avais eu un nom français, j'aurais travaillé tout de suite. D'apparence, à ma tête, il m'a dit « c'est bon », mais après avoir lu mon nom, il a pensé « ce n'est plus bon ».

Bora / *Vit au Cambodge*
Auparavant, beaucoup de gens me méprisaient car ils me trouvaient très mate, pas belle et petite. On ne m'aimait pas, on disait que je n'étais pas quelqu'un de bien. Au début de mes études à l'université, on ne m'aimait pas car je leur avais dit que j'étais un enfant qui ramassait le plastique et le fer à la décharge. On ne voulait pas me parler et on disait que c'était dégoûtant de faire ce genre de besogne. Dès que je parlais de ça à quelqu'un, il m'évitait. J'étais malheureuse, j'ai voulu me suicider. Je me demandais pourquoi j'étais née différente, pourquoi, quand je parlais aux autres, ils ne voulaient pas me répondre. Ils disaient que j'étais pauvre et qu'ils ne voulaient pas me fréquenter.

Jean-Marc / *Vit en France*
Plein de gens ne te regardent pas quand ils passent dans la rue, parce qu'ils ne veulent pas penser qu'un jour ils pourraient eux aussi être dans cette situation. Tu comprends ? « Il ne faut pas regarder un SDF. » Ou alors, quand ils te voient, ils tournent la tête. « Je ne l'ai pas vu. Je passe. » Ils se sentent mal à l'aise. Ils voudraient bien t'aider, mais ils se disent : « Est-ce que c'est bien ? Est-ce que je lui apporte quelque chose ? Non. Je l'incite à rester comme ça ! » Tu as envie de donner ? Donne. Tu n'as pas envie de donner ? Souris ! Mais ne passe pas sans regarder ! Ce qui tue le plus, c'est l'indifférence, les gens qui passent et qui ne veulent pas te voir.

Mohamed / *Vit en France*
Ma gueule me distingue des autres : je suis un peu brun, je suis un peu basané, j'ai un strabisme très fort, j'ai un nez cassé, j'ai des dents, on ne sait pas vraiment si ce sont des dents... Depuis ma plus tendre enfance, les gens me regardent comme ça, complètement étonnés, vous comprenez ? Et puis c'est aussi une façon d'aborder la vie. Je refuse la monotonie !

n-Marc

Bora

del Aziz

Mohamed

Stéphanie

Roberto

Carmen

Carmen / *Vit en Espagne*
Pour moi, la discrimination, c'est une merde ! Parce je l'ai vraiment très mal vécue quand j'étais plus petite. Mes parents sont un peu différents, du point de vue esthétique. Mon père est tatoueur, ma mère fait des piercings. Ils s'habillent différemment parce qu'ils sont très *heavies*, et moi je suis sortie plutôt gothique, plus obscure. Alors, une fille de treize ans à Jerez, un village de Cadix… je n'étais pas vraiment bien vue ! On me disait que j'étais une sorcière, on ne me disait que des mauvaises choses. Parce que les gens ici sont très fermés. C'est quelque chose dont on devrait tous prendre conscience, et être plus ouverts d'esprit, ne pas juger les personnes sur leur apparence physique. Parce que quand tu vois un homme habillé en costard cravate avec son attaché-case pour aller au travail, il se peut qu'il soit plus mauvais que quelqu'un qui porte un collier à pics ou qui a les ongles peints en noir.

Stéphanie / *Vit en Israël*
Lorsque je vivais en France, je n'ai eu aucun problème de discrimination. On n'a jamais contrôlé mes papiers dans la rue, si tu vois ce que je veux dire. Mais je sais très bien que si j'étais un peu basanée, si j'étais un homme basané, par exemple, et que je vivais dans certains quartiers, je n'aurais pas droit au même traitement. Malheureusement, je dois dire que je subis ça depuis que je suis ici, et c'est un peu tragique pour moi. J'aime Israël, je suis contente d'y vivre, je souhaitais y venir, mais c'est vrai que ce n'est pas facile. C'est-à-dire qu'ici il faut vraiment que tu déclines ton identité : ton âge, dire si tu es marié ou non, d'où tu viens, ta nationalité. Quand je commence à dire que j'ai un père juif et une mère non juive, ils ont presque les yeux qui leur sortent de la tête. Parce qu'ils ne comprennent pas ! « Ah bon ! tu n'es pas juive ! Qu'est-ce que tu fais ici ? »

Roberto / *Vit à Cuba*
J'ai un ami qui est noir, et à chaque fois qu'on marche dans la rue Obispo, la police arrive et lui demande sa carte d'identité, juste parce qu'il est noir. Ici, à Cuba, dans la rue Obispo, et moi je tends aussi ma carte aux policiers, et ils me disent : « Non, pas toi ! On l'a juste demandée à lui. » Mais pourquoi ? On est ensemble, on vient de sortir du travail ! Bien sûr, ils ne te disent pas que c'est parce qu'il est noir, mais comme ça arrive quatre fois par jour, avec quatre policiers différents, n'importe quel jour de la semaine, il doit bien y avoir une raison…

Quand tu vois un homme habillé en costard cravate, il se peut qu'il soit plus mauvais que quelqu'un qui porte un collier à pics…

Maxime / *Vit dans les Territoires palestiniens*

J'ai un passeport palestinien, un passeport vert. Je dis « vert » parce que nous avons des codes de couleur en Palestine. Ce sont les Israéliens qui nous ont imposé ce code. Avoir un passeport vert signifie que je suis un Arabe qui vit dans le West Bank. Certains ont des passeports bleus : ce sont les Palestiniens qui vivent à Jérusalem-Est. Certains ont des passeports rouges : ce sont les Palestiniens de Gaza. C'est important parce que chaque couleur correspond à différents degrés de « manques de droits », pas les « droits », mais les « manques de droits ». Il y a certaines choses que je ne suis pas autorisé à faire, des choses différentes de ceux qui possèdent un passeport bleu. Finalement, il ne s'agit pas de droits mais de manques de droits. Ce que ces couleurs signifient, pour les soldats israéliens ? On peut abuser de ce Palestinien parce qu'il est de race inférieure, et plus encore parce qu'il a un passeport vert. C'est un peu comme en Afrique du Sud : les Africains étaient divisés selon dix-sept rangs de couleur, et les Blancs leur donnaient des droits différents (ou plutôt des manques de droits) selon ce code. Ça veut simplement dire que je n'ai aucun droit, que je suis un être humain privé de tous ses droits. Ça veut dire que je peux me faire tuer à n'importe quel moment sans que ma famille ne puisse recourir à la justice pour porter plainte. Je peux être frappé au checkpoint, je peux être arrêté, être interrogé, être harcelé,

je peux être dénoncé, être humilié, et que sais-je encore... C'est ce qui arrive aux gens quotidiennement, ici.

Fatima / *Vit en France*

Mes enfants sont nés là. Grâce à Dieu ! Mes enfants sont nés là, il n'y a pas de problème. Ils s'appellent Daniel, Emmanuel, Isabelle, Catherine, et c'est bon. Ils ne s'appellent pas Fatima, comme moi.

Shazia / *Vit dans l'Ohio, États-Unis*

Avant le 11 septembre, je n'ai jamais été discriminée. Quand je mettais mon voile en public, les gens souriaient, me saluaient et me demandaient comment ça allait. Il s'agissait d'une interaction très amicale, un peu bizarre, car la plupart de ces personnes ne savent pas ce qu'est un musulman, et ce que se couvrir représente. Après le 11 septembre, cette relation a changé : elle est devenue plus hostile. Les gens ne sourient plus. Ils me fixent ou me foudroient du regard, font des commentaires sournois en passant. Et je dois toujours expliquer comment il se fait que je parle si bien anglais. Les gens ne parviennent pas à associer le port du voile et la nationalité américaine.

Mangquina / *Vit en Afrique du Sud*

Comment l'apartheid nous a affectés ? À une époque, je jouais au rugby, j'étais capitaine de l'équipe. Un jour, alors qu'on était en train de perdre le match, j'ai rassemblé les gars et, en tant que capitaine, je leur ai dit : « On doit faire ça ! Vous devez donner plus, on doit améliorer notre jeu ! » Je l'ai dit d'une

Shazia

Mangquina

Fatima

axime

Nely

Ephraim

Jerald

façon plutôt affirmée. Ce jour-là, mon grand-père et mon père étaient dans les tribunes. Après le match, j'ai traversé le terrain pour aller les rejoindre et, soudainement, mon grand-père m'a donné une gifle. J'étais abasourdi et ne comprenais pas son geste ! C'était dû à la façon dont on l'avait conditionné : « Tu ne parles pas aux Blancs de cette façon, tu ne leur cries pas dessus ! » Donc, quand on parle d'être victime du racisme, ou de lutter, ça se présente de différentes manières, et ce que je viens de vous raconter, c'est juste une autre manière d'être victime du racisme. C'est en 1994 qu'a été aboli l'apartheid, mais maintenant il prend une nouvelle forme, qui n'est plus physique mais mentale. Cette victimisation est le genre de bagage que je ne veux pas avoir à porter dans la vie de tous les jours.

Ephraim / *Vit aux États-Unis*
J'ai grandi en Éthiopie, un pays où l'on regarde de haut les Européens, les Blancs. Les gens d'ici pensent qu'ils sont supérieurs, et que les Européens sont blancs peut-être à cause de la lèpre. Nous ne sommes pas supposés toucher les Européens parce que nous tomberions malades. J'ai donc grandi avec ce sentiment d'être supérieur aux Européens, et quand je suis venu en Amérique et qu'il y avait des discriminations contre nous, cela ne me touchait pas, c'était même amusant !

Jerald / *Vit au Canada*
Moi je suis métis, ça m'a longtemps fait souffrir. « Tu n'es pas indien. Tu n'es pas blanc. Tu es entre l'écorce et l'arbre. »

J'ai souffert parce que je ne pouvais m'identifier ni comme Indien, ni comme Blanc. Les membres du gouvernement m'ont dit que je n'existais pas. Il faut le faire, non ? Tout ça parce que je suis métis ! Quand tu grandis comme ça, ton appartenance elle est où ? Je n'avais plus d'appartenance. Et ça ne fait pas longtemps que j'en ai une, que j'ai commencé à m'accepter : je suis Hinou, un être humain.

Nely / *Vit en Bolivie*
Je suis contente d'être afro-bolivienne. J'ai parfois l'impression d'être une espèce de grain de beauté là où je vis. J'adore ça, être le grain de beauté ! C'est très beau aussi de se sentir différente, quand on a le sentiment que tout le monde est pareil. C'est très mignon ça ! Non, je suis très contente d'être afro, je ne regrette pas du tout d'être afro !

J'ai grandi en Éthiopie, un pays où l'on regarde de haut les Européens, les Blancs.

Ahlam

Réfugiée irakienne, vit en Syrie

Je n'ai jamais envisagé de rentrer en Irak, parce que mes enfants n'y ont aucune chance.

Présentation / Je m'appelle Ahlam, j'ai quarante-deux ans et je viens de Bagdad.

Souvenir / Nous étions sept enfants, quatre filles et trois garçons. Mon père travaillait aux champs avec ma mère. On y allait aussi et si des fruits tombaient des arbres, on les ramassait. On emportait le petit déjeuner ; on buvait du thé. Pendant les grandes vacances, on revenait à la maison à la tombée de la nuit, mais on passait toujours par la piscine ! Tous les soirs on piquait une tête. Mon père avait acheminé l'eau d'irrigation depuis le Tigre grâce à une grosse pompe. C'étaient de merveilleux moments d'enfance.___Nos parents nous rejoignaient dans la piscine et on s'amusait tous ensemble comme des enfants. Mais une fois rhabillés, nos parents reprenaient leur rôle.

Rêves d'enfant / J'ai cherché à réaliser le rêve de mon père : devenir une personne à part. Il m'a donné tout ce qu'il a pu, alors qu'il était simple cultivateur.___C'était très dur pour une fille d'entrer à l'université ou d'apprendre à conduire. Mais, grâce à lui, j'ai étudié les langues et l'informatique. Il m'a aussi appris à me servir d'une arme pour me défendre : à la campagne, on pouvait se faire attaquer par des animaux errants.___Peut-être ai-je réalisé son rêve : être différente.

Appris de son éducation / Élevée comme un garçon, je sais conduire, nager, me servir d'une arme, me battre... C'est un peu comme si mon père avait eu quatre fils au lieu de trois... Il me disait : « Tu es une battante. Une fille, mais une battante. Tu ne ressembles pas à tes sœurs... »___Je n'ai jamais eu peur d'un oiseau ni d'aucun animal. Je crois que j'ai l'esprit aventurier. Les garçons étaient toujours ailleurs, au service militaire, enrôlés dans l'armée populaire... si bien que le garçon de la maison, c'était moi.___Je portais une arme pour garder la maison. Pendant ce temps, mes sœurs, élevées comme des filles, se tenaient à distance des garçons et des jeunes hommes ; elles apprenaient à cuisiner, à faire du pain, à faire le ménage... ___ Moi, je n'ai appris mon rôle de maîtresse de maison qu'une fois mariée.

Épreuve / Une première fois, j'ai affronté la mort en manquant de me noyer. Une deuxième fois, j'ai eu un accident de voiture. Une troisième fois, alors que je travaillais, j'ai été kidnappée pendant huit jours et sept nuits. ___ À chaque moment, à chaque minute, à chaque seconde pendant ces huit jours, j'ai vécu avec la mort. Elle est devenue ma compagne en quelque sorte. Quand un ravisseur venait m'interroger ou tirait une balle près de mon oreille pour m'intimider et altérer ma perception des bruits, je n'ai jamais eu peur. ___ Je n'avais peur que d'une chose : que ma petite fille apprenne plus tard que sa mère avait été tuée. Je pensais aussi à ma mère âgée. Depuis mon mariage et la mort de mon père, elle avait davantage besoin de moi. C'est à elles deux que je pensais : ma mère dont j'étais de plus en plus proche, et ma fille qui risquait de croire que sa mère était une espionne. ___ À l'époque, je travaillais dans une organisation humanitaire. Dieu merci, j'ai pu échapper à mes ravisseurs. Mais le pire, pour moi, a été de voir mon fils mourir sous mes yeux sans que j'aie pu faire quoi que ce fût.

Pleurer / Je pleure presque tous les jours, seule, à l'insu de mes enfants et de mon mari. J'ai perdu mon fils aîné, dont j'avais réussi à me faire un ami. Il était presque aussi grand que moi ; quand il m'accompagnait, tout le monde pensait qu'il avait seize ans et non pas douze. ___ Je pleure parce qu'il nous a quittés. Je sais que la mort est entre les mains de Dieu, mais la personne vous manque. Dans ces moments-là, on pleure. On pleure celui qui vous manque, celui à qui vous avez donné naissance, que vous avez élevé, qui a grandi avec vous, que vous avez essayé de protéger même s'il a été témoin d'événements graves du fait qu'il était l'aîné. ___ Il était là lorsque j'ai été enlevée, là aussi quand j'ai effectué mon périple de Bagdad à Damas en passant par Amman et l'Égypte. Il a assumé des responsabilités d'adulte. Je le pleure tous les jours, parfois sans verser de larmes. ___ Avant, je m'asseyais souvent à ses côtés et nous parlions longtemps. Je n'ai aucune autre raison de pleurer. ___ Aucune.

Quitter son pays / Quand j'ai quitté l'Irak, je n'avais pas le choix. ___ Je travaillais pour le Centre d'aide irakien. Ce qui m'intéressait, c'était d'aider des populations sinistrées. Mais comme je traitais avec des médecins et des ingénieurs civils américains, les miliciens ont conclu que j'étais une espionne au service des Américains. Le fait que je parle couramment anglais et que je me passe d'interprète les a confirmés dans leurs soupçons. ___ Ils m'ont enlevée devant chez moi, un matin, à huit heures, alors que je partais au travail. Quatre voitures m'ont encerclée. Deux hommes armés se sont dirigés vers moi. J'ai écarté le premier, mais pas le second. Ils ont sorti leur arme et ont tiré entre mes jambes. ___ J'ai beaucoup souffert pendant ma séquestration. Torture. Coups de feu. Ils m'ont fait croire qu'ils avaient enlevé Abdallah, mon fils cadet. Ils m'ont fait écouter des voix d'enfants qui appelaient leur maman en hurlant, pour me mettre sous pression.___Quand mes parents ont cherché à me faire libérer, les ravisseurs ont exigé une rançon de 50 000 dollars et l'exil avec mes enfants.___Le lendemain de ma libération, j'ai eu une crise cardiaque. Ils m'avaient volé mon passeport, j'ai donc dû m'en faire faire un nouveau. Cette démarche et le traitement médical m'ont pris environ deux mois.___Finalement, j'ai quitté Bagdad le 2 septembre 2005. Je suis restée un mois et demi à Amman, où je ne pouvais pas vivre. De là je suis passée en Égypte, où je n'avais pas non plus d'attaches. J'avais plus d'affinités avec Damas : c'est la même terre, le même environnement qu'en Irak. Ici, les gens sont très faciles à vivre, beaucoup plus qu'on l'imagine, à condition de savoir les prendre.___Leur modestie, surtout, m'a attirée. Voilà maintenant presque trois ans que je suis en Syrie et je n'en partirai plus. On me supplie : « Reviens à Bagdad ! » Mais je réponds : « Non, je reste en Syrie. »

Être chez soi / La Syrie, c'est chez moi !___Ce pays nous a accueillis, mes enfants et moi. Il nous a permis d'avoir une maison à nous et d'y vivre. Mes voisins, irakiens ou syriens, m'ont soutenue durant la pire de mes épreuves.___Quand j'ai perdu mon fils, il fallait voir toutes ces femmes et tous ces hommes qui pleuraient autant que moi. Ils refusaient de manger tant que je ne les rejoignais pas pour manger avec eux. Le café du matin, ils m'emmenaient le prendre chez eux. Aujourd'hui, ils continuent, mais par téléphone !___La façon dont ils me saluent quand ils me croisent dans la rue, les craintes qu'ils ont pour mes enfants sur lesquels ils veillent comme si c'étaient les leurs... !___Oui, vraiment, Damas, c'est chez moi.

Avenir de son pays / En fait, je n'ai jamais envisagé de rentrer en Irak, parce que mes enfants n'y ont aucune chance. Et je pense que la situation ne s'améliorera pas. La seule chose que je puisse faire c'est rendre les gens utiles à la société, qu'ils contribuent à bâtir leur pays plutôt qu'à le détruire. Mais je ne verrai sans doute jamais le résultat de mon action, contrairement à mes enfants qui sont de la génération suivante.___Un jour, je pense, Abdallah et Roqaya retourneront en Irak, mais sans moi, malheureusement.

Famille / La famille, c'est l'amour, l'intimité et le sentiment qu'on n'est pas seul malgré la distance.___Ma mère, qui a soixante-dix ans, vient me voir deux ou trois fois par an. Mes sœurs, dès que je leur envoie un SMS, m'appellent immédiatement et me demandent de quoi j'ai besoin, malgré leurs propres problèmes.___Mon frère et mon neveu viennent me rendre visite, restent une dizaine de jours pour s'assurer que je vais bien, puis retournent en Irak.___Je ne me sens jamais seule. J'ai toujours auprès de moi un membre de ma famille : en ce moment, ce sont deux de mes frères et une de mes sœurs. On se rend des visites, on passe du temps ensemble.___Quand ma mère me demande d'aller la voir à Bagdad, je lui réponds que c'est impossible : sitôt que j'aperçois le panneau de la frontière irakienne, je rebrousse chemin. Un jour, j'ai pris un taxi pour me rendre à Bagdad. Mais dès que j'ai vu la frontière, j'ai demandé au chauffeur de faire demi-tour. C'était plus fort que moi.

Pardonner / Oui, je pardonne à mes ravisseurs. Tout de suite après mon enlèvement, je leur ai pardonné. Je ne peux pas juger les gens. Je leur ai pardonné dès le début de mon enlèvement, quel que fût ce qui m'attendait.___Je n'étais pas seule, j'étais avec mon cousin ou mon mari... Mais c'était la première fois qu'ils voyaient une femme dans cette situation, faire ce genre de travail. Côtoyer des étrangers, s'occuper d'eux, les aider à circuler... Surtout, quand les troupes américaines se rendaient coupables de viols, d'assassinats, de blessures ou de destructions, nous étions autorisés à poursuivre en justice l'armée américaine et à demander des dédommagements pour les victimes.___C'était tout nouveau dans la société irakienne, ce fait de travailler avec des organisations humanitaires et de traiter les problèmes entre civils irakiens et soldats américains.___Dans ces minorités très fermées, les populations rurales sans instruction étaient le jouet de rumeurs invérifiables. Toute personne en treillis était considérée comme ennemie, tout étranger aussi. Voilà dans quel milieu on se démenait. Quand vous vivez une pareille aventure, vous devez assumer.___C'est pour ça que, dès les premières minutes de mon enlèvement, je leur ai pardonné à tous.

Amour / Mon mari est un cousin, de dix ans mon aîné. Au début, je jouais les entremetteuses ! Tout en me consacrant à mes études, j'essayais de lui trouver une femme.___Mais, à chaque fois que je lui parlais d'une fille, il inventait un prétexte : celle-ci est trop grande, celle-là trop petite... Il y avait toujours quelque chose qui clochait.___Un beau jour, il s'est lancé : « Tu me cherches une femme, mais c'est toi que j'aime ! » J'ai été déconcertée. Jamais je n'aurais imaginé qu'il pût s'intéresser à moi, alors que je passais le plus clair de mon temps à lui dénicher une femme ! C'est comme ça !

Joie / Ma plus grande joie, c'est d'être avec mes enfants. De les élever. Je rêve de voir Abdallah et Roqaya obtenir leur diplôme. À ce moment-là, j'aurai accompli ma mission et ils pourront continuer seuls.

Dieu / Dieu existe. Il nous montre le droit chemin. Il suffit d'écouter son propre cœur.___Dieu existe. Il nous regarde, nous observe, nous met à l'épreuve. Si on résiste, on est la personne la plus heureuse du monde. Si on échoue, on ne peut s'en prendre qu'à soi-même.___Grâce à Dieu, la foi est ancrée dans nos cœurs depuis notre tendre enfance. Nous avons appris le vrai islam, pas celui dont on parle aujourd'hui. L'islam, c'est la religion de l'amour, qui s'adresse à tous de l'enfant au vieillard. À chaque étape de la vie, elle nous éclaire. Si on suit ces étapes, on vit heureux.___En revanche, on est aigri si on demande : « Pourquoi Dieu m'a fait ça à moi et pas aux autres ? »___Ne regardons pas ceux qui vivent mieux, mais ceux qui vivent durement. Dans mon très modeste appartement, je n'ai jamais le sentiment que Dieu est injuste envers moi. Tant de gens vivent dans des conditions bien pires ! J'ai de la chance : un toit, des enfants, une famille, un mari, je ne veux rien de plus.

Guerre / La guerre, c'est la destruction.___J'ai passé vingt-cinq ans de ma vie en temps de guerre. Venue au monde pendant la guerre Iran-Irak, j'y ai perdu une grande partie de ma jeunesse. Même si à Bagdad nous avons moins souffert, sauf la première année, avec les raids aériens, ce conflit a eu un impact.___Les enfants n'ont plus de père. Les mères, pour nourrir quatre, cinq enfants, s'épuisent derrière leur machine à coudre ou dans les vergers. On perd des parents, des êtres chers, des amis. Des familles entières sont détruites.___La guerre, c'est la destruction. Dieu n'a pas créé les hommes pour qu'ils se détruisent, mais pour qu'ils s'aiment. La guerre anéantit non seulement l'environnement et la société, mais elle détruit l'âme elle-même.

Guerre/Épreuve / Quand les Américains larguaient sur nous des bombes, j'ai vu des enfants mourir. J'ai pris alors beaucoup de risques. Ça n'a pas duré longtemps : juste quarante-huit heures, si on compte en heures. Mais on vit chaque moment, chaque minute de ces quarante-huit heures.___Je risquais ma vie pour de tout jeunes hommes, de dix-huit à vingt ans, brûlés et tués par ces bombes sous mes yeux. Nous étions responsables d'eux.___L'armée établissait des bases dans les vergers. Les soldats venaient principalement du sud de l'Irak, de Basra ou d'Amarah. Leurs familles les recherchaient. Le pire, c'était de donner aux parents qui la réclamaient la carte d'identité de leur fils et d'enterrer le corps avec un simple signe sur la tombe.

Guerre/Discrimination / J'ai cessé de regarder les informations.___J'ai appris à ne pas faire de différence entre sunnites et chiites. La seule fois de ma vie où mon père m'a frappée, c'est le jour où je lui ai dit que j'avais un ami chiite à l'école. Il nous interdisait de différencier sunnites et chiites.___Or, la guerre actuelle ne détruit pas les sunnites ou les chiites, mais l'Irak tout entier. La jeune génération grandit en apprenant la violence et en perdant des êtres chers... Quelle communauté construisons-nous ? Garçons ou filles, tous en seront marqués quand ils fonderont une famille. Quelle éducation donneront-ils à leurs enfants, eux à qui l'on a enseigné la violence ?___Si l'on voulait détruire une société entière, on provoquerait un conflit de ce genre, un conflit entre sectes. En fait, cette opposition disparaît dès qu'on franchit la frontière : peu importe qu'on soit sunnite ou chiite. Si l'on pose à un exilé la question, il répond : « Je suis musulman, un point, c'est tout. Je ne me suis pas enfui d'Irak pour répondre à ce genre de question à Damas. »

Message / Je voudrais m'adresser au peuple irakien pour lui dire :___« Vous êtes un bon peuple. Vous m'avez appris l'amour et le bien. Cessez de vous entre-tuer. Regardez vos rues et vos bâtiments anéantis. Combien d'efforts a-t-il fallu pour les construire ?___« Comparez à la vôtre la vie de vos fils et de vos petits frères : élevez donc vos enfants comme vous avez été élevés, dans l'idée qu'il n'y a ni chiites, ni sunnites, ni chrétiens, ni sabéens, mais des êtres humains que vous devez traiter comme tels. C'est la condition pour préparer l'avenir. »

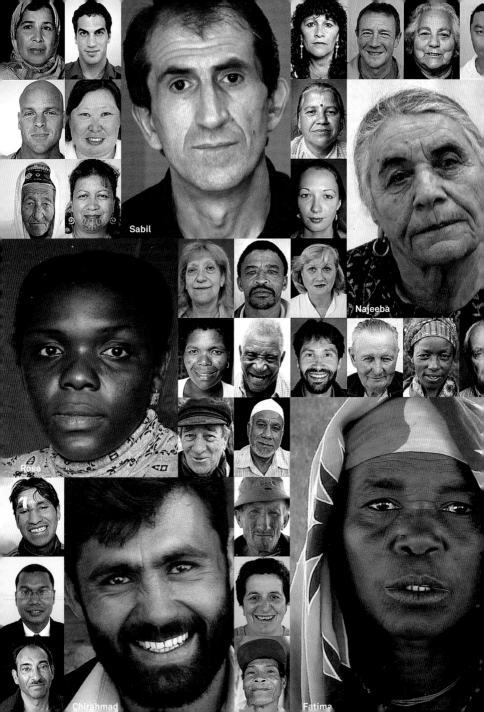

Sabil

Najeeba

Rose

Chirahmad

Fatima

POURQUOI AVEZ-VOUS QUITTÉ VOTRE PAYS ?

Sabil / *Demandeur d'asile kosovar, vit en France*
Personne ne quitte son pays pour aller voir le pays de quelqu'un d'autre. Seuls le malheur, la souffrance et la guerre l'y obligent. Aujourd'hui, les Libanais qu'on voit à la télévision ne fuient pas parce qu'ils le veulent mais seulement parce qu'ils y sont contraints ! Aujourd'hui, croyez-moi, quand je me couche, je rêve de mon pays, mais de cet ancien pays : la Yougoslavie de Tito. Ça c'était mon pays. C'est mon rêve, une utopie qui ne peut plus devenir réalité.

Najeeba / *Réfugiée irakienne, vit en Syrie*
J'ai quitté l'Irak à cause des catastrophes, des tueries, des vols, des menaces. Tu penses que quelqu'un pourrait laisser son pays et ses terres comme ça ? Non... Mais maintenant, on n'a plus rien à faire là-bas. Surtout nous, chrétiens, on est menacé. J'ai vu de mes propres yeux quelqu'un se faire tuer, un autre avec sa voiture aussi, et ce n'est pas une ou deux personnes... ce sont des milliers. Et surtout notre région de Dora. Pourquoi continuer à vivre comme ça ? Non seulement il y a tout ça, mais en plus il y a des menaces. Moi, une dame de soixante-dix ans, j'ai été menacée ! Ça ne se fait pas, à mon âge. L'islam dit que c'est interdit. Je suis une femme qui a élevé une génération. Et ils sont venus cagoulés, avec des mitraillettes, pour me menacer !

Rose / *Demandeuse d'asile congolaise, vit en France*
Je suis partie comme ça, sans me poser la question : « Qu'est-ce qui va se passer là-bas en France ? » Non non ! Quand j'ai trouvé que la vie de mes enfants était en danger, j'ai préféré partir, en me disant qu'il ne fallait pas que mes enfants subissent ce que moi j'ai subi.

Fatima / *Réfugiée soudanaise, vit au Tchad*
Ce qui nous est arrivé ? À l'aube du premier jour de l'attaque, des avions, des camions, des chameaux, des chevaux... Quand on a été attaqués, ils ont tué. Ils ont fait tomber le feu d'en haut. La nuit on courait et la journée on ne courait pas. On se cachait parmi les hommes. À cause de tout ça *yalla yalla yalla*, on est parti. On est parti pour quitter le Soudan. Ils ont exterminé des gens, ils ont pris les filles, tué les vieux, tous ils les ont mis dans le feu.

Chirahmad / *Vit en Afghanistan*
À Logar (Afghanistan), au début, quand la révolution a commencé, nos villages et nos maisons ont été bombardés et tout a été brûlé. Nous sommes allés dans d'autres villages. Après quelque temps, trois ou quatre ans, nous en avons eu assez de ces difficultés financières et sécuritaires, nous nous sommes réfugiés au Pakistan.

Magdelein / *Vit au Qatar*
J'ai toujours senti que je ne pourrais pas rester au même endroit longtemps. Le jour viendra où je devrai m'enfuir d'ici. Où irai-je ? Quelle sera la prochaine étape ? Je pense que ce sentiment d'insécurité et cette impossibilité de planifier sa vie, même sur les deux ou trois ans à venir, parce ce qu'on ne sait jamais ce qui peut se passer, affectent énormément notre personnalité.

Yaya / *Réfugié soudanais, vit au Tchad*
Là-bas c'était le pays, les biens, les propriétés, les terres, les jardins... là-bas c'était un monde paisible et joyeux.
Ici, il n'y a pas de joie, il n'y a rien d'appréciable, sauf le fait d'être toujours en vie, et la famille qui est là, saine et sauve.

Jalil / *Vit en Afghanistan*
J'ai eu beaucoup de difficultés en Afghanistan. Les talibans ont assassiné mon père et ils me poursuivaient aussi. Je ne pouvais pas vivre là-bas, j'ai dû quitter mon pays, aller à l'étranger. La France est le seul pays où je me suis réfugié, mais là je n'ai pas pu obtenir de droit.

Zedjiga / *Demandeuse d'asile algérienne, vit en France*
Je me sens plus chez moi ici que là-bas, en Algérie. Parce qu'un pays où tu n'es pas tranquille, où tu as des problèmes, où les gens ne t'acceptent pas, ce n'est pas ton pays. Alors je n'ai jamais ressenti que c'était mon pays, je me sens mieux ici. On dirait que c'est ici mon pays, même si on a encore des problèmes,
on n'a pas de papiers... Mais c'est mieux ici ! Au moins ici il n'y a pas de menace, il n'y a rien.

Soupian / *Demandeur d'asile azerbaidjanais, vit en France*
Nous vivons dans l'espoir de revenir un jour dans notre patrie libérée des occupants, de toute la saloperie qui ne laisse vivre ni nos pères, ni nos grands-pères, ni nous, notre génération grandissante. Nous ne voyons pas l'avenir tant que ces gens-là ne nous laissent pas tranquilles, ne nous laissent pas en paix. Voilà. Nous y croyons évidemment et nous espérons beaucoup qu'un jour cela se réalise ; nous pourrons alors rentrer dans notre terre natale, dans notre patrie.

Aseeya / *Vit en Afghanistan*
Quand j'étais enfant toujours je pensais à l'Afghanistan, maintenant je l'ai retrouvé et je veux le garder. Si l'Afghanistan a des problèmes, je veux essayer de changer mais ne veux pas quitter mon pays. Je suis libre dans mon pays, je peux dire « je suis une Afghane », je peux faire ce que les autres Afghans font. Alors je veux rester en Afghanistan.

Ici, il n'y a pas de joie, il n'y a rien d'appréciable, sauf le fait d'être toujours en vie...

Ielein

Aseeya

Soupian

Zedjiga

Yava

Otto

Demandeur d'asile camerounais, vit à Melilla, Espagne

Ma plus grande joie c'est [...] le premier jour où j'ai mis un pied en Espagne. J'étais l'homme le plus heureux du monde.

Présentation / Je suis camerounais, je m'appelle Otto, je suis âgé de trente-sept ans.

Rêves d'enfant / Quand j'étais enfant je rêvais d'être un jour président de la République.

Appris de ses parents / Mes parents m'ont appris cette culture d'aider les gens. Chez nous la sociabilité est de rigueur, il faut aider son prochain, il faut aimer et aider son prochain, c'est le plus important.

Famille / La famille, pour moi, c'est quelque chose de grandiose, quelque chose de spécial. Oui, c'est quelque chose de sacré la famille.___Je suis célibataire malheureusement, à cet âge c'est indigne pour un Africain. Tout cela est dû aux conditions économiques de nos pays en Afrique, qui poussent quelqu'un de mon âge à ne pas être marié.

Rêves actuels / Aujourd'hui mon rêve c'est de fonder une famille, de me marier, d'élever mes propres enfants et de les aimer plus que tout.

Épreuve / L'épreuve la plus difficile a été la mort de mon père. Il y a de cela vingt-cinq ans, mon papa est mort des suites d'un accident de la circulation. Aujourd'hui, quand je fais le récapitulatif de cette vie-là, je me dis que s'il avait été à côté de moi, peut-être cela n'aurait pas été aussi dur pour moi, peut-être m'aurait-il aidé à me battre.___Quand je vois ma vie d'aujourd'hui, franchement mon papa me manque. Quand je vois les papas des autres, je me demande comment le mien aurait été.

Quitter son pays / J'ai quitté le Cameroun parce que je ne travaillais pas, et ce n'est pas faute d'avoir fait des demandes d'emploi dans plusieurs entreprises de la place ! J'ai un cursus scolaire qui me permet d'avoir un emploi : j'ai fait le secondaire jusqu'en classe de terminale. Donc je devrais avoir nécessairement au moins un petit job, mais je n'ai pas eu cette chance. Quinze ans après être sorti de l'école, quinze ans après avoir quitté ses bancs, il fallait nécessairement que j'aille voir ailleurs. Et aujourd'hui mon combat est presque gagné.

Récit de voyage / Pour quitter le Cameroun, j'ai fait un petit boulot qui m'a rapporté près de 200 000 francs CFA, et j'ai pris la route. Je suis parti du Cameroun pour le Nigeria. Après le Nigeria, je suis allé au Bénin en voiture, après le Bénin ça a été le Togo, puis le Burkina Faso, le Mali, ensuite l'Algérie et enfin le Maroc. Et après le Maroc, le pays de mes rêves : l'Espagne. Et tout cela en plusieurs mois...___Ça a été en tout trois années de sacrifices, trois années de dur labeur. J'ai traversé le désert, ai été victime d'agressions... oh oui, ça été dur ! Pendant trois années, j'ai habité dans la forêt, je logeais là où le sommeil me trouvait. Ça a été trois années très difficiles. Enfin !___Vous imaginez quelqu'un qui sort d'un climat équatorial et qui se retrouve au mois de janvier dans un climat si froid ! Ça a été très très dur mais par la force du Seigneur, du Tout-Puissant, du Très-Haut, j'ai pu braver cette épreuve.___En forêt on se réveille le matin, on gambade, on se raconte tout, on parle de nos rêves, de ce que nous ferons en Europe, on déclare qu'on serait prêts à balayer les rues, à faire les petits métiers, à tout faire pour réussir. Parce que au moins là-bas, en Europe, il y a cette possibilité de se battre. Oh oui !___Le désert, on le traverse quelquefois à pied, quelquefois en véhicule... Et le véhicule, pour moi, c'était un pur hasard, parce que je n'étais même pas sûr de l'avoir.___Je suis heureux aujourd'hui, je vous le dis sincèrement. Il y a eu des morts, des gens qui ne pouvaient pas marcher dans le désert, qu'on a dû laisser sous terre, ils sont plusieurs. Et ceux-là, leur rêve s'est arrêté là-bas. Ils avaient un rêve comme le mien, mais ils n'ont pas pu. Ils n'ont pas pu.

Heureux / Je ne suis pas encore heureux, pas encore... Mais je me suis mis sur orbite pour être heureux parce que je vais me battre. L'Occident me permet de me battre, chose impossible en Afrique.___Pour être heureux, premièrement il faut un bon petit travail, il faut pouvoir travailler. C'est comme ça que je définis mon bonheur.

Europe / L'Europe ? J'imagine l'Europe comme le jardin d'Éden, le jardin d'Éden, vous en avez entendu parler ? Lorsque Dieu a créé la Terre, pour lui le jardin d'Éden c'était là-haut, c'était presque le paradis, vous voyez ? Où il y avait de beaux arbres, un beau climat, où il faisait bon vivre, où il n'y avait pas de peine. Oh oui !___L'Europe pour moi c'est le jardin d'Éden ! On a la possibilité de se battre, on mange à sa faim, on a la possibilité de travailler. Pour moi l'Europe c'est ça.___Je sais qu'il y a des millions de chômeurs en Europe, peut-être que ceux-là voudraient avoir de beaux jobs, ils voudraient être dans les bureaux... Moi aujourd'hui je suis prêt à balayer les rues parce que même en balayant les rues en Europe on est payé. Et on est bien rémunéré, moi je peux le faire ! Chez nous il n'y a rien à faire et pourtant tout est à refaire. Vous avez compris ? Voilà.

Joie / Ma plus grande joie c'est mon arrivée ici bien sûr ! Le premier jour où j'ai mis un pied en Espagne. J'étais l'homme le plus heureux du monde parce que je me suis dit qu'enfin mon rêve allait se réaliser ! Dieu est à mes côtés, c'était là ma plus grande joie.

Peur / Ma plus grande peur, c'est d'être obligé de retourner en Afrique sans avoir réalisé mon rêve : sans m'être marié, sans avoir de maison, vous comprenez ?

Pauvreté / Il y a la pauvreté dans le monde parce que les hommes l'ont créée. Et ceux-là se reconnaissent. L'Afrique ce n'est pas un continent pauvre, que je sache, l'Afrique regorge de beaucoup de minerais, elle possède un sol très très riche. Il suffirait que les hommes dirigent bien l'Afrique.___Quand une route doit être construite, le budget est voté mais quelquefois cet argent est dilapidé on ne sait où. J'ai eu le temps de voir comment évolue cette petite ville de Melilla ; pour établir une route on n'a pas besoin d'établir un budget. Il suffit que monsieur le maire décide que cette partie, cette portion de route n'est pas bonne et on la refait. Mais chez nous ce n'est pas le cas, il faut un budget, il faut voter... C'est tellement lent !

Ennemi de l'homme / L'ennemi de l'homme c'est l'homme, parce que l'homme est le loup de l'homme : l'homme mange l'homme. Ah ouais !

Message / Qu'a fait l'Afrique pour mériter tout cela ? C'est ça ma question.

J'ai quitté le Cameroun parce que je ne travaillais pas, [...] il fallait nécessairement que j'aille voir ailleurs. Et aujourd'hui mon combat est presque gagné.

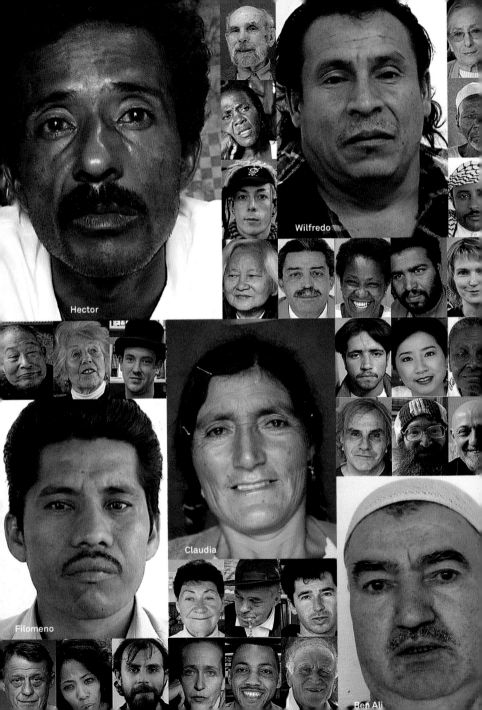

Hector

Wilfredo

Claudia

Filomeno

Ben Ali

Hector / *Vit en Équateur*
Nous voudrions tous un passage vers un autre pays pour travailler, nous les pauvres, nous voudrions un passage vers une source de travail. Il y a des gens qui, même en ayant du travail, c'est sûr, ils vont ailleurs. Nous, c'est encore pire. Nous vivons dans l'eau, dans la mangrove, nous ne mangeons pas trois repas par jour. Nous voulons que quelqu'un vienne nous aider. Si tu me dis d'aller dans un autre pays pour gagner de l'argent, pour travailler, j'y vais tout de suite !

Filomeno / *Vit au Mexique*
On était si pauvres que j'ai toujours voulu avoir quelque chose pour aider mes parents et mes frères. Le temps a passé et j'ai dû partir aux États-Unis, vu les conditions dans lesquelles ma famille vivait. Dieu merci, là-bas j'ai pu trouver deux emplois. Je travaillais le matin, je sortais à 14 ou 15 heures. J'avais juste le temps de me rafraîchir un peu, de prendre une douche, puis je reprenais l'autre travail à 17 heures, et je finissais à 2 heures du matin. Je faisais tout ça, tous ces sacrifices, parce que je voulais un avenir meilleur pour ma famille. À cette époque, j'étais déjà marié, et je ne voulais pas que mes enfants dussent faire ce que j'étais en train de faire.

Claudia / *Vit en Bolivie*
Ils ne sont pas là mes enfants, ils sont en Argentine. Ici il n'est pas possible de vivre, donc ils sont partis dans un autre pays. Ils m'appellent et c'est comme s'ils étaient à mes côtés, je me souviens d'eux et à cause de ça, je pleure.

Ben Ali / *Algérien, vit en France*
Le plus difficile c'est de quitter la famille, les gosses, bien sûr, mais surtout les parents. Parce que les parents ils ont souffert pour nous élever, et quand on les quitte, on pleure parce qu'ils sont chers, c'est le plus dur.

Wilfredo / *Vit au Mexique*
Jamais, jamais je n'avais pensé à ce voyage quand j'étais jeune. J'ai cinq enfants aux Honduras. Je n'avais jamais pensé quitter mon pays, ni connaître ces lieux. Ce n'est qu'à trente-deux ans que j'y ai pensé, c'était pour améliorer les conditions de ma famille. Comme je voyais beaucoup de gens qui tentaient de passer les frontières, et qui réussissaient, j'ai commencé à vouloir partir. Poussé par le désespoir, pour m'en sortir avec ma famille, j'ai réussi à abandonner ma famille et mon pays.

Si tu me dis d'aller dans un autre pays pour gagner de l'argent, pour travailler, j'y vais tout de suite !

Yves Clement / *Demandeur d'asile camerounais, vit à Melilla, Espagne*
L'épreuve la plus difficile, c'est la traversée du désert. C'était très dur, je n'aime pas y penser ! Je remercie le bon Dieu parce que ce n'est que le Seigneur qui a fait en sorte que je puisse arriver là où je suis. J'ai perdu beaucoup d'amis pendant la traversée du désert. J'ai perdu des amis, trois camarades du Nigeria qui ont péri. Après sept jours de désert, sans eau, sans nourriture, abandonnés dans les sables, nous avons dû marcher 14 kilomètres sans véhicule, rien. Comme le bon Dieu fait bien les choses, subitement on a croisé un autre contingent de clandestins qui passait, qui s'est arrêté et qui est venu à notre secours. On avait déjà perdu trois camarades. C'est l'épreuve la plus difficile... Je n'aime pas y penser.

Andres / *Vit au Mexique*
J'étais caché entre deux wagons du train, avec la peur que la police nous attrape. On essayait de se cacher pour ne pas se faire prendre. Mais quelquefois, sur le chemin, on avait faim et il fallait descendre. Alors parfois on prenait la décision de descendre du train ; même si on avait peur, on le faisait. C'est à ce moment-là qu'on pouvait échouer. Je suis tombé et il m'a coupé le pied. Je suis tombé sous les roues du train, et il m'a coupé le pied.

Philemon / *Demandeur d'asile camerounais, vit à Melilla, Espagne*
On était obligé de vivre en forêt près de la frontière espagnole. De temps en temps on allait au grillage avec l'espoir de pouvoir entrer en Europe. Ce n'était pas facile, la police marocaine nous attrapait et nous frappait sévèrement, ainsi que la Guardia civil. Et ça a été très dur, j'ai subi beaucoup de tortures et de menaces. J'ai vécu trois ans et demi dans la forêt, oui, trois ans et demi ! C'est beaucoup de temps perdu, mais j'avais espoir, j'avais toujours le moral parce que je savais que sans ça je n'étais rien. Oui, sans ça, vraiment, je n'étais rien ! Il me fallait faire tout l'effort du monde pour pouvoir entrer ici.

Evangelina / *Vit au Mexique*
Je ne sais pas comment je vais passer la frontière, car je n'ai personne pour me guider. J'aimerais tellement avoir le courage de prendre un bus ou de monter dans un taxi et lui demander : « Emmenez-moi à la frontière ! » Voir beaucoup de gens passer, je voudrais m'introduire parmi eux et partir en marchant, et avoir le courage de passer sans crainte, et que Dieu me protège pour arriver à Los Angeles et être hors de danger, parce que je ne veux pas que la police migratoire m'attrape, parce que je ne veux pas retourner dans mon pays.

Daouda / *Demandeur d'asile malien, vit à Melilla, Espagne*
Ma plus grande peur c'est l'expulsion, c'est tout ; c'est ma plus grande peur. Si je ne suis pas expulsé, c'est sûr et certain que j'aurai du travail. Ma plus grande peur c'est l'expulsion.

Yves Clement

Evangelina

Andres

Philemon

Daouda

Mirta

Hamlet

Daouda

Martha

Sohari

Daouda / *Demandeur d'asile burkinabé, vit à Melilla, Espagne*
Quand j'étais enfant, moi, mon rêve, c'était de pouvoir entrer en Europe ; je dois dire merci au bon Dieu. J'y suis entré et, actuellement, c'est à moi de faire... TOUT.

Martha / *Bolivienne, vit en Grande-Bretagne*
Mon fils aîné n'a pas pu étudier faute d'argent. Les autres voulaient étudier et j'ai dit qu'il fallait qu'ils se trouvent une profession, il fallait qu'ils étudient. Je devais partir pour l'Angleterre. Si je n'étais pas entrée en Angleterre, je serais allée en Espagne, si ce n'avait pas été l'Espagne, l'Italie... Oui, je devais entrer dans l'un de ces trois pays pour travailler. Quand je suis arrivée en Angleterre, je ne savais pas parler anglais. J'ai souffert trois mois. J'ai presque dormi dans la rue. Et puis, sur ma route, j'ai rencontré des gens, et c'est ainsi que j'ai connu cette maison, après trois mois sans travail, sans rien.

Mirta / *Vit à Buenos Aires, Argentine*
Partir du Paraguay m'a rendue très triste. Et en même temps le fait de connaître un nouvel endroit... Je me demandais comment ça allait être, parce que tout le monde dit que l'Argentine est un endroit superbe. Et moi, j'imaginais quelque chose qui n'avait rien à voir avec le Paraguay. Ma mère vient d'une humble famille, alors quand nous sommes arrivées ici nous avons dû vivre dans un bidonville. Lorsque j'ai vu tout ça, ça a été comme... j'ai été un peu déçue, parce que ce n'était pas vraiment ce qu'il y avait dans mon imagination.

Sohari / *Réfugiée malgache, vit en France*
Mon rêve d'enfant c'était, comme tout le monde, de venir en France. Pour nous la France c'était le temple. Tout le monde voulait partir pour la France ! Maintenant je suis bien arrivée en France, mais je n'en ai pas la même vision que quand j'étais toute petite : une France où tout est beau, où tout est bien, où la vie est belle. J'ai remarqué que les gens qui viennent ici, en France, quand ils retournent au pays, ils essaient de donner une fausse image de la France. Ils travaillent très dur, et je me rends compte que, quand ils rentrent, quand ils arrivent au pays, ils montrent qu'ils roulent sur l'or, que la vie en France est tranquille, que tout va bien. Alors qu'ici, pour réussir en tant qu'étranger, il faut vraiment travailler dur ! Il faut oublier les vacances, il faut oublier les sorties, il faut oublier la vie en général !

Hamlet / *Vit à Moscou, Russie*
Vous savez, la vie est dure dans les pays de la CEI, de l'ancienne Union soviétique. C'est pareil chez nous, la vie est dure ! Je suis venu ici pour travailler et aider ma famille, évidemment ma femme me manque, et je lui manque aussi ! Et les enfants... Chaque fois que j'appelle, ma petite fille me dit : « Papa, viens, papa, viens ! » Jusqu'à présent ce n'est pas très gai, mais il faut absolument que la situation se stabilise là-bas, que mes fils trouvent du travail là-bas.

Kader / *Algérien, vit en France*
La famille est là-bas. Moi je suis là. Des fois c'est difficile. Des fois j'ai pleuré toute la journée, toute la nuit, parce que mes parents sont là-bas alors que moi je suis ici. Ça fait presque quatre ans que je n'ai pas vu mes parents. Par exemple, la dernière fois, mon frère et ma sœur ont fait le mariage, moi je ne l'ai pas fait, je n'étais pas présent. C'est ça le problème ! Quand j'ai vu la cassette vidéo, j'ai pleuré toute la nuit.

Marissa / *Philippine, vit à Hong Kong, Chine*
Je travaille à Hong Kong depuis seize ans, tout ce que je gagne je le donne à ma famille. Par exemple, j'ai acheté du plastoplan pour construire la maison, j'ai permis à un frère et une sœur d'aller à la fac. Je suis ici depuis plus de seize ans, je n'ai rien économisé pour moi. Une fois j'ai été virée de mon travail, et j'ai dû retourner chez moi sans argent, et c'était comme si je mendiais auprès d'eux... Ça a été la plus grande erreur que j'aie jamais faite ! Je ne m'occupe pas de moi, je fais tout pour eux !

Camilo / *Vit au Mexique*
Je pense que oui, ça a valu la peine. Vous pouvez voir ma petite maison, que j'ai bâtie avec des sacrifices, en économisant. Voilà mon travail, ce que j'ai fait avec mes allers et retours aux États-Unis. Si j'étais resté ici, je n'aurais rien, parce qu'ici il n'y a pas de travail. Ce n'est pas une ville où il y a beaucoup de travail.

Pedro / *Vit en Bolivie*
La dernière fois que j'ai pleuré, c'était il y a cinq ans. J'étais en Argentine, je travaillais, je ne rentrais pas chez moi, je n'avais pas vu la tête de mes parents, de ma mère, depuis longtemps... Et j'ai été saisi de tristesse et d'un sentiment d'impuissance, et j'ai pleuré, tu vois ? J'ai pleuré ! J'ai beaucoup pleuré, jusqu'à ce que je me dise : « Pourquoi ne pas revenir au pays pour être heureux ? » Et à présent je suis ici, et à présent je suis heureux !

La famille est là-bas. Moi je suis là. Des fois c'est difficile. Des fois j'ai pleuré toute la journée, toute la nuit, parce que mes parents sont là-bas alors que moi je suis ici.

Kader

Pedro

Marissa

Camilo

Katiba

Vit en Algérie

Avant l'indépendance j'étais l'indigène, après l'indépendance je suis devenue l'Algérienne.

Présentation / Je suis Katiba, et très souvent les gens me disent : « Pourquoi t'appelles-tu Katiba ? » Tout simplement parce que mon père a voulu rendre hommage au régiment de Salah Eddin El Ayoubi à l'époque des croisades, et il m'a donné ce prénom qui a été repris par l'ALN, l'Armée de libération nationale. Je m'appelle donc Katiba, j'ai cinquante-cinq ans, je vis à Tipaza depuis une vingtaine d'années. Je suis originaire d'Alger, de ce quartier… le quartier d'une histoire, une histoire d'un quartier. Je suis originaire de la Casbah, des hauteurs de la Casbah qu'on appelle Bab Edj'did.

Souvenir / Être algérienne, si vous saviez ce que ça veut dire ! Quand on a été brimé, quand on a été insulté, quand on a été traité de bicot, de melon, de raton, quand on n'existait que par rapport à l'autre, si l'autre n'était pas là vous n'existiez pas. Si vous saviez le sentiment qu'on a eu en ce mois de juillet 1962 ! Je sais que je rabâche ! Très souvent, mes enfants me disent « on sait ! »… et ils racontent avant moi. C'est bien simple, j'ai l'impression d'avoir quatre-vingt-dix ans ! Si vous saviez cette joie quand j'étais enfant ! D'abord c'était un rêve qui se réalisait pour moi en 1962 : être algérienne. Mon père m'avait dit : « Tu sais ce que c'est l'indépendance ? » Pour moi, l'indépendance, c'était abstrait, ça ne voulait rien dire. C'était passer à une autre étape. Et quand mon père m'a dit : « Tu sais ce que c'est l'indépendance ? Tu auras un passeport et un fauteuil à l'ONU. » Quand on a douze ou treize ans, le fauteuil à l'ONU… Point d'interrogation, même si on est impliqué. Mais un passeport ! j'existerai à l'indépendance ! Voilà mon plus beau souvenir !

Pays / Avant l'indépendance j'étais l'indigène, après l'indépendance je suis devenue l'Algérienne. Avant l'indépendance nous étions en communauté avec des juifs, des chrétiens… donc respecter l'autre c'était accepter l'autre tel qu'il était. Dans ce vieux quartier de la Casbah, il n'y avait pas que des Algériens, ou des Arabes, comme on disait

211

à l'époque, péjorativement, ou des indigènes, il y avait des juifs, il y avait des chrétiens... Chacun fêtait ses fêtes comme Noël ou l'Aïd. Chez nous, l'Aïd sghir est la fête qui vient en apothéose terminer le mois de jeûne du ramadan ! Ou bien Yom Kippour, par exemple, chez les juifs... Et on s'invitait les uns les autres, on partageait nos joies.

Épreuve / Le couvre-feu a été très douloureux, ça a été très dur.___Jamais je n'aurais pu croire qu'un jour dans ce pays, dans cette Algérie indépendante, je puisse revivre les mêmes choses ! Le couvre-feu ! Ce silence de la mort, ce silence derrière la porte ! C'est atroce ! Vous avez l'impression d'être en sécurité, mais en sécurité par rapport à quoi ?___Moi j'ai vécu ce couvre-feu où l'on entendait le pas de l'armée française, le pas des militaires, rrrraaak ! Des rangers ! Je pensais que c'était fini, que c'était une chose que j'allais raconter à mes petits-enfants. Jamais je n'aurais cru que mes enfants allaient vivre ce qu'ils ont vécu avec moi ces dix dernières années. Je pensais que ça ferait partie de l'Histoire. Je ne veux plus entendre parler de couvre-feu. Le couvre-feu c'est la fin d'un monde, c'est la fin d'une histoire, c'est la fin d'un amour, c'est la fin d'une vie, c'est la fin du jour, c'est la porte ouverte à la peur, à l'éveil des sens. Tous les sens sont en éveil, on est là, on écoute ! Voilà ce que je retiens des dix dernières années. Non, plus jamais, *inch'Allah*, plus jamais ça !

Quitter son pays / Ah oui ! ah oui ! lorsque je suis énervée je m'en vais. Et à chaque fois que je suis fâchée avec mon pays, je veux partir.___Je suis partie en disant : « Ça y est, c'est fini ! Je ne reviens plus ! » Au bout de deux mois j'ai eu le cafard, j'ai eu le spleen, parce que j'avais emporté l'Algérie avec moi. J'étais insupportable ! Je ne parlais que de l'Algérie !___Alors, au bout de deux mois, je rabâchais tellement de choses sur l'Algérie que même mes amis me disaient *Khlass basta* !, « ça y est, arrête ! ». Et puis je me suis dit : « Moi aussi j'en ai marre, il faut que je rentre chez moi. » Et puis je vous dis une chose : je préfère recevoir les coups chez moi que chez les autres !

Relations entre homme et femme / C'est un combat qui remonte dans le temps, le combat qu'a commencé ma grand-mère et qu'a continué ma mère. Vous savez, on a toujours l'impression que les femmes algériennes sont dans un espace clos et que les hommes algériens sont très machos. Mais je vais vous dire une chose : moi j'ai toujours vu ma grand-mère faire la loi à la maison, ma mère a toujours eu ce qu'elle voulait ! Mon père a toujours donné l'impression que c'était lui qui décidait, mais c'était ma mère ! C'est cette subtilité, cette intelligence subtile d'amener l'homme à dire et à agir en fonction de ce que la femme veut.___Pendant la guerre de libération je suis allée à l'école, et beaucoup d'oncles ont dit à mon père : « Comment ! Une fille à l'école ! » Mais mon père leur a répondu : « Nous nous battons pour que nos filles aillent à l'école ! Pour le savoir ! » Donc, moi, j'ai eu cet acquis.___Je n'ai pas porté le voile qu'a porté ma mère. C'est-à-dire que cet espace clos, ce gynécée, je ne le transportais pas avec moi, alors que ma mère transportait avec son voile tout cet espace intérieur de la maison et de la famille, de la société de l'époque. Alors que moi non, et que ma fille ne devra jamais transporter ça. Ma fille sera l'égale de l'autre, c'est une complémentarité, les femmes vont en avant, elles vont apporter un plus, elles vont faire de l'Algérie ce qu'elles voudront.

Avenir de son pays / Pourquoi voulez-vous qu'on se ressemble tous ? C'est impossible ! Je vais vous dire un proverbe en arabe : *El Kerch Djib Sebagh* ou *Debbagh*, ça veut dire que les frères et les sœurs qui ont été conçus dans le même ventre ne se ressemblent pas. Mais ils sont frères et sœurs, ils s'aiment ! Voilà comment je veux que soit mon pays ! Le Savoir avec un grand S, la projection dans le temps et dans l'espace, que le futur soit plus agréable. Je ne veux pas que ce soit toujours gris ou noir, je veux que ce soit coloré. J'adore les couleurs, j'adore le bleu, le vert, le rouge, j'adore les couleurs de mon drapeau, les couleurs qui nous entourent ! Je suis très soleil. Donc je voudrais que ce soit comme ça : un avenir éclairé, coloré et radieux ! Même si je sais que ce n'est qu'un rêve, *maaliche*, ça ne fait rien ! Si moi je rêve, si moi je peux rêver, les enfants pourront rêver, pour avancer.___Si Dieu me prête longue vie ! Oh, *ya rabbi laaziz*, mon cher Dieu, je rêverais d'être là encore dans vingt ans. Mon pays aura... l'Algérie aura soixante ans, ce sera une vieille dame mûre, pleine de sagesse, pleine d'expériences, elle saura pardonner à ses enfants, aux enfants qui ont été indisciplinés, elle saura apporter son expérience, se raconter et raconter... Oh, dans vingt ans... j'espère *b'rabbi inch'Allah*, grâce à Dieu, que nous serons des gens bien.

Parole / Il y a un proverbe qui dit chez nous : « Il a vécu, il n'a rien possédé ; il est mort, il n'a rien laissé : *aache ma k'seb mat ma khella*. » Mais moi j'estime que chacun de nous a quelque chose à laisser.___Je vous remercie.

Nsimba Bob

Mina

Frederick

Mariette

QUE SIGNIFIE ÊTRE CHEZ SOI ?

Mina / *Vit en Iran*
Oui, moi j'aime bien mon village, Shal !
Quand j'arrive à Shal, c'est ma respiration !
Mon pays c'est ma respiration, je ne sais
pas si pour vous aussi c'est comme ça ?
Pour l'homme son pays est sucré.

Frederick / *Vit dans le sud de l'Inde*
Je me suis toujours senti en exil en
Allemagne, je ne pouvais jamais baisser
la garde, je me sentais toujours mal
à l'aise. Franchement je n'ai jamais pu
avoir confiance en mon entourage
là-bas. Quand je suis arrivé en Inde en
bateau pour la première fois, un grand
poids est tombé de mes épaules, et j'ai
senti, malgré tout le désordre, j'ai juste
senti que j'appartenais à cet endroit.
«Chez soi», c'est là où tu sens que tu as
un attachement, pas seulement aux gens,
mais aussi au pays, du fond du cœur.

Nsimba Bob / *Réfugié congolais, vit en
Afrique du Sud*
À la maison vous pouvez tout faire ;
quand vous êtes ailleurs, c'est difficile.
À la maison je peux manger sur la table,
je peux manger par terre. Pour moi c'est
une couverture, c'est là où je suis né,
là où j'ai grandi, là où je peux parler de
tout et de n'importe quoi. Quand tu es
en dehors de la maison tu dois savoir
comment parler aux autres.

Mariette / *Vit en Tchétchénie*
Pour moi, être chez soi, être à la maison,
c'est très important. Je vis dans un
studio et quand j'arrive chez moi et que

j'entends les voisins d'en haut et ceux
d'en bas, je m'assieds sur le divan et je
me rends compte que je suis chez moi.
D'un côté, je suis au courant de tous les
problèmes de mes voisins, car nous
vivons dans des appartements
minuscules, c'est un type de bâtiment
qui a été construit sous Khrouchtchev.
Mais, d'un autre côté, c'est un tel
bonheur de savoir qu'en haut et en bas
ils sont toujours vivants ! Qu'en haut
aujourd'hui ils rient pendant le dîner
et qu'en bas personne ne pleure. C'est
très agréable de le savoir. Chez moi,
à la maison, je me sens apaisée.

«Chez soi»,
c'est là où tu sens
que tu as un
attachement,
pas seulement
aux gens, mais
aussi au pays,
du fond du cœur.

QUE SIGNIFIE ÊTRE CHEZ SOI ?

Jade / *Vit dans les Territoires palestiniens*
Quand j'ai quitté la Palestine, je pensais que je n'y reviendrais jamais. Je me disais « Ça y est, c'est fini ! Cet endroit est trop déprimant. C'est de la merde ! » Je voulais partir quelque part pour trouver un bon boulot, pour ma musique, pour avoir plein d'opportunités. C'est comme ça que je pensais ! J'avais dit à mes parents, à l'aéroport, que s'ils voulaient me revoir un jour, ils devraient me rendre visite aux États-Unis. Les premiers mois j'étais toujours dans cet état d'esprit. Mais quelques mois plus tard tout avait changé. Ça m'a permis d'apprendre à aimer mon pays. Avant je détestais la Palestine à cause de la situation. Et quand je suis parti j'ai compris à quel point j'aimais mon pays, les gens qui m'entouraient… C'est ce qui m'a fait rentrer.

Rose / *Demandeuse d'asile congolaise, vit en France*
Je ne sais pas d'où je viens. Le pays où je suis née m'a pris mon père, m'a pris beaucoup de choses. Je ne sais pas d'où je viens ! Mais je me dis que tu sois de tel ou tel pays ce n'est pas ce qui compte. L'essentiel est d'être bien là où tu es. Chez moi ma grand-mère disait : « Quand tu vas quelque part, quand quelqu'un te reçoit, sens-toi comme si tu étais chez toi. » Donc quand je vais quelque part je ne me demande pas de quels pays viennent ces gens-là. Quand je me sens bien avec ces gens pour moi ce sont comme mes frères et sœurs.

Waddah / *Réfugié irakien, vit en Syrie*
Je me sens ici, en Syrie, comme dans mon pays. Avec les gens. La première fois que j'ai quitté l'Irak, je suis parti aux Émirats avant de venir en Syrie, et aux Émirats je n'ai pas pu tenir six mois. Je ne pouvais pas supporter. Je sentais que je ne pourrais pas y vivre. Et quand je suis venu ici, les choses sont devenues très faciles. Quand on prend un taxi, quand on va faire des courses, quand on discute avec quelqu'un, on ne se sent pas comme un étranger, ni comme un réfugié ; je me sens comme si j'étais dans mon pays. Je travaille, je fais des tableaux, je traite avec des commerçants. Les relations sont très agréables ici, comme si j'étais un Syrien et non pas un étranger.

Sarah / *Vit à Tel-Aviv, Israël*
Je n'ai pas de pays, je n'ai pas de « mon pays ». Je suis née au Canada, mais le Canada n'est pas mon pays, je vis en Israël mais ce n'est pas mon pays. J'essaie d'être fidèle à la terre sur laquelle je marche, je ne crois pas aux pays ni aux frontières.

Quand je suis parti j'ai compris à quel point j'aimais mon pays […]. C'est ce qui m'a fait rentrer.

Waddah

Sarah

Rose

Lidya

Ljubisa

Sashi

Lidya / *Vit à La Nouvelle-Orléans, États-Unis*
Je pense que c'était le jour où nous sommes arrivés pour la première fois à Addis-Abeba (Éthiopie), il y a un mois. Il s'agissait de mon premier retour après vingt-six années. Ça m'a procuré un sentiment incroyable de me réveiller là, de m'y balader et de me rendre compte que wouahou! c'est l'endroit d'où je suis, c'est là d'où je viens. De voir tant de personnes qui me ressemblent, parlent ma langue, mangent ce que je mange. Pour la première fois, je me suis dit : «Je suis à nouveau liée à quelque chose, j'ai une histoire, une culture qui me dépasse.» Après tout, j'ai grandi aux États-Unis, et même si j'ai toujours été en relation avec ma culture – je parle sa langue, j'écoute sa musique –, ça ne vaut pas un retour à son lieu de naissance ni de vivre cette expérience directement.

Sashi / *Vit à New York, États-Unis*
Être chez soi, pour moi, c'est quelque chose de très difficile à définir : je suis né dans une ville, j'ai été à l'école dans une deuxième ville, au lycée dans une troisième, à l'université dans une quatrième, et j'ai eu mon diplôme dans une cinquième. Puis j'ai travaillé dans le monde entier. Même à New York, qui est la ville où j'ai le plus vécu, j'ai beaucoup déménagé, d'abord par confort et puis aussi à la suite de raisons personnelles, comme mon divorce. Je fais partie de ces gens qui ont perdu le sens du «chez soi». «Chez moi» a été longtemps où mes parents étaient, mais depuis que j'ai perdu mon père, ma mère vit dans une ville avec laquelle je ne suis pas lié, je n'ai jamais rien fait là-bas, c'est chez elle et non chez moi. J'ai aussi une maison familiale en Inde où vit ma grand-mère. C'est triste à dire, mais je suis un homme sans «chez soi», le monde est mon «chez moi».

Ljubisa / *Vit en France*
Je suis né à Paris, tout en moi est français : les livres que j'ai lus, la musique que j'écoute… et pourtant je parle serbo-croate couramment. Mes parents m'ont transmis ça mais c'est comme si j'avais eu un don : je parle cette langue couramment mais on ne m'a pas transmis tout ce qui allait avec, toute l'histoire du pays, la religion orthodoxe… je ne connaissais rien! Je suis donc allé chercher tout ça. Pour m'amuser, parfois, je disais que j'avais le sentiment d'être né sous X. Ne pas savoir ce qu'il y avait avant moi, ça représentait un vrai souci parce que, quand on ne sait pas d'où l'on vient, c'est difficile d'envisager de transmettre quoi que ce soit à ses enfants. Je me suis servi de la photographie pour ça, c'était un prétexte pour retourner dans les villages où ont vécu mes ancêtres. Et j'ai tout retrouvé, c'étaient des voyages très infructueux photographiquement, parce que c'était nul, c'était plus une introspection. Mais j'ai découvert un village avec tous mes ancêtres… leurs sépultures. Maintenant je sais.

QUE SIGNIFIE ÊTRE CHEZ SOI ?

Mohammed / *Vit en Allemagne*
Parfois, j'ai des crises d'identité. Qui suis-je ? Je ne suis pas égyptien, quand je vais en Égypte, ils me disent que je suis devenu européen : « Tu as besoin d'une fourchette, d'un couteau, tu veux un cendrier... », et ainsi de suite. J'ai un comportement européen. Quand je viens en Allemagne, en Europe, ils me disent que je suis oriental. Alors, en moi-même, je me demande qui je suis. Je ne suis pas égyptien, je ne suis pas allemand... Cela me met dans un état de confusion. J'ai donc décidé d'être comme je suis : je suis le résultat de toutes ces expériences de deux cultures. J'en fais juste une synthèse.

Ing / *Vit en Suisse*
Je n'arrive pas à dire ce que je suis. C'est mon problème. Les gens en Suisse me demandent pourquoi je ne demande pas la nationalité suisse, puisque cela fait si longtemps que j'y suis. Mais je me demande pourquoi je le ferais ? Je ne me sens pas suisse. J'ai plutôt une éducation hollandaise, ma langue maternelle est le hollandais. D'un autre côté je n'ai jamais vécu en Hollande. J'ai vécu en Indonésie et en Suisse, alors que suis-je finalement ? Je ne sais pas ! Je me sens chinoise parce que j'ai des ancêtres chinois. C'est la raison pour laquelle j'apprends le chinois, peut-être alors que je me sens plutôt chinoise ? Mais d'un autre côté, j'ai honte parce que je ne parle même pas la langue. Peut-être que c'est par le sang, vous savez, il y a la relation du sang, c'est peut-être la raison pour laquelle je me

sens peut-être plus chinoise que suisse, même si je vis en Suisse depuis très longtemps.

Geoffrey / *Vit en Afrique du Sud*
Être un homme blanc dans un continent noir ? Vous savez quoi ? Je suis africain, et encore plus important, je suis sud-africain. Je suis né ici, j'ai grandi ici, j'ai passé six ans à défendre ce pays. Je n'irai nulle part ailleurs, je viens d'Afrique du Sud, c'est aussi simple que ça.

Salwa / *Vit en France*
On va dire que je me considère comme une maison : mes fondations sont marocaines, le premier étage est marocain, le deuxième est français... et on verra ce que deviendra la petite terrasse du dessus !

Pierre / *Vit en France*
Si je n'avais pas ce bout de terre ardéchoise, je serais en exil. Je serais en exil parce que je ne suis pas français, je suis quelqu'un de tellement européanisé qu'il ne se sent plus algérien ni même africain. Je suis un mélange de tout ça. Donc chez moi, c'est quoi ? Chez moi, c'est aussi tout ce contexte social de relations, avec les amitiés, les gens, et puis ce lieu. Ce lieu qui est chez moi, parce que cette terre, je l'ai beaucoup travaillée, je l'ai aimée, je l'ai fécondée de ma sueur, de mon travail. C'est à la fois ma mère, mon amante, ma fille. C'est tout un ensemble, et là, je me sens chez moi, à tel point que j'aimerais être enterré dans cette terre-là. Parce qu'en dehors de cela, je suis en exil.

Ing

Mohammed

Geoffrey

Salwa

Mary

Vit en Australie

La nature me donne la vie. Elle me soutient et elle m'inspire.

Présentation / Je m'appelle Mary Claire – il s'agit de mon prénom complet. Je suis née le 15 août 1966, et ce jour correspond à l'anniversaire de ma grand-mère : on m'a donc donné son prénom. J'ai grandi auprès de ma grand-mère. Je suis fille unique. Mes parents sont décédés à ma naissance, alors qu'ils avaient la quarantaine.___J'ai quarante ans à présent. J'habite ici, dans les Blue Mountains, à l'ouest de Sydney. C'est un très bel endroit qui concilie un climat agréable, des lieux culturels de patrimoine international, des parcs nationaux. Je me sens très privilégiée d'habiter ici.___Je suis célibataire ; j'ai une fille, Christina, qui a presque quinze ans.

Métier / Je viens d'obtenir un diplôme à l'université de Western City dans la protection et la gestion de l'environnement. Je n'ai pas encore trouvé d'emploi dans ce domaine, mais j'ai fait du volontariat pour l'entretien des buissons, en prenant en charge l'environnement local, en particulier les plantes. J'ai l'intention de travailler dans la restauration du paysage.___En Australie, le déboisement s'étend très rapidement. Il existe à présent de nombreuses zones qui en pâtissent. C'est pourquoi les projets de restauration – c'est-à-dire retrouver des sols fertiles, de l'eau et des habitats pour les animaux – constituent mon but.

Rêves d'enfant / J'ai longtemps désiré travailler pour la nature, les plantes et les arbres. C'est ce dont je m'occupais enfant, ou plutôt adolescente : il y avait cette école le long de la route et j'y plantais des arbres lorsque personne ne pouvait me voir. Je me suis toujours lancée dans cette quête qui consiste à replanter des arbres.

Transmettre / Je souhaite que ma fille ait confiance en ses capacités, cherche à vivre le mieux qu'elle peut, sache reconnaître une opportunité, vive pleinement et avec compassion. Il s'agit d'être conscient d'autrui, d'avoir le sens de l'égalité. J'ai appris cela de ma grand-mère, enfin de mes deux grands-mères : être égale à l'autre, à l'éboueur qui s'occupe des détritus comme au maire de la ville. J'ai grandi ainsi, avec une grand-mère qui faisait preuve de ce sens-là. Elle s'adressait à chacun avec respect. J'aimerais transmettre ce principe à ma fille, ainsi peut-être que mon amour pour la nature, car nous partageons cette planète avec de nombreux autres êtres vivants, et pas seulement les humains. Notre vie est enrichie lorsque l'endroit où nous vivons est préservé pour notre inspiration et notre émerveillement.

Épreuve / La chose la plus difficile ? Le courage d'avoir ma fille, je pense, car les circonstances n'étaient pas idéales. Son père était absent. J'ai eu l'impression qu'il me fallait avoir foi en cette situation. C'est ce que j'ai fait et j'en ai été récompensée avec l'expérience la plus incroyable.

Appris de la vie / Suis ton instinct.___La vie est l'occasion, chaque jour, à chaque heure, d'apprendre quelque chose, de trouver une solution à ce que tu es, d'une façon ou d'une autre. Chaque heure nous donne le choix de prendre telle ou telle direction, d'agir de façon honorable, intègre, humble ou fière si nécessaire. C'est l'occasion de faire un test : la vie est souvent un test. Elle sanctionne parfois, mais elle pardonne aussi facilement. Il me semble que nous sommes soutenus par beaucoup plus de personnes que nous pensons.

Bonheur / Le bonheur, pour moi, c'est de voir chaque année les bourgeons fleurir, comme si c'était la première fois ; les oiseaux qui chantent dans mon jardin ; les grands arbres qui ont survécu au progrès.___Le bonheur ? Oui, des choses simples : être assise près du feu, se promener le long de la crique, plonger les mains dans l'eau, traverser les cascades, se tenir juste en dessous : être capable de vivre des expériences à travers ces choses immatérielles.___Je vieillis : cela me faisait peur auparavant, mais j'y trouve des avantages. Quand on vieillit, on se rend compte à quelle vitesse passe le temps, et à quel point c'est important, et finalement tout simple, de traverser le temps et les opportunités, d'être juste heureux.

Colère / L'exploitation me met en colère.___Le gaspillage de nos ressources, la perte du patrimoine national : cela me met très en colère.

La vie est souvent un test. Elle sanctionne parfois, mais elle pardonne aussi facilement.

Pardonner / Cela m'a pris beaucoup de temps d'en finir avec la colonisation de certaines parties du monde. Mais peu à peu j'accepte le fait qu'il s'agit d'une réalité. Nous devons faire avec ce que nous avons maintenant : ce mouvement a déjà commencé, et il ne peut que progresser.___J'ai lu récemment un livre sur l'histoire australienne traitant de l'invasion européenne et de ce que les Aborigènes ont vécu. Cela m'a brisé le cœur. Cette histoire n'est pas divulguée. Ça m'a donc pris du temps avant de pardonner. Pardonner ? Eh bien, on ne peut pas pardonner n'importe quoi, je suppose.

Changements du monde / Socialement, il y a eu une grande avancée vers l'expression et la mise en valeur de l'individu – vers l'individualisme, le rationalisme économique. Les gens ont l'air plus soucieux de leur confort propre : ils ont besoin de posséder une grosse maison et s'affirment à travers ça, en vivant isolés. Cela arrive souvent et c'est malheureux. Les gens cherchent à laisser une trace permanente. Mais la vie n'est pas permanente.

Changer son pays / J'aimerais nous voir dépenser davantage pour les choses fondamentales – la santé, l'éducation – et moins dans l'armée. À présent, avec le culte de l'individualisme, tout le monde veut une assurance, vit dans la peur, cherche le confort. Il n'y a pas de sécurité. Tout le monde a peur pour son avenir, pour sa retraite. C'est pourquoi j'aimerais parler d'un retour vers le social.

Ennemi de l'homme / Lui-même. Sa soif de toujours désirer davantage. Sa convoitise. Le vide. Il cherche à combler le vide laissé par des dieux factices.

Après la mort / C'est au-delà de notre imagination. Je pense qu'on y trouve le repos, un peu de paix pour un temps. Et que si besoin est, nous revenons et obtenons une nouvelle vie afin d'apprendre d'autres choses et d'avoir d'autres opportunités.

Nature / La nature me donne la vie. Elle me soutient et elle m'inspire.___Je me considère païenne, en connexion avec la terre. Je reçois des présages de la nature : la nature envoie un oiseau ? Je me dis : « Cela signifie quelque chose. » La nature est la source de mon plus grand bonheur. Vivre, c'est être en harmonie avec la nature. La nature est à la fois la mère, le père, le professeur, l'amie, le réconfort, la beauté, l'émerveillement et l'inspiration.

Francesca

Maud

Cassie

Abdelha

Laetitia

QUE REPRÉSENTE LA NATURE POUR VOUS ?

Francesca / *Vit en Italie*
La nature, pour moi, c'est un peu la maman, comme une mère. Elle te raconte, elle t'apprend beaucoup de choses, elle te nettoie, elle te gronde, elle te rend heureux.

Maud / *Vit en France*
La nature, c'est un peu comme une grande sœur. Quand je pense à la nature, je me revois enfant ; j'ai eu la chance d'être élevée jusqu'à mes onze ans dans une maison au milieu des champs. On était à sept kilomètres du premier village. En hiver, quand il y avait trop de neige, on restait enfermés à la maison au lieu d'aller à l'école. Parce que la cour de l'école était verglacée. Et on faisait de la luge. L'été, on s'endormait dehors, le nez dans les étoiles. J'ai eu la chance d'avoir un rapport avec la nature que peu de gens ont en France, parce que la plupart des enfants sont élevés en ville. Ce contact avec la nature est essentiel ; on peut se débrouiller sans lui, mais je pense qu'il donne beaucoup d'équilibre.

Abdelha / *Vit au Maroc*
Le meilleur, c'est quand on se réveille le matin, très tôt, et qu'on entre dans un jardin où sont mélangées différentes essences. Il y a des fleurs, il y a ceci et cela, un parfum succulent, et quand tu le sens tu ne peux t'en défaire. La nuit exalte les senteurs, grâce à l'humidité ; et si tu sors à minuit, voire à une heure du matin, tu t'enivres de ces parfums.

Cassie / *Vit en Grande-Bretagne*
J'ai choisi de vivre à la campagne et, presque chaque jour, j'ai la chance de pouvoir aller m'asseoir sur une colline, de regarder un lac, de me promener dans les bois où je peux voir des daims et des faisans. À chaque fois la nature me donne de l'énergie, elle rend la vie possible, bonne et belle à l'être humain que je suis. À chaque fois je suis stupéfaite par la beauté qui nous entoure, par la grâce des plantes qui poussent dans mon jardin : c'est tellement merveilleux ! Ma relation avec la nature est très simple : si j'ai des problèmes, si j'ai des idées noires et suis déprimée, la nature est toujours là pour m'aider. Et jusqu'à la brume sur la colline ou les nuages gris me remontent le moral.

Laetitia / *Vit en France*
La nature a changé un peu, mais pas tant que ça. Elle a changé, elle est moins sauvage qu'avant, mais je pense que j'ai changé aussi, donc je ne peux pas dire laquelle des deux a changé le plus. Dans tous les endroits où je vais et où j'ai des souvenirs d'enfant et d'adolescente, si je ferme les yeux et que je me concentre, je ressens exactement les mêmes sensations. Donc cette nature n'a pas tellement changé. On a changé toutes les deux.

Karl Andres / *Vit en Suède*

Le réchauffement mondial, le premier sujet de débats de nos jours ! Personnellement, je pense que c'est un changement normal d'humeur de la nature ; on a vécu de plus grands changements, même avant d'avoir appris que le pétrole existait. Durant l'âge du bronze, il existait des forêts tropicales ici, en Suède, et je suis sûr qu'il y avait plein de voitures à cette époque-là ! Il n'y a pas une chose que je puisse désigner et qui me porte à croire que le réchauffement existe. Quelque chose a changé, mais pourquoi est-ce que cela a changé ? Un volcan vomit en quinze minutes autant que ce que le monde produit en un an ! Que faire ? Faut-il arrêter de vivre ? Je pense qu'il y a une certaine exagération !

Cesar Miguel / *Vit au Mexique*

Les incendies ont ravagé la végétation. Moi, je sens qu'il fait un peu plus chaud qu'avant. On avait une rivière très belle, on l'a encore, mais, pour les besoins de l'agriculture en saison sèche, elle est déviée pour l'irrigation des champs. Et donc la faune aquatique diminue, il y a de moins en moins de poissons. Il y a aussi la pollution des rivières, les eaux usées se déversent dans les rivières, ce qui les a polluées. Ainsi la végétation et la vie animale ont été très touchées.

Vincent / *Vit en France*

La mer restera toujours ce qu'elle est, mais c'est ce qu'il y a dedans... La mer s'appauvrit de plus en plus. On ne pourra pas retourner en arrière ! Il y a eu une telle évolution ! Les pays industrialisés rejettent sans cesse leurs déchets à la mer, et la pêche... la sur-pêche surtout, parce qu'il y a la demande, évidemment. La mer s'appauvrit et la pollution y est aussi pour quelque chose, et je pense que si on ne fait rien... Mais faire quoi ? Dans peu de temps, dans une quinzaine d'années, ce sera sans doute très difficile dans le milieu de la pêche. La mer servira uniquement aux touristes, pour la baignade, c'est tout.

Sovichea / *Vit au Cambodge*

Avant il y avait quatre saisons : la saison des pluies, la saison sèche, la saison du vent frais et le printemps, comme dans les autres pays. Autrefois la saison des pluies commençait début avril, ou début mai, maintenant elle commence mi-mai ou fin mai, et parfois il n'y a pas de pluie jusqu'en juillet. Et pendant la saison sèche, il fait trop chaud. Avant, il faisait entre 33 et 35 °C, aujourd'hui les températures montent jusqu'à 40-42 °C à Phnom Penh. Et pendant la saison du vent frais il fait trop froid, le thermomètre peut descendre jusqu'à – 17 °C à Phnom Penh.

La mer s'appauvrit de plus en plus. On ne pourra pas retourner en arrière !

Karl Andres

sar Miguel

Vincent

Sovichea

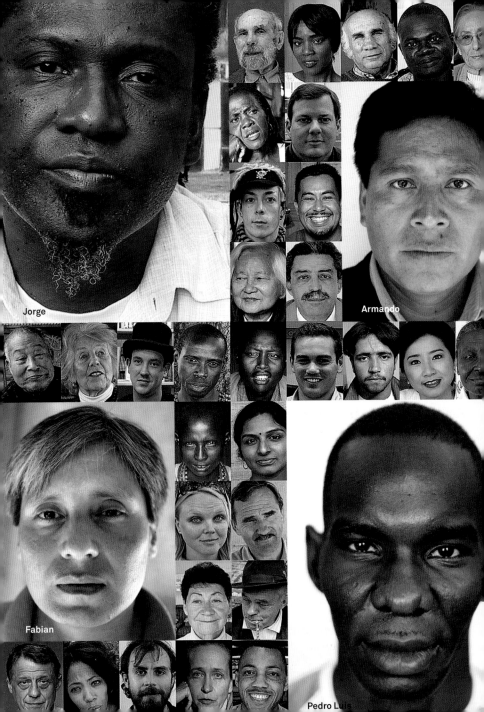

Jorge

Armando

Fabian

Pedro Luis

Armando / *Vit au Mexique*
Au Mexique, nous n'avons pas un bon enseignement sur l'environnement. Ça n'existe pas. La coupe immodérée des forêts, c'est très rapide, très accéléré. La globalisation économique nous entraîne tous... Aujourd'hui, pour survivre, un Tseltal peut vendre son arbre 10 pesos, ou 100 pesos, alors qu'il y a cent ou cent cinquante ans, avant d'abattre un arbre, ou avant de préparer le terrain pour planter le maïs, il faisait une prière, il demandait pardon. Maintenant on ne fait plus ça. La destruction de la nature est due à la globalisation économique qui fait souffrir la société. Ça c'est la peur, c'est ma peur, parce que, moi, j'aimerais continuer à vivre sans que survienne une catastrophe. J'aimerais. Mais avec ce rythme accéléré, je ne sais pas, je ne sais pas...

Fabian / *Vit à Buenos Aires, Argentine*
Je m'inquiète beaucoup au sujet de l'eau. Dans notre pays, nous avons de nombreuses sources d'eau douce. Et comme certains pays tels les États-Unis sont capables de tuer plein de monde pour du pétrole, je ne serais pas surpris s'ils nous envahissaient pour s'emparer de l'eau. Je vais peut-être trop loin, mais il n'y a pas beaucoup d'eau potable dans le monde, et lorsque l'eau sera épuisée, si nous en avons encore, je ne sais pas de quoi seront capables les pays impérialistes, capitalistes, pour s'approprier cette eau. J'imagine ma nièce devant aller acheter un litre d'eau par jour, à un prix exorbitant. J'imagine un demi-salaire d'ouvrier pour acheter un peu d'eau afin de pouvoir survivre. Parce que lorsque l'eau manquera, elle sera vendue. Je m'inquiète au sujet de l'eau dans mon pays, et je m'inquiète sur le fait que le pays est en train de se transformer en désert.

Jorge / *Vit au Brésil*
Quand on essaie de détruire l'Amazonie et l'air qu'on respire, ainsi que l'eau qu'on boit, c'est une atteinte à notre liberté. En s'attaquant à notre liberté, on s'attaque à nous-mêmes. En s'attaquant à la nature, on s'attaque à nous-mêmes.

Pedro Luís / *Vit à Cuba*
La nature, j'en ai entendu parler mais je n'ai pas eu l'opportunité de m'y intéresser. Vu comment on vit à Cuba, on n'a pas le temps de penser à la nature. Tu n'as pas le temps de réaliser que tu es en train de jeter une boîte de conserve par terre, tu n'as pas le temps de réfléchir au fait qu'il ne faut pas jeter les ordures ailleurs que dans la poubelle. Les Cubains n'ont pas le temps de planter un arbre, ni même un arbuste, ils n'ont pas le temps. Ils prient pour qu'il pleuve, pour subsister, pour que des arbres poussent, pour qu'il y ait de quoi manger, pour qu'il y ait des fruits, tout ça, pour que les buissons soient jolis, mais ils ne se soucient pas d'agir par eux-mêmes. Il est très rare de voir quelqu'un prendre un arrosoir et arroser. Les Cubains ne font rien pour l'environnement.

Samir / *Vit en France*
On ne peut pas dire que je m'en fiche, mais ce n'est pas ma préoccupation et je n'y pense pas tous les jours. C'est comme le trou dans la couche d'ozone ou de savoir si du jour au lendemain il n'y aura plus d'eau dans notre robinet, parce que, justement, on n'aura plus d'eau, c'est vrai, mais ça n'entre pas dans mes préoccupations premières. C'est un peu dommage, mais c'est comme ça. C'est peut-être le fait de vivre dans du béton tout le temps ?

Scott / *Vit au Texas, États-Unis*
Je parcours les routes comme tout le monde. Je conduis une grosse camionnette qui consomme beaucoup. Je suis bien conscient qu'il y a des problèmes liés à l'environnement. Mais je suppose que… je fais ce dont j'ai envie. Je parcours les routes comme n'importe quel Américain. Ça ne sonne pas très bien mais… Je profite de ma grosse camionnette et je me fiche du reste.

Yasmine / *Vit à Los Angeles, États-Unis*
La nature n'a pas une grande place dans ma vie, je ne fais pas de randonnée, je ne vais pas à la montagne. En fait, j'ai peur des grosses montagnes, j'ai peur des océans, donc j'imagine qu'on peut aussi dire que j'ai peur de la nature, parce qu'elle est trop puissante. L'océan est si immense, les montagnes sont si gigantesques, et il y a ces animaux… Pour être parfaitement honnête, je pense que j'ai peur de la nature !

Ferrante / *Vit en Italie*
La nature représente une chose très méchante. Toute la nature vit en se mangeant. On continue à rêver de la nature comme à quelque chose de romantique, quelque chose de beau. La nature, cela signifie que tous les animaux continuent à s'entre-dévorer. Et lorsqu'on voit un vol d'hirondelles, cela nous semble toujours quelque chose de magnifique, mais on oublie que ces hirondelles qui volent autour sont en train de manger des insectes. Or, je ne crois pas que les insectes soient ravis de se faire manger ! Par conséquent, là aussi, nous assistons à des meurtres continuels, et on trouve que c'est beau et romantique ! Le vol des hirondelles nous évoque des souvenirs merveilleux, mais la nature est malveillante.

La nature représente une chose très méchante. Toute la nature vit en se mangeant.

amir

Yasmine

Scott

Ferrante

Nancy

Stephanie

Jacques

Atta

Anatoli

Jacques / *Vit en France*
La nature, c'est quelque chose que je n'aime pas parce que je suis plutôt de ceux qui pensent que le propre de l'homme, c'est d'échapper à la nature, que la nature est sauvage, bestiale, animale, et que la civilisation, c'est tout le contraire ! La civilisation, c'est ce que l'homme construit avec la nature. Donc je préfère les jardins aux forêts, je préfère les choses construites aux simples choses vues, même si je suis un farouche défenseur de la protection de la nature, et si je pense que l'homme ne peut rien construire s'il détruit l'environnement dans lequel il a le privilège de vivre. Mais, pour moi, la nature – et toute la philosophie de la nature – représente le grand danger de faire l'apologie de la bestialité.

Nancy / *Vit à Hong Kong, Chine*
C'est très fort la nature, quand les vents soufflent, quand la mer monte, c'est à la fois très utile, et destructeur. C'est incroyable et c'est beau.

Stephanie / *Vit en Australie*
La nature fait partie de la spiritualité inhérente à notre culture. Nous la conservons, vivante, en nous. Nous dansons sur le sol qui nous a vus naître. De la même façon que nous prenons soin de la Mère Nature, la Mère Nature prend soin de nous.

Anatoli / *Vit en Sibérie, Russie*
Dans le chamanisme, le temple, c'est ce qui nous entoure. Le dôme, c'est le ciel éternellement bleu, ce qui nous entoure, ce sont les attributs de tous les temples. L'homme moderne se trompe quand il entre dans un temple, il allume une bougie, prononce une prière et sort. Il pense qu'il a fait quelque chose de spirituel, puis il oublie ce qu'il a prononcé et demandé à Dieu. Quand nous nous trouvons dans notre temple, le temple universel de l'homme, nous nous sentons en union avec la nature. Le Baïkal sacré, les monts sacrés des Saïan, les cèdres sacrés, les bouleaux, les merisiers sauvages. Nous les Bouriates nous nous sentons partie de cette nature. Comment mal se comporter avec la nature lorsque nous en sommes une parcelle ? Tout a une âme, il faut tout traiter avec précaution.

Atta / *Vit à Taïwan*
Ce n'est pas comme les jeunes ou les randonneurs aujourd'hui ! Ils ne font pas ce genre de cérémonie de prières avant de partir. Eux, ils ne pensent qu'à vaincre le sommet de la montagne sans avoir cet esprit respectueux d'autrefois, sans demander à travers les prières s'il faut y aller ou ne pas y aller. C'est cet esprit respectueux d'autrefois que j'aime. Si l'on n'a pas le cœur respectueux, les choses sont superficielles. Pour toute chose que nous faisons il faut ce respect.

Bruno / *Vit en France*

On est issus de la nature mais on ne la regarde plus, la nature nous parle mais l'homme ne l'écoute pas. Pour avoir un bulletin météo on prend une radio, on l'allume… pour savoir s'il va pleuvoir on écoute les infos. Mais la nature va nous le dire, c'est simple ! Il y a les nuages hauts sur le massif de Cagne : quand les nuages sont hauts, c'est que le vent va souffler pendant deux jours, donc on est tranquille : il ne pleuvra pas. Les nuages s'accrochent-ils juste à la pointe de la montagne ? Attention, vent du sud-ouest ! Les nuages descendent-ils dans la vallée ? Attention, le vent du sud-ouest va être très violent. L'eau monte ? Attention, il y a un coup de mer subit qui va arriver. Les cormorans vont à terre ? Le vent du nord-ouest va venir. Mais on n'écoute plus la nature, on n'a plus le temps, on court…

On est issus de la nature mais on ne la regarde plus, la nature nous parle mais l'homme ne l'écoute pas.

Thérèse / *Vit en France*

La nature et l'homme sont totalement antinomiques. Je vis dans un village absolument ravissant, et à quoi pensent la mairie et la commune ? À bétonner, pour avoir l'impression d'être en ville… Et bien ça, ça me choque !

Fujii / *Vit au Japon*

La nature, c'est tout ! Tout est de la nature ! Même quand je suis au grand carrefour de Shibuya [Tokyo], avec des millions de gens, dans les embouteillages, pour moi, c'est aussi la nature ! La nature, ce n'est pas uniquement la plage, la montagne, la forêt… Les bâtiments, les êtres humains, même les technologies viennent de la nature ! Le silicone vient du pétrole, alors c'est la nature ! Donc tout est nature pour moi.

Hayrettin / *Vit en Turquie*

Quand je parle de la nature, je parle de l'écosystème. Il faut prendre exemple sur la nature, car dans la nature chaque être est obligé de vivre en se servant des autres, mais aucune espèce ne consomme jusqu'à l'extinction d'une autre espèce. Donc chaque être vit grâce aux autres, cela signifie qu'il y a un vrai équilibre, de vraies règles : pour pouvoir vivre, il faut faire vivre. Tu veux vivre ? Alors tu dois faire vivre tous les autres, parce que s'ils n'existaient pas, tu n'existerais pas non plus. Vous voyez, la nature, c'est cet équilibre : pour vivre chacun doit lutter pour la survie de l'autre. Quand je dis nature, c'est ce genre de bonheur qui me vient à l'esprit, cet équilibre du partage.

Hayrettin

uno

Thérèse

Fujii

Magalys Dolores

Vit à Cuba

Vous savez ce que c'est de vivre sans toit ? Ne pas être protégé du soleil, avoir la pluie qui vous tombe dessus ?

Présentation / Je m'appelle Magalys Dolores. J'ai cinquante-trois ans. Je suis née à Guantanamo, mais je vis à Santiago de Cuba. J'ai un fils de vingt-neuf ans qui est toute ma vie. J'ai aussi une sœur et un neveu. Mais ma famille, c'est mon fils.

Famille / La famille peut avoir un sens très large. Pour moi, non. Ça a toujours été maman, ma sœur et moi. Maman n'est plus là, il me reste ma sœur, mon neveu et mon fils.___Si on étend la famille, mon père a eu trente-six enfants ! Mais ce n'est pas ma famille. Je ne les connais pas. J'en ai connu seize, mais je n'ai jamais eu de relations avec eux. Ma famille avec un grand F, c'est mon Fils.

Appris de ses parents / De mon père, je n'ai rien appris. Je l'ai connu à neuf ans et n'ai pas eu de relation avec lui, excepté ce que j'entendais raconter à propos de sa vie. Or, un père qui a eu trente-six enfants n'est pas un bon exemple !___De ma mère, j'ai tiré le prisme par lequel je vois la vie.___J'ai appris d'elle mon rejet actuel – « rejet » est peut-être exagéré – envers les hommes. Cette attitude, je l'ai héritée d'elle en grande partie, à cause de sa solitude pendant toutes ces années.___Je ne supporte pas les mauvaises manières des hommes.___Elle m'a aussi appris à avoir un but dans la vie. Elle n'a pas bien réussi, mais elle a essayé. Comme on dit à Cuba, elle vivait et respirait pour le communisme. Si elle voyait ce qui se passe actuellement, elle se retournerait dans sa tombe ! Elle avait imaginé la société autrement...

Transmettre / Ce que je dis toujours à mon fils, et il est en train de le réussir : il faut étudier, il faut être professionnel, parce que dans n'importe quel pays, dans n'importe quel système, les connaissances ne sont jamais de trop. Avoir une attitude positive face à la vie, une bonne conduite. Aimer, et toujours aider ceux qu'on peut aider. Ne pas être égoïste, ne pas être ambitieux. Et toujours suivre la meilleure voie possible, à condition que ce soient leurs aspirations, les leurs. Parce que nous, les parents, nous ne pouvons pas imposer. On peut guider, donner des idées. Mais moi je ne veux pas qu'il pense comme moi, mais qu'il agisse toujours de la meilleure façon possible, où qu'il soit.

Souvenir / Ce que je n'oublierai jamais... les coups que ma mère recevait de son mari. Tout le temps.___Pour les souvenirs positifs, je n'en ai aucun.___Parce que en plus, ma mère me punissait souvent. Et ma sœur, elle cherchait la ceinture, le ceinturon, et elle le donnait à ma mère pour qu'elle me...___Je ne sais pas si ma sœur se souvient, mais pour moi c'est toujours présent. C'est peut-être pour ça qu'on s'entend mal. Parce que la blessure reste profonde.

Rêves d'enfant / Les rêves, comme dit le poète Becker, « les rêves ne sont que rêves ». Il faut toujours en avoir. En fait, j'ai réalisé très peu de mes rêves de petite fille. Je voulais devenir danseuse de ballet. C'était ma passion : devenir une artiste. Ça, et être stomatologue !___Je n'ai pas réussi, et ce n'est pas faute d'avoir étudié. À l'issue du baccalauréat, il y avait un classement. Quand j'ai demandé à étudier la stomatologie, la fille devant moi a pris la dernière place. Voilà.___Et je n'ai pas pu être danseuse parce que ça déplaisait à ma mère !___Je me languissais de ce qui me manque toujours : un minimum de confort. C'est pour ça que j'ai étudié.___Parce que être noire, ce n'était pas... Oh ! le racisme n'a pas disparu, il existe, déguisé, mais il existe. C'est un handicap. Même si Fidel le refuse en donnant les mêmes droits à tous, le racisme existe bel et bien.___J'ai étudié pour réussir. Pour avoir une jolie maison, plusieurs enfants, un homme à mes côtés... Je n'ai pas tout cela... Mais j'ai mon fils. Ma seule réussite.

Métier / J'étais professeur, licenciée de lettres et d'espagnol. J'aimais enseigner, mais je n'exerce plus.

Notre situation économique, c'est la survie.

Travail / Ce n'était pas difficile à l'époque, après de bonnes études, de devenir professeur.___Et puis, la situation a changé : il a fallu donner leur année à tous les élèves, d'une façon ou d'une autre. Si on n'avait pas un pourcentage élevé de réussite, notre salaire baissait ! Or, il est impossible que tous les élèves soient au niveau...___Ce laxisme me déplaisait. Si mon enseignement était bon, pourquoi récompenser des élèves qui n'étudiaient pas ? L'État accordait une prime de 100 pesos au professeur dont tous les élèves réussissaient !___Je devais, en outre, participer à des *activités collatérales*. Vous savez ce que c'est, une *activité collatérale* ? Du travail volontaire obligatoire, en quelque sorte.___Par exemple, je suis enseignante mais je fais des travaux agricoles et je reçois... comment dire... une prime. Si je ne le fais pas, mon salaire diminue.___En tant que professeur, je touchais un salaire dérisoire. Et puis, les prix ont augmenté : 198 pesos la bonbonne. Vous savez ce que c'est une *bonbonne* ? Pour nous, c'est la bouteille qui sert à conditionner la graisse, l'huile, le saindoux. Moi je mangeais sans matière grasse, je n'avais pas les moyens. Mon fils était sans chaussures.

Salaire / Le salaire dépend de ton diplôme. Moi avec ma licence, plus l'ancienneté, je recevais environ 5 200 pesos, 20 dollars ! Avec ça tu n'as pas assez. Tu mènes une vie de restrictions. Beaucoup finissent par abandonner, la mort dans l'âme.___Notre situation économique, c'est la survie. Inutile de songer à manger ce que tu aimes ou à partir en balade. Ici, c'est impossible.

Argent / Pour ce qu'on appelle ici... comment dire... la *quote-part* attribuée par l'État à chacun, on a officiellement assez d'argent. Tout le monde peut acheter son quota de nourriture au magasin de ravitaillement : 5 livres de riz, c'est ta part. Seulement, c'est insuffisant pour un mois...___Quant au chômeur ou au retraité, on lui accorde, disons, 150 pesos. Sa quote-part au magasin, ses féculents... ça ne dépasse pas 20 pesos. Avec ça, il ne peut pas vivre. Il faut ajouter l'électricité, le logement, les besoins modernes.

Pauvreté / Vous savez ce que c'est de vivre sans toit ? Ne pas être protégé du soleil, avoir la pluie qui vous tombe dessus ? Se lever le matin avec ses chaussures mouillées ? C'est comme ça que j'ai vécu, moi. Et n'allez pas imaginer que c'était en 1959.___C'était dans les années 1990. Je nous couvrais d'une bâche en Nylon pour que nous puissions dormir tous les deux, mon fils et moi. « Il faut que je quitte mon travail pour essayer autre chose », me disais-je C'est ce que j'ai osé faire : abandonner mon métier pour vivre mieux et pour que mon fils n'endure pas ce que j'ai enduré. Excusez mes larmes, mais ça fait mal.

Épreuve / J'ai enduré bien des choses : mère célibataire, étudiante, sans ressources... Ma mère ne gagnait que 56 pesos. C'est tout ce qui rentrait à la maison. On n'avait pas de quoi vivre.___Pour une jeune fille, vous savez, c'était très difficile de dire à sa mère : « Je suis enceinte. » J'ai tout affronté jusqu'à ce jour. Ça, et arrêter de travailler, ce sont mes épreuves. Te lever et ne rien avoir à donner à manger à ton enfant, ce n'est pas facile. Tout en poursuivant tes études...___Je ne demandais rien à personne, je n'aime pas demander, mais j'essayais de trouver des solutions : « Tiens, regarde, je pourrais laver ce linge pour toi », « Je peux nettoyer ta maison pour toi »... je faisais réciter les leçons... Je faisais tout ça pour que mon fils puisse manger.___Mais se lever et ne rien avoir à manger, c'était très dur. Et ne pas en parler, ne pas aller à la porte et dire : « Je n'ai rien. »___Maintenant, autant que possible, j'essaie d'aider ceux dont je sais qu'ils n'ont pas à manger. Si j'ai un pain, je le coupe en deux. Des gens disent que je suis trop... je ne sais pas... il ne faut pas être *bonne poire*, mais il faut s'entraider.

La révolution triomphe, les années passent, et puis rien...

Amour / Je ne supporte pas les mauvais traitements. Les Cubains... Je ne sais pas comment vous êtes, vous, mais les Cubains sont les plus machistes du monde. Les mauvais traitements...___Tu ne peux pas supporter qu'un homme te maltraite et ensuite t'appelle « mon amour », qu'il veuille te toucher, coucher avec toi... Ce n'est pas de l'amour !___Dans l'amour, il doit y avoir l'abandon de soi, si tu ne t'abandonnes pas au profit de l'autre, il n'y a pas d'amour.

Différences entre l'homme et la femme / Ça dépend du couple. Il y a quelques années, la différence était nette. La femme devait s'occuper des enfants, laver, repasser, tout faire dans la maison. L'homme devait apporter de quoi manger, réparer le toit...___De nos jours, heureusement, les couples partagent les tâches. Ici, quand je rentre du travail, mon fils a fait le ménage, la lessive et nettoyé la maison.___Avant, ça ne se faisait pas. Un homme ne s'abaissait pas à laver ou à repasser... Pour un latin, c'était même gênant : on le soupçonnait de tendances homosexuelles ! Ce n'est pourtant pas une preuve qu'on est *gay*, hein ?___En cas de maladie d'un enfant, de nouvelles lois permettent à la mère de continuer à travailler, pendant que le père s'en occupe. Avant ce n'était pas possible. Ce changement est très positif.

Réussir sa vie / Mon fils est ma grande réussite. Il me quittera un jour, mais c'est mon fils. Et il m'aime. Aujourd'hui la plupart des jeunes sont un peu... C'est la jeunesse, n'est-ce pas...?___Beaucoup de jeunes maltraitent leurs parents. Pas mon fils. On s'entend vraiment bien. Sans doute à cause de mes épreuves, je ne lui impose rien. Nous dialoguons.

Liberté / La liberté, c'est très beau, mais bon... tu peux penser ce que tu veux : ta pensée est libre. Sur l'économie, la politique, la société, je pense ce que bon me semble. Mais je ne peux pas dire tout ce que je pense.

Changer son pays / Changer mon pays ? [très long silence]. Je m'abstiens de répondre... Tu m'as demandé tout à l'heure le sens du mot *liberté*...

Révolution / J'étais petite, mais je garde de très mauvais souvenirs d'avant la révolution. Je vivais dans la rue à Guantanamo, et, croyez-moi, la dictature était terrible ! Ils nous maltraitaient : j'ai vu mon grand-père roué de coups, ma mère marquée d'un coup de crosse ; j'entends encore les coups de feu incessants. Ma mère se battait pour la révolution, ça oui ! Je garde en mémoire l'image de ma mère avec ses robes de gitane très larges sous lesquelles elle emmenait un camarade au maquis. Elle emportait aussi des pistolets et des balles. Elle risquait sa vie pour la révolution.___La révolution triomphe, les années passent, et puis rien... J'étais impatiente ; elle, non. Ma mère disait qu'on ne s'était pas battu pour un intérêt matériel, mais pour un changement. Le changement n'est pas toujours positif. Mais grâce à la révolution, j'ai pu étudier, alors que j'étais noire et pauvre...

Éducation / En 1959 les casernes ont été transformées en écoles. Maintenant, mon fils peut étudier gratuitement... Et puis, un Noir peut aller n'importe où comme un Blanc. Pas à cette époque-là. Je me souviens qu'il y avait un parc où les Blancs avaient le droit d'entrer et de s'asseoir, les Noirs restaient dehors.

Lutte / L'expression typique du Cubain est : « On lutte ! » Même si le Cubain est assis, quand tu lui demandes comment il va, il te répond qu'il est « en pleine lutte ».

Changements de son pays / Rien n'est parfait, mais celui qui te dit que c'était mieux avant, c'est un riche. Ça ne peut être que ça.

Milton

Ramesh

Teresa

Joseph

Edward

QUE REPRÉSENTE L'ARGENT POUR VOUS ?

Edward / *Vit à New York, États-Unis*
L'argent signifie qu'ils ne coupent pas l'électricité, l'argent signifie que je n'ai pas à emprunter à une autre personne, l'argent signifie que ma femme n'a pas à s'inquiéter, l'argent signifie que mes enfants n'ont pas à être inquiets, et l'argent signifie que je n'ai pas à vivre en étant sans cesse malade de peur.

Ramesh / *Vit au Népal*
L'argent ce n'est plus comme avant, c'est quelque chose de très important. Maintenant l'argent il est partout. Et pour nous les pauvres, même 10 ou 20 roupies, si on ne les a pas, on doit marcher, on ne peut même pas prendre le bus. L'argent c'est vraiment quelque chose de très important, en tout cas ça occupe beaucoup nos pensées.

Joseph / *Demandeur d'asile camerounais, vit à Melilla, Espagne*
Aujourd'hui, le capitalisme, c'est ça qui gouverne le monde de toutes les façons, les mentalités des gens sont infectées par ce système économique. L'argent prend de plus en plus une place prépondérante au sein de la société mondiale. Mais bien que l'argent ait cette place-là, il y a quand même des limites, l'argent ne peut pas tout faire. Mais l'argent a sa place dans la société parce que sans argent tu ne peux pas mener une vie décente.

Milton / *Vit en Australie*
Sans argent on ne peut rien faire ! Nous devons survivre, nous devons vivre, nous ne sommes rien sans argent. Je ne peux pas retourner vivre dans la forêt pluviale, manger et vivre comme le faisaient mes ancêtres !

Teresa / *Vit en Bolivie*
L'argent dans ma vie... Et bien, je suis née dans une famille qui a beaucoup d'argent, dans ce pays très pauvre qu'est la Bolivie ; alors, à une époque de ma vie, l'argent, pour moi, signifiait la culpabilité. Avoir de l'argent ce n'était pas bien, parce qu'il y avait des personnes qui n'avaient même pas de quoi manger. Et maintenant, il signifie aussi une nécessité pour pouvoir devenir indépendante et survivre, et pour cela j'ai même dû faire une thérapie, parce que je ne comprenais pas assez la valeur de l'argent. Lorsque j'accepte un travail, je ne pense jamais au salaire, ni à l'argent. Alors toujours les gens me grondent, et ils me disent : « Pourquoi n'as-tu pas négocié quelque chose de plus juste ? » Ou : « Pourquoi ne demandes-tu pas un salaire correct ? » Et moi, en fait, j'accepte un travail si le projet me plaît, mais jamais pour l'argent. J'ai donc décidé d'aller voir une thérapeute, pour analyser d'où venait ce problème avec l'argent. J'ai donc dépensé de l'argent pour tenter de comprendre pourquoi j'ai ce problème avec l'argent ! Et je crois que c'est justement parce que je ne suis pas habituée à gagner de l'argent.

QUE REPRÉSENTE L'ARGENT POUR VOUS ?

Jelica / *Vit en Serbie*
C'est pas facile de gagner de l'argent.
On galère, c'est très difficile. Aujourd'hui, je ramasse cent kilos de ferraille, et je gagne quoi ? 6 ou 7 dinars, c'est rien ! En un mois, tu gagnes 200, 300 euros... Qu'est-ce que c'est pour vivre ? Et l'hiver, on travaille nulle part. Ce qu'on fait maintenant pendant l'été, c'est pour vivre toute l'année. On ne peut pas s'en sortir. L'argent, ce n'est pas vite gagné...

Elizabeth / *Vit en Éthiopie*
Oui, avec mes huit enfants, j'ai vraiment dû faire face aux problèmes ; il n'y avait pas de nourriture dans la maison, ni d'habits, ni rien. Mon mari est parti avec tout ce qu'il y avait dans la maison. C'était une épreuve, mais je suis allée voir un directeur d'école pour lui emprunter 50 birrs (environ 5 euros). Je lui ai demandé si je pouvais vendre du thé et du café aux enfants de l'école. Il m'a demandé comment je pourrais faire et je lui ai répondu qu'il fallait absolument que je travaille. J'ai donc acheté du thé et du café avec ses 50 birrs. Puis j'ai fait du pain éthiopien que j'ai vendu aux enfants. En un jour, j'avais fait un bénéfice de 47 birrs, ce qui veut dire que j'avais gagné 97 birrs. À partir de ce jour, la vie a redémarré. Mes enfants ont commencé à avoir de la nourriture. En faisant ça, en affrontant les problèmes, je les ai vaincus. La chose la plus importante pour se tirer d'un problème, c'est d'abord de ne rejeter aucun travail.

Stefen / *Vit à Singapour*
J'ai abandonné mon poste d'ingénieur pour devenir photographe. Je touche maintenant un quart de ce que j'étais payé avant. J'ai fait ça parce que j'ai senti le besoin de suivre ma passion. Et je crois que si je m'en sors bien dans mon domaine, l'argent tombera tel un bonus.

Risma / *Vit en Indonésie*
Pour moi aujourd'hui, l'argent ce n'est rien. Mais on a besoin d'argent. Mon frère est dans sa dernière année d'études et j'ai besoin d'argent pour réparer ma maison. Mais je ne veux pas me focaliser sur l'argent parce que si je travaille seulement pour l'argent, je perds mon cœur.

Ana Isabel / *Vit au Mexique*
Il y a une expression qui dit « avec l'argent, tu peux acheter un lit, mais pas le sommeil ». Et c'est bien vrai. Il y a beaucoup de gens qui, avec tout l'argent du monde, ne sont pas heureux.

Manuel / *Vit en Équateur*
Je suis heureux dans ma pauvreté, parce que je vis heureux dans ma maison avec ma famille, ma femme. Je vis heureux parce que... Que dois-je faire de plus ? Me plaindre de ma pauvreté ? Je ne peux pas le faire. Il faut que je remercie pour ce que Dieu m'a laissé, et Dieu dit qu'il faut que je souffre pour ce que je suis. Comme je suis pauvre, il faut que je sois heureux avec ma famille, et que je retienne ce qu'il y a de bon dans ma pauvreté. Alors, je vis heureux avec ma famille, ma femme, mon fils, mon petit-fils et ma pauvreté.

Elica

Elizabeth

Ana Isabel

Risma

Manuel

Stefen

Mehrnouche

Kisean

Hugh

Vanessa

Melanie

QUE REPRÉSENTE L'ARGENT POUR VOUS ?

Mehrnouche / *Vit en Iran*

La pauvreté est quelque chose de totalement relatif, vous ne pouvez pas comparer quelqu'un qui vit dans le nombril de la France, à Paris, avec quelqu'un qui vit en Afrique. Peut-être qu'un Africain est plus heureux : la pauvreté n'est pas matérielle ; avoir une télévision et le satellite, un portable... ne signifie rien. Je pense que dans la société occidentale, la pauvreté de l'être humain a plus d'importance. C'est pour cela que les gens prennent des drogues et de l'alcool, pour se calmer ; mais dans les sociétés dont on dit qu'elles ont moins progressé, peut-être que nous sommes plus heureux, alors que notre situation financière est plus mauvaise. Selon moi, la pauvreté ne peut se définir de façon globale.

Hugh / *Vit en Irlande*

Je peux vous raconter une petite histoire qui s'est passée il y a quelques années. Je m'étais engagé dans une organisation caritative, et l'une de nos missions était de rendre visite à des gens le jour de Noël. Je me souviens qu'on a rendu visite à un homme qui vivait dans une véritable porcherie. C'était absolument horrible, venant d'une maison chaleureuse et confortable, de voir un homme vivre dans une telle saleté. Ensuite on est allé chez un autre gars qui vivait tout seul dans une petite maison au sommet de la montagne. Il n'avait absolument aucune famille, nulle part où aller pour Noël. Il faisait tout pour me retenir, pour que je reste des heures et des heures, juste pour briser cette profonde solitude

dans laquelle il était à ce moment-là. C'est un genre de pauvreté. La pauvreté de l'esprit, de l'âme, est bien plus sérieuse que la pauvreté financière.

Kisean / *Vit au Kenya*

Pour nous les Massaïs l'argent n'est pas le plus important, le plus important ce sont les vaches. Si vous avez des vaches vous n'avez pas besoin d'argent, l'argent est utile dans le cas où vous ne possédez pas de vaches.

Vanessa / *Vit en Afrique du Sud*

Pour moi l'argent c'est très important. Je ne rêve que d'argent. Comme je dis toujours, si je dois avoir un petit ami, il doit avoir de l'argent. Je dis toujours aux hommes : « Non je ne veux pas de toi parce que tu n'as pas d'argent ! » Alors ils me disent : « Tu vas m'aimer pour l'argent ? » Non, pour moi, il n'y a pas d'amour, j'ai besoin d'argent et s'il ne peut pas m'en donner... Je veux de l'argent, j'aime l'argent, j'ai besoin d'argent, pour moi l'argent c'est tout !

Melanie / *Vit en Australie*

Tu viens au monde nu, avec rien. Et quand tu pars tout ce que tu prends avec toi sont les vêtements que tu as sur le dos. Tu retournes à la poussière, là d'où tu viens, ma sœur ! C'est pour ça que je ne garde pas l'argent. Je n'économise pas, je ne mets rien de côté, même pour les jours où je risque d'être en difficulté... si j'en ai, je le dépense !

Zein / *Vit en Indonésie*
Pour moi l'argent c'est comme ma moustache ou ma barbe. Si j'avais réussi à économiser, ma barbe atteindrait le sol. Mais lorsqu'elle est trop longue je la rase et il n'y a plus d'argent. Ça pousse, je rase, ça pousse encore et je rase encore.

Maremba / *Vit en Papouasie-Nouvelle-Guinée*
Cet argent me rend fou. Il arrive dans ma poche. Là... il ne reste que deux ou trois jours avec moi, et puis il s'en va. Après, je perds mon temps à essayer de savoir où il est parti !

Petrica / *Vit en Roumanie*
L'histoire qui m'a le plus marqué, c'est quand j'étais en CM2, j'avais dessiné un billet de banque de 100 leis (environ 30 euros). C'était à l'époque un billet de banque bleu avec Balcescu dessus. À la maison, avec mon stylo et mes crayons de couleur, j'ai fait un billet de 100. J'ai vu que je m'en étais bien sorti. J'en ai fait plusieurs, certains dessinés des deux côtés, certains d'un seul côté. Et, pour faire des blagues, je les froissais et je les laissais dans la ruelle pour que les gens les trouvent et soient contents. Un jour, j'ai mis un de ces billets joliment froissés dans la ruelle ; un homme est venu, un paysan de chez nous, sur son cheval, il sortait du bar – parce que, chez nous, les paysans ont l'habitude de boire – et rentrait chez lui, fâché d'avoir dépensé tout son argent. Lorsqu'il a vu les 100 leis, il est vite descendu du cheval, il a ramassé le billet, il est rentré chez lui, et sans prêter attention à sa femme il a attaché son cheval et est retourné au bar.

Ulrich / *Vit au Tamil Nadu, Inde*
Beaucoup de gens, et moi inclus, pensent : « Ah ! si j'avais de l'argent, je pourrais... » ; et les gens, dont moi-même, rêvent des choses qu'ils pourraient faire s'ils avaient de l'argent. Mais le jour où tu as l'argent tout paraît différent. Pour ma part, ça m'a donné une incroyable responsabilité, liée au pouvoir et aussi à la possibilité d'être corrompu. Tu ne regardes pas l'argent comme quelque chose qui est à toi, mais comme un potentiel. L'argent en lui-même n'est rien. Il te permet, si tu as une vision, de la matérialiser ; et si tu es conscient de ça, que tu as cette responsabilité, ce n'est pas facile d'assumer cette responsabilité sans être contrôlé par le pouvoir de l'argent. Quand des gens viennent te voir pour utiliser l'argent, par exemple. Ayant été dans cette position où j'avais de l'argent, ça m'a appris beaucoup de choses qu'autrement je n'aurais pas comprises.

Tu ne regardes pas l'argent comme quelque chose qui est à toi, mais comme un potentiel.

Petrica

Ulrich

Zein

aremba

She Shiu

Vit au Yunnan, Chine

Au cours de sa vie, il faut contribuer au bien-être de l'humanité. Il faut se rendre utile aux hommes.

Présentation / Je m'appelle She Shiu. J'ai quatre-vingt-quatre ans. J'ai une clinique de médecine traditionnelle chinoise au village de Baisha, au pied de la montagne du Dragon de jade. Je suis respecté par des hommes du monde entier. Je suis très heureux. J'espère que la médecine et le *Ren* [aimer prendre soin des autres] existeront à jamais : c'est mon espoir.

Métier / Personnellement, je n'étais pas médecin. Mais je n'avais pas une bonne santé et on n'y pouvait rien. Personne ne s'occupait de moi, j'ai donc entrepris des recherches médicales par moi-même et me suis soigné tout seul. Et je me suis guéri. Alors, j'ai commencé à soigner les autres aussi. Certaines maladies sont communes et d'autres plus difficiles à soigner à l'hôpital. À cette époque, j'étais pauvre, comme les gens qui m'entouraient : je les ai donc soignés gratuitement.___Après la réforme et l'ouverture de la Chine, des patients sont venus du monde entier, de quantité de pays différents. Je les ai soignés sans forcément prendre de l'argent ; ils me payaient comme ils pouvaient. C'est ainsi que je suis devenu célèbre.

Transmettre / Je voudrais transmettre la médecine traditionnelle à mon fils et à mon petit-fils. Mon petit-fils fait ses études à Pékin. De plus, on a breveté nos connaissances. Donc, mon petit-fils doit aller à l'université pour obtenir son diplôme et aller à l'étranger afin de terminer ses études et profiter de ces connaissances. Il lui faut de solides connaissances pour pouvoir prendre ma suite, c'est ça !

Famille / La famille est très importante pour moi. On m'a enseigné depuis toujours qu'il faut l'harmonie à la maison pour avoir la paix dans le pays.___Bien faire ses études pour obtenir son diplôme. Avoir une bonne famille. Si tu n'as pas une bonne famille, il est difficile de réussir. C'est exactement ce que dit le proverbe chinois : « L'harmonie à la maison apporte la paix dans le pays. » Un homme qui n'a ni un bon diplôme ni une famille harmonieuse, on peut douter de sa capacité à servir le pays. Mes opinions sont assez traditionnelles, c'est vrai. Je suis très âgé. Vous penserez peut-être que je suis entêté, mais je préfère vous parler franchement.

Épreuve / Le moment le plus difficile, hélas ! C'était quand je devais participer aux exercices physiques. J'avais une mauvaise santé, à l'époque, et c'était très dur. C'est pourquoi j'ai entrepris mes recherches médicales.

Aimer son pays / J'ai vécu quatre-vingt-quatre ans, si bien que je suis devenu une histoire vivante ! J'ai vécu la guerre contre les Japonais, la guerre de libération de la Chine et pas mal d'événements par la suite. À mon avis, c'est aujourd'hui que nous avons la meilleure société.___En tout cas, les paysans chinois ne paient plus d'impôts. Avant je payais des impôts ; aujourd'hui je n'en paie plus. Je reçois même des allocations. Une vie comme la nôtre, je n'en ai ni vu ni entendu parler auparavant.

Joie / Ma plus grande joie c'est de prendre soin des autres. Quand ils sont guéris, je suis le plus heureux des hommes.___La personne en rouge avait une leucémie [il montre une photo]. Elle a pris pendant des années mes médicaments. Elle a réussi à poursuivre ses études. L'année dernière elle a passé son bac et a obtenu une bonne note ! Je suis très content. J'ai gardé tous les comptes rendus des examens concernant sa maladie.___La chose dont je suis le plus fier dans ma vie – mais dont je ne devrais pas vraiment être fier puisque c'est mon devoir –, c'est d'avoir guéri beaucoup de malades.

Argent / Beaucoup de gens qui n'ont pas d'argent n'osent pas aller se faire soigner à l'hôpital. Quelquefois, j'ai vu des malades qui ne prenaient les médicaments qu'un ou deux jours : ils avaient peur de ne pas avoir assez d'argent pour tout le traitement. Mais moi, quand je donne une ordonnance, je ne pense pas à l'argent. Si la maladie nécessite un traitement d'un mois, je le prescris. Si c'est deux mois, je le prescris. Je ne pense pas en fonction de l'argent, mais en fonction de la maladie. Si c'est une maladie qui dure longtemps, je leur donne plus de médicaments. Si c'est une maladie rapide, on peut prendre des médicaments une journée.___Mais il y a des patients qui s'inquiètent du prix. Ils me disent : « Docteur, je n'ai pas besoin de tant… » En réalité, c'est parce qu'ils n'ont pas assez d'argent. Alors je leur dis : « Ne t'inquiète pas. Prends-les. Je ne te demande pas d'argent : mon but, c'est de guérir ta maladie ! »

Progrès / Je n'ai pas de site Internet, mais d'autres m'ont mis sur leur site : ils y ont inscrit ce que je fais. Je n'ai qu'une adresse mail : c'est très pratique, parce que même si un malade vit très, très loin, on correspond par mail et je peux lui envoyer des médicaments. La Terre est de plus en plus petite !

Rire / Moi, je ne ris pas beaucoup. Généralement je suis sérieux. Je ne rigole pas avec mes patients. Ce n'est pas bien de rigoler. Il faut travailler sérieusement et être sincère avec les autres. Je rigole rarement et je sors peu. J'ai lu un jour dans un magazine : « Le Docteur H est un peu spécial, parce qu'il ne joue pas et ne sort que très rarement. »

Pleurer / Pleurer ? Je ne pleure pas beaucoup. Même pendant les moments très durs, en Chine, je n'ai pas pleuré et j'ai tout gardé pour moi. Je suis assez fort. En chinois, on dit : « La force de l'esprit renverse les obstacles. » Voilà mon état d'esprit !

Religion / On me pose souvent cette question : « Est-ce que les Naxis sont croyants ? » Quand j'étais petit, il y avait beaucoup de dieux à la maison : la montagne avait son dieu, le pont avait son dieu... À Lijiang, on trouve le bouddhisme, le lamaïsme, l'islam, le christianisme... et toutes ces religions vivent en paix.___Quand on était petits, on allait tous les samedis à l'église. Mais, à la maison, on était animiste. Alors on va parfois au monastère, parfois à la mosquée, parfois au temple des lamas. En fait, on croit ou on ne croit pas, mais toutes ces religions sont valables. Elles disent toutes de faire le bien et de fuir le mal.___Le peuple de Lijiang aime la paix.

Après la mort / Au cours de sa vie, il faut contribuer au bien-être de l'humanité. Il faut se rendre utile aux hommes. Je dis souvent que les écrivains vivent à travers leurs livres. Dans le passé, beaucoup de grands hommes ont contribué au bien-être de l'humanité. Depuis, ils vivent dans la mémoire des peuples.___Après la mort, si on laisse une image sombre, c'est en raison de ce qu'on a fait pendant sa vie. Si pendant sa vie on commet le mal, les gens ne nous aiment pas et on laisse une mauvaise image. Voilà pourquoi il faut accomplir de belles choses. Après la mort, je ne sais pas ce qui se passera, mais l'image du défunt vit toujours dans le cœur des hommes.

Parole / Le proverbe que je préfère vient de la philosophie de Confucius et tient en un mot : *Ren* [voir plus haut]. Le mot *Ren* est un mot que je vénère. En médecine chinoise, il faut soigner avec le *Ren*. En politique, il faut appliquer le *Ren*. Il y a beaucoup d'autres domaines dans lesquels il faut le pratiquer. La philosophie de Confucius se résume donc dans le *Ren*. Voilà pourquoi j'aime ce mot et pourquoi je l'écris si souvent en cadeau à mes amis...

Message / Premièrement, je souhaite paix et santé ! Voilà ! Si vous êtes riches mais en mauvaise santé, vous ne pouvez rien faire. Si vous n'avez pas la paix, vous ne pouvez rien faire non plus. Et s'il n'y a pas la paix, il est difficile d'avoir la santé. Deux mots : paix et santé ! C'est tout !

Graciela

Vit en Argentine

Le sens de la vie ?
Qu'aucun enfant ne pleure de faim.

Présentation / Je m'appelle Graciela. J'ai cinquante-deux ans. Je suis argentine, de la province de Santa Fe. J'ai huit enfants et cinq petits-enfants... __J'ai une fille handicapée et un jeune fils de bientôt dix-neuf ans qui a des problèmes de drogue : un fléau dans ce pays comme, je crois, dans toute l'Amérique latine.

Rêves d'enfant / Je rêvais de devenir célèbre. Tu vas rire... Je chantais dans le poulailler et je voulais devenir une chanteuse célèbre pour aider les pauvres ! Aujourd'hui, je pense que c'était sans doute une idée bourgeoise : gagner beaucoup d'argent pour aider les gens. Pourtant, maintenant, je suis pauvre, une ouvrière de catégorie pauvre.__Je lutte pour ce que j'appelle « ma propriété », c'est-à-dire un logement digne. Pour pouvoir y vivre avec mes enfants et leur dire : « Bon, je meurs, voici pour vous ! » Pas vrai ?

Famille / La famille représente tout pour moi. Elle imprègne ma vie. Comment ai-je grandi ? Je suis devenue orpheline toute gamine, à sept ans. C'est une sœur qui m'a élevée. Elle m'a beaucoup maltraitée ! Elle me donnait des coups, elle me rejetait à cause de ma couleur, parce que, eux, ils sont blancs. Ma mère a fait deux mariages. Du premier, ils sont tous blancs. Mes frères sont blancs : peau blanche, yeux verts, cheveux blonds... Moi, je suis une enfant du second mariage. Mon père est originaire d'ici. Nous sommes nés de couleur foncée. C'est pourquoi, à l'intérieur de ma famille, je me suis toujours sentie très rejetée...__J'ai grandi sous les coups.__Peut-être que ce sont les coups qui m'ont poussée à partir. Quand j'ai eu quinze ans, j'ai pensé que j'étais assez grande. Je suis partie de chez moi. La vie m'a appris que la plus belle action, c'est de se battre pour sa famille. C'est pour ça qu'aujourd'hui je lutte pour ma famille. Pour que mes enfants soient unis, qu'ils se comprennent et s'aiment.__J'ai connu le militantisme politique. La politique, je m'y suis consacrée dès l'âge de seize ans...

Appris de ses parents / Je crois que de mes parents j'aurais aimé apprendre le dialogue. Ne pas crier, être bon, donner de l'amour, savoir que la vie ne se construit pas seulement sur la brutalité...___C'est un problème dont j'ai eu du mal à me débarrasser dans ma famille. Parce que ensuite, le père de mes enfants, alcoolique et violent, et bien, j'ai dû m'en séparer pour élever seule mes très jeunes enfants. Toute seule...___Aucun rapport avec ce que j'aurais aimé vivre : leur donner un bon père, une bonne famille, un foyer, des études, un travail...___Toute seule, je n'ai pas pu faire ce que je voulais.

Discrimination / Très tôt, l'expérience de la discrimination m'a empêchée de développer ma féminité. J'ai dû assumer d'autres rôles. Je m'habillais moitié en garçon, moitié en fille, pour me défendre plus facilement. Toujours dans ma carapace, toujours dans l'autodéfense, afin qu'il ne m'arrive rien. J'ai transmis cette attitude à mes enfants. J'appelle ça «de la rancune rentrée». Je me disais : «Tu es noire, personne ne va t'aimer, tu ne sers à rien...» C'est encore plus dur quand on est pauvre.

Politique / Aux environs de 1987-1989, quand le régime argentin a changé, j'ai pensé que la révolution était en marche. Et puis, les 19 et 20 décembre 2001, par exemple... [sur la place de Mai, immense manifestation anti-gouvernementale au cri de «Qu'ils s'en aillent tous!»]. J'y ai cru. Je me suis sentie hyper-heureuse, persuadée qu'on allait tout changer, qu'on allait être égaux, qu'on ne mendierait plus, qu'on allait exproprier les riches...

Travail / Pour moi, le travail représente la dignité. Comment t'expliquer ça ? J'étais très démoralisée, je pensais que je ne servais à rien. Je sortais dans la rue et j'agressais les gens. Je pensais qu'il fallait être agressif. Quand je voyais la foule, j'allais chercher la bagarre. C'est-à-dire, les problèmes, la rage, l'injustice que je ressentais de ne rien avoir chez moi, de penser à tout ce que j'aurais pu donner à mes enfants en travaillant ! Ensuite, quand j'ai commencé à travailler, je me suis sentie décalée par rapport à ma société. C'était l'époque de l'explosion des *Piqueteros* [protestataires qui barraient les routes]. Du coup, tout le monde nous traitait de Noirs, les Noirs crasseux, les Noirs qui ne servent à rien...___Le travail m'a rendu peu à peu ma force intérieure : avoir mes affaires à moi, nourrir mes enfants... Une assiette de nourriture sans superflu, mais de la bonne nourriture... Leur donner une bonne éducation.

Transmettre / Pour moi, le plus difficile à transmettre à mes enfants, c'est de leur expliquer ce que leur mère a fait pour eux. C'est vrai que je les ai souvent laissés seuls. Je ne les ai pas assez écoutés, compris, aidés à faire leurs devoirs, comme font toutes les mamans. Ce n'est pas ce que je voulais faire...___Mais je devais m'engager politiquement. Ça me tenait trop à cœur. Peut-être que maintenant ils commencent à comprendre pourquoi leur maman travaillait, pourquoi elle militait, pourquoi elle se battait, luttait. Je l'ai fait pour que ce pays change et pour que mes enfants ne vivent pas ce que j'ai vécu.___J'aimerais que tous les enfants et les jeunes puissent grandir dans une maison normalement : avoir un lit, un petit déjeuner et un dîner, une éducation. Ce que je n'ai pas eu...___Parfois je suis scandalisée de la condition des femmes chez nous, surtout les femmes seules... C'est pour elles que je me bats, pour qu'elles et leurs enfants ne connaissent pas ce que j'ai vécu.

Épreuve / Mon expérience la plus dure ? C'était il y a environ deux ans, quand ma fille est tombée...___Elle s'est jetée du toit de la maison. Quand je l'ai vue par terre, j'ai senti qu'une partie de ma vie me quittait, qu'elle allait mourir...___Je me suis bagarrée, j'ai discuté avec les médecins et tout. Ça a été une expérience terrible qui m'a fait beaucoup de mal.___Nous nous étions battus pour l'occupation de quelques terres. La police est intervenue. Elle a chassé tout le monde, a écrasé toutes les maisonnettes. Ma fille a pensé qu'on ne récupérerait jamais ces terres et elle est tombée en dépression. Finalement, dans cet état dépressif, elle a voulu se tuer. Ça a été un terrible choc pour moi de lui porter secours...___Ma fille a des problèmes psychiatriques. À la naissance de son bébé, elle est tombée malade. Le père de l'enfant, à cause de notre situation financière, nous a retiré le gamin. Et elle...___J'avais l'habitude de voir souffrir les autres et de chercher à les aider. Mais, cette fois, c'était mon tour. Un très mauvais tour.___J'ai du mal à accepter l'idée que demain je la pousserai dans la rue sur une chaise roulante. C'est une expérience affreuse.

Difficile à dire / Le plus difficile à dire à mes enfants ? Que je serais prête à les échanger contre la révolution. La révolution armée de mon peuple. Ils ne comprendraient pas...___Si on m'appelle demain et que l'on me dit : « Negra, nous formons notre armée », si je dois y aller, ce sera difficile de le leur dire. Mais je le ferai.___Ils penseront que je ne les aime pas.___Je leur explique qu'il ne faut pas accepter la défaite, mais continuer à se battre pour une société meilleure. Ils ont du mal à me comprendre, vraiment beaucoup.

Tuer / Si je tuais quelqu'un ? Ah, oui ! Les assassins des camarades de lutte. Comme Massi, Dario, les trente mille disparus... Oui, je n'hésiterais pas une seconde. Oui, un Macero, un Videla... Parce qu'ils ont été sans pitié, qu'ils ont tué des âmes fraîches, des âmes jeunes, des âmes qui voulaient faire cesser nos souffrances.___Les détentions dans ce pays sont très « light ». Celui qui vole une poule est sévèrement puni. On va jusqu'à le condamner à mort... Pendant ce temps, eux, ces assassins, ils peuvent rester chez eux, assignés à résidence. C'est complètement injuste.

Sens de la vie / Le sens de la vie ? Qu'aucun enfant ne pleure de faim. Peut-être que mes enfants ont faim parce que j'ai eu faim dans mon enfance. La faim dans tous les sens du terme. Tu me comprends ?

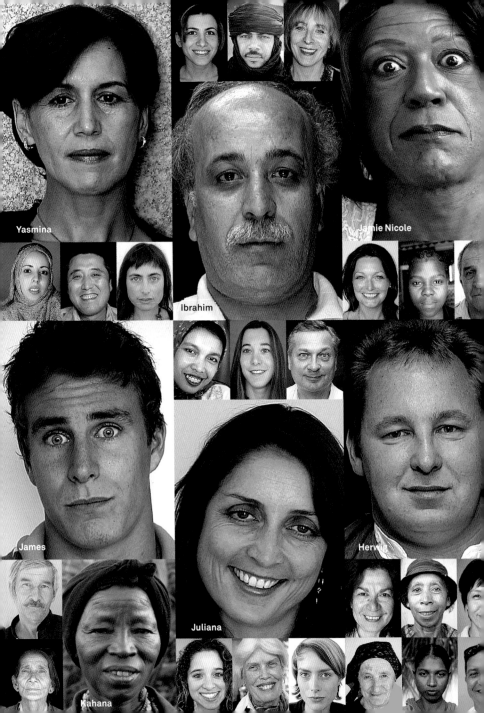

Yasmina

Jamie Nicole

Ibrahim

James

Herwig

Juliana

Kahana

QUEL EST LE SENS DE LA VIE ?

Yasmina / *Vit en Algérie*
C'est un philosophe italien qui a dit ça :
« L'homme a trois étapes : naître, vivre et
mourir. Il ne se sent pas naître. Il oublie
de vivre. Et il souffre à mourir. »

Herwig / *Vit en Allemagne*
Je ne suis pas un philosophe pour parler
de cela ! Pour moi, je peux dire que
le sens de la vie est de sortir le vendredi
soir en ville, avec mes amis, dans ma
brasserie préférée, pour boire
des bières.

Juliana / *Vit à Los Angeles, États-Unis*
Le sens de la vie, c'est l'amour. L'amour
que l'on a pour ses amis, sa famille,
son mari, sa femme, ses enfants,
son partenaire, qui que ce soit,
mais c'est définitivement l'amour.

James / *Vit en Australie*
Le sens de ma vie… je ne sais pas !
Je n'en suis pas encore sûr ! Reposez-moi
la question dans vingt ans, j'aurai peut-
être une idée plus précise…

« L'homme a trois
étapes : naître,
vivre et mourir. »

Kahana / *Vit en Éthiopie*
Le sens la vie pour moi ? Travailler
dans les champs, fabriquer la *chaka*
[bière de sorgho] et la vendre, aller
d'un endroit à un autre pour chercher
de la nourriture.

Je pense que le
sens de ma vie est
le même que celui
de toutes les vies.

Ibrahim / *Vit en Israël*
Le sens de ma vie, c'est l'amour et puis
les baisers, les fleurs et la bonne
nourriture et le poisson et une belle
voiture et aussi Dieu. En premier
évidemment Dieu.

Jamie Nicole / *Vit dans l'Ohio, États-Unis*
Je pense que le sens de ma vie est
le même que celui de toutes les vies.
Pourquoi Dieu nous a-t-il créés ? Pour
ne pas être seul. Et je pense vraiment ce
que je dis. Ça ne fait pas partie de mon
église, c'est ma croyance personnelle.
Je pense que Dieu a créé les gens pour
ne pas se sentir seul.

QUEL EST LE SENS DE LA VIE ?

Mary / *Vit en Grande-Bretagne*
Un sens à ta vie ! Une vie a-t-elle un
sens ? une raison d'être ? Je dirais qu'il
n'y a probablement ni sens ni but. Je ne
sais pas pourquoi nous sommes tous là,
pour quoi faire, ce que nous sommes
supposés accomplir. Je ne pense pas
que la vie ait un sens précis. Je ne me
suis jamais dit qu'elle avait une
quelconque utilité. C'est un point
de vue très sacrilège et antireligieux
que j'ai là !

Shigeru / *Vit au Japon*
Même à soixante-dix ans, je ne sais pas
quel est le sens de la vie… La vie passe
jusqu'à la fin, et l'on se demande :
qu'est-ce que c'est, qu'est-ce que c'est ?

Xavier / *Vit en France*
Je ne comprends pas la question,
ça n'existe pas ! Attends, on ne m'a pas
demandé : « Tu veux sortir ? Tu veux aller
sur Terre ? » ; personne ne m'a demandé
ça ! J'y suis, bon, ben voilà !

Esefa / *Vit en Bosnie-Herzégovine*
Si je n'avais pas d'enfants, ma vie
n'aurait pas de sens. Ça ne voudrait rien
dire pour moi. Je me suis demandé de
nombreuses fois, alors que mon mari
et toute ma famille avaient disparu,
je me suis demandé pourquoi je n'avais
pas disparu aussi. Mais mes enfants ont
fait que je reste en vie, et le sens de ma
vie est complètement orienté vers eux,
je vis pour eux.

Payana / *Vit en Éthiopie*
Ce qui donne du sens à notre vie, c'est
qu'on a notre culture. La culture, c'est
par exemple, ici, l'arbre des générations :
il est planté par chaque chef tous les
dix-huit ans, chaque village est à côté
d'un arbre des générations, ça fait partie
de la vie des Konsos, de notre vie. Si ces
arbres ne sont pas plantés, notre vie
n'est pas complète, si les chefs ne les
plantent pas, leur vie n'a pas de sens.

Anca / *Vit en Roumanie*
Le sens de la vie sur terre, ce n'est pas
de faire des enfants, ce n'est pas de
procréer, mais de chercher en toi pour
voir ce qu'il y a à l'intérieur. Qu'est-ce
que tu fais en tant que créateur sur cette
terre ? Est-ce qu'on t'a envoyé ici
seulement pour manger et pour faire
des enfants ? Ah non ! Tu es un petit
morceau de Dieu, donc créateur :
qu'est-ce que tu apportes sur cette
Terre ? Est-ce que tu es là juste pour
consommer et jeter, ou est-ce que
tu contribues à quelque chose ? C'est
ça le sens de la vie, sinon, être ici,
ça n'aurait aucun sens.

Salwa / *Vit en Égypte*
Cette vie a deux portes. L'une qu'on
utilise pour entrer, l'autre qu'on utilise
pour sortir. Une personne intelligente
utilise la porte de sortie avec plein de
bonnes choses en poche. Celui qui a fait
beaucoup de bonnes actions recevra
une récompense qui lui permettra
d'entrer au paradis. Toute la vie est une
souffrance que l'on doit supporter afin
de profiter de la vie suivante, au paradis.

Ali

Laya

Lucie

Erick

Aïcha

Ato

Erick / *Vit à Cuba*
Le sens de la vie, en ce moment, à cette époque de l'humanité, le sens de la vie, c'est de se battre, mon frère. Se battre pour tout. Se battre pour l'amour, pour toi, se battre pour le monde et ceux qui t'entourent. Se battre pour l'humanité et pour la nature. Se battre pour atteindre le bonheur. Se battre et ne pas cesser de se battre, aimer la bataille. Voilà le sens de la vie.

Laya / *Vit au Mali*
J'ai une raison de vivre, j'ai vécu, j'ai fait mon temps, j'ai servi, je continue à servir mon peuple. Actuellement je suis la présidente de la CAFO, la Coordination des associations et ONG féminines, dont je représente tout le cercle ; je sers corps et âme, je donne un sens à ma vie, je suis en train de lutter pour les femmes, pour que nous sortions de l'ornière. Ça c'est déjà quelque chose.

Lucie / *Vit en France*
Ce qui m'a motivée pour partir faire de l'humanitaire, c'est que je ne servais à rien dans la société dans laquelle j'étais. Je travaillais, je gagnais bien ma vie, et tout ça pourquoi ? Je me suis dit un jour : « Pourquoi, je fais ça ? » Voyager, pour moi, a toujours été ce que je voulais faire. Je suis allée à la fac prendre un cours d'anglais intensif pour partir. Et la guerre a éclaté en Bosnie ; je parlais déjà une seconde langue qui était le yougoslave, à l'époque, mais qui est aujourd'hui le serbe. Et je me suis dit : « Peut-être que cette langue qui ne m'avait jamais servi qu'à communiquer au sein de ma famille va enfin m'être utile à autre chose. » Et donc je me suis présentée dans une organisation humanitaire, à côté de chez moi, à Lyon, et là j'ai été happée immédiatement.

Aïcha / *Vit au Mali*
Chaque jour que tu vis, ton esprit s'éveille par rapport à la veille. Tes yeux s'ouvriront davantage, et tu apprendras des choses que tu ne savais pas hier. Tu ne te réveilles pas aujourd'hui avec ce que tu avais en te couchant hier. Voilà à quoi sert d'être en vie.

Ato / *Vit à Shanghai, Chine*
Le sens de la vie, c'est de profiter de ses sens. Parce que les sens sont les plus proches... Je crois à l'« ici et maintenant », je n'aime pas trop les choses lointaines. Je crois aux choses les plus proches ; ma peau, mes sens, mes yeux, je profite de tout. Pour moi, c'est le plus grand cadeau de la vie.

Ali / *Vit en Israël*
La vie, c'est une odeur. La vie, ce sont des couleurs. La vie c'est une peinture. C'est la vie, quand vous vous habillez bien, c'est une partie de la vie. Quand vous prenez une douche, c'est une partie de la vie. Quand vous donnez naissance, la naissance des enfants, c'est la vie. Quand il y a les changements de saison, c'est une merveilleuse vie : la neige, le désert, le nord, le sud. La vie, pour moi, c'est par elle-même qu'elle est le sens, dans le mot « vie » vous avez la vie.

Allen

Vit à La Nouvelle-Orléans, États-Unis

J'ai une foi à toute épreuve. [...] Je suis un fervent croyant. Ce n'est pas une question de religion, c'est une question de croyance.

Présentation / Je m'appelle Allen. J'ai soixante ans. J'ai un frère aîné qui a cinq ans de plus que moi : on est nés le même jour à cinq ans et douze heures d'intervalle ! Je suis le troisième enfant.___Je suis marié depuis plus de vingt-cinq ans à une très belle femme qui s'appelle Linda. On s'est mariés en 1980 ou 1988 : aucun de nous deux ne se rappelle exactement la date, il faut qu'on regarde les documents officiels pour savoir !___Je suis en invalidité aujourd'hui et je travaille à temps partiel. Je suis chef d'entreprise dans l'événementiel : j'ai produit des festivals et des événements culturels à La Nouvelle-Orléans que j'ai exportés un peu partout dans le monde.

Rêves d'enfant / Mon grand-père avait un salon de coiffure qui marchait bien, ici, à La Nouvelle-Orléans. Quand j'étais assis sur ses genoux, il nous disait toujours qu'il voulait qu'on soit docteur, avocat ou chef indien. Et comme *chef indien*, ça aiguisait ma curiosité, je lui demandais : « C'est quoi, un chef indien ? » Et il me répondait : « C'est quelqu'un qui touche à tout. »___Du coup, tout au long de ma vie, j'ai essayé d'apprendre des tas de choses. J'ai fait plusieurs métiers avec succès, grâce à l'influence de mon grand-père. Le sens des affaires, il me vient de ma famille. Et aussi être à l'heure. La dernière chose que ma mère m'ait dite, c'était que c'est important d'être à l'heure !

Appris de ses parents / Mes parents m'ont transmis plusieurs choses. Les plus importantes sont la fierté, l'intégrité et l'honneur. Être un homme de parole. Ne pas mentir, quelles que soient les circonstances. Ne pas dépendre des autres. Toujours se mettre en position de tendre l'autre joue. Aimer son prochain et être de ceux qui aident les autres quand ils en ont besoin.

Rêves actuels / J'ai eu une vie bien remplie, grâce à Dieu. J'ai voyagé sur les cinq continents. Je n'ai pas de rêves personnels, mais j'ai des rêves pour les autres. Pour les membres les plus jeunes de ma famille et de ma communauté : que tout le monde soit uni et en bonne santé. J'ai vraiment eu une vie merveilleuse ; c'est toujours le cas aujourd'hui et ça va continuer ! Je suis toujours dans l'action, je ne me contente pas de rêver. Je fais ce que j'ai décidé de faire.

Travail / J'ai fait beaucoup de boulots différents… J'ai porté et je porte toujours toutes sortes de casquettes ! J'ai fini par devenir producteur d'événements, coordinateur : j'étais chargé de la planification. J'ai tout fait.___J'ai fait des boulots manuels… Je peux faire n'importe quoi. Je peux balayer, je peux faire de grandes choses dans les affaires… J'ai vendu des assurances vie, des assurances maladie, des voitures ; j'ai organisé des festivals et des événements de grande ampleur ; j'ai travaillé dans l'industrie hôtelière… J'ai vraiment tout fait.___Aujourd'hui, je travaille comme… Je suis en invalidité : j'ai une maladie respiratoire. Donc, je dirais que je suis retraité pour cause d'invalidité. Mais je continue à occuper des fonctions d'organisateur dans ma communauté. La Nouvelle-Orléans est complètement divisée à l'heure actuelle, et nous avons besoin de gens qui prennent les commandes : ce que j'essaie de faire. Nous en avons besoin en ce qui concerne les jeunes : l'éducation, l'école… savoir quelles orientations la ville va prendre.

Joie / L'un des épisodes les plus heureux de ma vie, c'est quand j'ai pu aller en Afrique du Sud. J'étais véritablement fou de joie quand je me suis retrouvé au sommet de la montagne de la Table. Pour moi, c'est un des plus beaux spectacles au monde. Et là, je me suis vraiment rendu compte à quel point Dieu est un véritable artiste pour avoir créé ce paysage !___Visiter l'Afrique après avoir entendu des tas d'histoires au sujet de ce continent, après avoir vu tous les films de Tarzan ici, en Amérique, m'a fait sentir un lien entre mes ancêtres et moi. Cela m'a toujours attiré et j'ai eu la chance d'y aller à plusieurs reprises et de me faire de nombreux amis qui aujourd'hui sont comme ma famille.

Je pense que la plus grande peur qu'on puisse éprouver, c'est la peur en elle-même.

Épreuve / Le moment le plus difficile et le plus douloureux que j'ai vécu, ça a été la mort de ma fille à vingt-six ans. Elle avait besoin d'une greffe du cœur et des poumons. Je l'ai vue souffrir pendant six mois ; elle a été très courageuse. Jamais elle n'a dit : « Pourquoi moi ? » Jamais elle ne s'est plainte. Et là, j'ai su qu'il y a bel et bien un Dieu et que Jésus-Christ est une entité à part entière. Ça n'a fait que me conforter dans mes convictions et ça m'a rendu meilleur.___Cet instant où j'ai regardé ma fille dans les yeux, alors qu'elle était en train de mourir, alors que Dieu la rappelait à Lui, avec la présence de Dieu et de mes parents pour la recevoir dans le Royaume saint... Devoir faire face à ce moment a été extrêmement dur dans ma vie.

Religion / Peu importe la religion qu'on pratique. Moi, je suis catholique et j'ai ma propre relation avec Dieu et avec Jésus-Christ. J'ai ressenti la présence de Jésus-Christ quand ma fille est morte ; j'ai senti la présence des anges qui étaient avec Lui, c'est-à-dire mes parents qui venaient chercher ma fille. Je savais qu'ils étaient là, je les sentais.___J'étais un enfant un peu particulier. Je suis né avec ce qu'on appelle une « membrane » sur le visage. Ça vient du ventre de la mère. J'ai une perception très développée de ce que je vois et de ce que je crois. Grandir à La Nouvelle-Orléans n'a pas été simple. C'est un environnement difficile et je sais que Dieu a toujours été avec moi, tout comme Jésus-Christ et l'Esprit-Saint.___J'ai une foi à toute épreuve. Je suis persuadé que Dieu existe et que Jésus est monté au ciel et s'est assis à Sa droite. Je suis un fervent croyant. Ce n'est pas une question de religion, c'est une question de croyance.

Dieu / Pour moi, Il est inimaginable : Il est tellement grand, tellement puissant ! Il prend forme humaine à travers Jésus et je l'imagine comme sur toutes les images qu'on voit : avec une barbe, comme moi, de longues *dreadlocks*, les cheveux crépus, le teint mat.___Du fait que je travaille avec des enfants et des personnes âgées, je vois la bonté et l'aura de Dieu. Mais je vois la présence physique de Jésus. Je vois la Sainte Trinité quand je pense à eux : Dieu le Père, Dieu le Fils et Dieu le Saint-Esprit.

Peur / Je n'ai pas beaucoup de peurs dans la vie. J'ai peur de l'ignorance. Mais je pense que la plus grande peur qu'on puisse éprouver, c'est la peur en elle-même. Et du fait que je chemine aux côtés de Dieu et de Jésus-Christ, je n'ai peur de rien.

Tuer / Je serai toujours maître de moi. « Tu ne tueras point » est l'un des dix commandements. Ce n'est pas mon genre de tuer quelqu'un. Ni mon rôle. Ça peut m'arriver de le dire, mais je ne le ferais pas. C'est à Dieu de voir ça, c'est Dieu qui s'occupe de ça. Pas moi.

Après la mort / J'imagine quelque chose de merveilleux. Pas de maladies, pas de crimes, pas de mensonges. Des tas de belles fleurs et de gens magnifiques qui n'ont rien à cacher et qui du coup se promènent nus, exactement comme Dieu l'a voulu quand Il a créé l'homme. Quelque chose de merveilleux dont la faim et la maladie sont absentes. C'est comme ça que je vois ça.

Pardonner / Ce qui est impardonnable pour moi, c'est le mensonge délibéré, la falsification de la vérité, le vol, le fait de tuer. Il est difficile de pardonner à quelqu'un qui ne dit pas la vérité. C'est dur. On peut pardonner, mais c'est très dur.___Il y a un vieil adage à La Nouvelle-Orléans qui dit : « Ne me fais pas pipi sur la jambe en me faisant croire qu'il pleut. » C'est une phrase qui me correspond. Ne me raconte pas qu'il pleut. Je sais mieux que toi.

Colère / Le gouvernement... La façon dont il est intervenu ici après Katrina. La manière dont le gouvernement fédéral nous a quasiment laissés tomber. Le gouvernement qui est incapable de prendre des décisions. Les instances dirigeantes au niveau des villes qui sont incompétentes. Ça m'énerve.___Dix-neuf mois se sont écoulés depuis Katrina, et c'est actuellement notre deuxième saison cyclonique ! Et vous pouvez voir d'après les rambardes, sous le porche, qu'on vit tous dans des conditions pénibles. On attend l'intervention des compagnies d'assurances et l'aide du gouvernement fédéral. Mais ça prend trop de temps !___Chez moi, c'est encore sens dessus dessous. Je ne peux même pas vous inviter : il y a des trucs partout. J'essaie d'arranger ça... Et pourtant, j'ai plus de chance que la plupart. Je m'en suis mieux sorti. Ce n'est pas drôle de vivre dans une caravane prêtée par le gouvernement !

Avenir du monde / Je pense qu'avec la diminution de la couche d'ozone et la fonte des glaces au Groenland et en Antarctique, on a devant nous une masse de problèmes. Les eaux vont monter. Il va y avoir des inondations dévastatrices et une grande partie des terres actuelles vont être englouties sous les eaux.

Pouvoir / Ce n'est pas moi qui décide de la politique, ni dans le monde, ni aux États-Unis, ni à La Nouvelle-Orléans. Je ne suis qu'une personne parmi d'autres qui essaie de vivre au milieu de tous les maux créés par ceux qui ont le pouvoir.___Ce sont les puissants, les riches, ceux qui brassent l'argent qui créent les problèmes. Ce ne sont pas les petites gens comme moi. Moi, j'essaie de survivre à tout ça. J'essaie de vivre, simplement.

Amour / J'aime ma femme. On est ensemble depuis le jour où l'on s'est rencontrés... depuis la deuxième fois que l'on s'est rencontrés, plus exactement. Depuis, on ne s'est plus quittés. Elle m'aime de tout son cœur et moi aussi. Ce n'est pas seulement une question de sexe, c'est aussi une affaire d'émotions.___C'est quelqu'un d'adorable, je la trouve belle et j'ai vraiment beaucoup de chance de l'avoir dans ma vie. J'espère qu'elle pense la même chose de moi !___Personnellement... j'adore explorer différentes choses et j'adore la passion qui va avec. J'aime l'orgasme physique et mental. J'aime sourire, flirter. J'aime le sexe, mais je n'apprécie pas l'exploitation qui en est faite. J'aime les femmes. Je pense qu'elles ont été créées pour que j'en profite !___Il y a une certaine puissance dans l'amour et je veux que la personne le sente. Ça me rend vraiment heureux et je suis enchanté par ce don que Dieu m'a fait en tant qu'homme : le corps d'une femme, son âme et son esprit. J'adore. Mesdames, je vous aime ! Vous êtes ce qui se fait de mieux!___Je préfère vous regarder droit dans les yeux et vous dire que je veux coucher avec vous, plutôt que de vous regarder droit dans les yeux et vous dire que je vais passer le restant de mes jours avec vous. Dans un cas, c'est la vérité ; dans l'autre, c'est parfaitement malhonnête. Parce que je ne quitterai jamais ma femme pour un autre amour ou pour de l'argent, mais je coucherai bel et bien avec vous. Vous voyez ce que je veux dire ?___Je n'ai pas la même mentalité que la plupart des Américains. Je ne suis pas pour la polygamie, mais j'ai des convictions profondes : il y a des choses auxquelles je ne renoncerai pas, sans pour autant les encourager ; mais je n'y renoncerai pas. Et la raison, c'est que je veux être honnête avec moi-même, avec qui je suis, avec ma sexualité. Parfois, quand vous avez été habitué aux pommes, le fait de manger une orange vous les fait apprécier d'autant plus...

Changer sa vie / Ma plus grande ambition dans la vie désormais, ce à quoi je voudrais vraiment parvenir, c'est à être en bonne santé. J'ai une maladie respiratoire contre laquelle je me bats. Je voudrais guérir pour être à nouveau en bonne santé et pouvoir faire ce que j'aime : voyager, nager... des choses comme ça. Ça, c'est un problème pour moi.___Si je n'avais pas fumé pendant quarante ans, si j'avais été raisonnable et avais arrêté il y a très longtemps quand tout le monde était sensibilisé aux dangers du tabac, peut-être que je n'aurais pas cette maladie ! Si je pouvais changer quelque chose, ce serait ça !

Message / Mon message serait : si vous fumez, arrêtez ! Arrêtez ! Votre corps et votre vie, c'est trop important. J'ai soixante ans. Je suis un homme plein d'entrain et très jeune d'esprit.___Mais, comme j'ai fumé pendant de nombreuses années, j'ai dû renoncer aux activités que j'aime – voyager, danser, nager – parce que je ne respire pas correctement. Mes poumons ne fonctionnent qu'à 50 %. Donc, si vous fumez à cause des études ou parce que vous êtes accro, s'il vous plaît, arrêtez ! Ce n'est pas bon !

Yovana

Marcos

Naba Manega

Dominique

Agnès

Cut

Alohosty

QU'EST-CE QUE DIEU POUR VOUS ?

Naba Manega / *Vit au Burkina Faso*
Est-ce que tu as vu Dieu ? Je suis né
en entendant le nom de Dieu, mais toi,
si tu as vu Dieu, tu n'as qu'à venir me
le montrer !

Cut / *Vit en Indonésie*
On ne peut pas voir Allah, on le sent
en regardant ce monde, tout ça c'est sa
création.

Alohosty / *Vit à Madagascar*
Je ne sais pas comment vous expliquer
ça, mais nous Malgaches qui sommes
ici par exemple, nous prions Dieu en lui
disant : « Oh Dieu, faites en sorte que
nous attrapions des poissons ! » Mais
en fait nous ne savons pas où Dieu se
trouve. Voilà comment je peux
expliquer ça. On ne peut pas expliquer
clairement les choses qu'on voit, mais
le matin, vous dites tout simplement :
« Oh Dieu donnez-moi de la chance ! »
C'est tout ce qu'on peut faire, mais on
ne sait pas où Il se trouve. On dit qu'Il
est en haut, mais on ne voit pas son
visage. Voilà comment j'explique ça.
On ne sait pas s'Il est en haut ou s'Il est
parmi nous, ici. On ne sait pas.

Marcos / *Vit au Brésil*
Je me souviens d'une petite fille
indigène, la première fois qu'elle a
volé dans un avion, elle a regardé par le
hublot et elle a demandé : « Papa,
ici c'est le ciel ? – Oui, ici c'est le ciel »,
a répondu son père. Alors la petite fille
a demandé : « Où est la maison de
Dieu ? » Quelle réponse pour cette
question simple, et en même temps
si compliquée ?

Yovana / *Vit en Bolivie*
Pour moi, mon Dieu, c'est une personne
bonne, grande, qui a un grand cœur,
et Il est africain, comme moi.

Dominique / *Vit en France*
Mon dieu c'est ma femme, et Il est
superbe. Il me fait des sourires tous
les matins, je crois que c'est la plus
belle chose.

Agnès / *Vit aux Pays-Bas*
Je pense que Dieu est assis sur une
montagne. Comme les dieux de l'Olympe
dans l'Antiquité grecque, mais disons
que là, il n'y a qu'un Dieu. Et Il est en
train de regarder ce putain de monde,
et Il est mort de rire. C'est un petit
bonhomme très méchant, perfide et
fainéant, qui est assis sur son cul et qui
regarde comment le monde est en train
de se casser la gueule.

On ne peut pas
voir Allah,
on le sent
en regardant ce
monde, tout ça
c'est sa création.

Nermeen / *Vit en Égypte*
Je distingue Dieu de la religion. Je ne crois en aucune religion. En ce qui concerne mon Dieu, ce n'est pas le même Dieu que les autres. Je crée mon propre Dieu. Un Dieu que j'aime et qui m'aime. On se parle, on s'amuse et on se fait des farces, et d'autres choses dans ce genre-là. Pour moi, Dieu, c'est un copain amusant.

Houria / *Vit en Algérie*
Je lui raconte des choses que je ne raconte à personne d'autre. En France ils peuvent se confier à un prêtre par exemple, et ce prêtre n'a pas le droit de raconter ce qu'on lui a dit. Nous, on n'a pas ça en Algérie. Si tu te confies à un imam il ne va pas t'écouter, alors tu te confies à Dieu. C'est le meilleur ami, à mon avis.

Nadia / *Vit au Maroc*
Pour moi c'est le hasard. C'est le hasard qui a fait que le big-bang s'est produit. Alors on peut appeler ça Dieu aussi. C'est le hasard qui fait que la pollinisation des plantes a lieu, c'est peut-être Dieu... C'est le hasard. Ce sont deux notions qui se confondent dans ma tête, entre la divinité et le hasard, l'équilibre des choses.

Sune / *Vit en Suède*
Si on habite comme moi en pleine nature, c'est facile de croire en Dieu. C'est un miracle chaque année ! Quand les feuilles s'ouvrent, quand le soleil commence à chauffer et que les oiseaux font des petits. En même temps, je sais qu'il n'y a pas de preuves de l'existence de Dieu. C'est à chacun de croire en Dieu. J'espère qu'il existe un Dieu à qui on peut se fier si on en a besoin, mais c'est difficile.

J'essaie de croire en Dieu, mais je n'ai jamais réussi à m'en convaincre. Et je suppose que je suis quelqu'un d'agnostique.

Françoise / *Vit en France*
Je ne crois absolument pas en Dieu, je crois que je suis... Je n'ai pas un brin de mysticisme, en moi. Ce n'est même pas que je n'y crois pas, mais ça ne m'intéresse pas. C'est à côté de ma vie, ma vie est ailleurs. Si Dieu existait, alors oui il existerait, mais ça ne changerait rien à ma vie.

Galina / *Vit en Sibérie, Russie*
Vous savez, pendant l'époque soviétique, toutes les églises étaient détruites et les gens étaient athées. Il y a eu de la propagande, mais avec le temps on a compris que Dieu existait.

Burwell / *Vit en Nouvelle-Zélande*
J'essaie de croire en Dieu, mais je n'ai jamais réussi à m'en convaincre. Et je suppose que je suis quelqu'un d'agnostique.

Vairava Sundaram

Rafaela

Sabine

Ann

Jamie

Lakshmi

Sabine / *Vit à Berlin, Allemagne*
Quand ma mère est morte, j'ai décidé
que Dieu n'existait pas. S'Il avait fait
souffrir ma mère comme ça, une femme
tellement gentille… Non, il n'y a pas de
Dieu ! Quand j'ai des soucis je ne prie
personne, mais j'espère. C'est aussi une
sorte de croyance, on espère que tout ira
bien. Chacun cherche une croyance à soi,
et pour moi, la croyance, c'est l'espoir.

Ann / *Vit à Hong Kong, Chine*
Je pense que je suis ma propre déesse.
Tout dans votre vie est sous votre propre
contrôle. Vous devez compter sur vos
propres mains, sur votre propre volonté
et sur vos propres décisions pour
travailler à votre façon. Donc je pense
que je crois plus en moi, je me repose
plus sur moi que je ne crois en quelque
chose de spécifique.

Rafaela / *Vit à Cuba*
Non, je crois en moi, pas en Dieu.
Je crois en moi, en ce que je vois. Je crois
en notre commandant en chef, parce
qu'il nous a apporté le progrès, je crois
en mes parents, je crois en l'Homme.
Je crois en ce que je vois.

Vairava Sundaram / *Vit au Tamil Nadu,
Inde*
Je ne crois pas en l'Homme : depuis que
j'ai vraiment foi en Dieu, je n'ai eu que
des bonnes choses dans ma vie. Je ne
crois vraiment pas en l'Homme. Je ne
commets pas d'actes répréhensibles,
j'évite toujours les situations de conflit
avec autrui, je me tourne plutôt vers
la prière.

Lakshmi / *Vit au Tamil Nadu, Inde*
Quand on me pose cette question,
je suis très embarrassée parce que c'est
comme dire : « As-tu un nez ? Peux-tu
respirer ? Dors-tu ? » C'est aussi simple
que ça. Nous existons avec l'idée de
Dieu, et c'est naturel pour nous. Nous
n'avons pas à l'expliquer.

Jamie / *Vit à La Nouvelle-Orléans,
États-Unis*
J'ai été prêtre pendant six ans : ce fut
une période très joyeuse de ma vie. Moi,
je cherchais à enseigner, jusqu'au jour
où l'on a remis en question ma façon
de faire et les supports que j'utilisais :
les Écritures et les gospels. Mon évêque
m'a convoqué et m'a dit que quelqu'un
m'avait accusé d'hérésie. « D'hérésie ?
Mais de quoi parlez-vous ? » J'ai donc
expliqué que j'utilisais ces sources pour
que les gens réfléchissent à ce en quoi
ils croyaient. Il m'a alors répondu :
« Votre boulot n'est pas de leur apprendre
à penser mais de leur apprendre à
croire. » Alors la flamme s'est éteinte en
moi. « Vous avez raison ! Je ne suis pas là
pour apprendre aux gens à croire mais
pour leur apprendre à penser. » Avec ça
j'ai perdu toutes illusions concernant les
institutions religieuses et j'ai eu besoin
de passer à autre chose. C'est ce que j'ai
fait. J'ai commencé à enseigner, et je
parviens à faire réfléchir les gens.
Du moins je l'espère.

Walid / *Vit en Algérie*
Je crois en Dieu, je crois en un Dieu juste. Mais pour dire la vérité, il m'arrive parfois de douter, parce que je trouve ça trop facile de se dire que Dieu existe. Parfois on se dit qu'Il existe pour se faciliter la tâche parce que la vie est trop dure, parce que la vie est moche. On a tendance à se dire : « Il y a un bon Dieu, même si maintenant je vais mal, plus tard j'irai bien, j'irai au paradis. » Parfois je me dis que c'est peut-être une invention de l'homme pour se rassurer. Mais malgré ça j'y crois. Je me trompe peut-être, je me mens peut-être, c'est possible, mais c'est un mensonge salvateur, un mensonge qui fait du bien. Donc peu importe si c'est vrai ou faux : je crois en Dieu.

Sophie / *Vit en Grande-Bretagne*
À l'adolescence j'ai commencé à me poser des questions. Et c'est vrai qu'une fois que j'ai eu dix-huit ans, je ne sais pas si c'est le fait de devenir majeur mais en tout cas j'ai clairement voulu prendre des distances avec tout ça. Je considérais que la religion permettait aux gens – c'est peut-être fort ce que je vais dire – d'éviter de se poser des questions. C'est confortable. Ils ont des réponses qu'on leur apporte sur un plateau, en ce qui concerne l'univers, la création, et tout ce qui s'ensuit.

Josiane / *Vit en France*
Je crois en Dieu quand ça m'arrange, malheureusement… enfin, heureusement. J'ai été élevée chez les sœurs, je ne suis pas pratiquante, mais au moindre problème de santé avec mes enfants ou mes petits-enfants, je me raccroche à Lui.

Charlene / *Vit à Los Angeles, États-Unis*
Oui je pense avoir à honorer Dieu dans ma vie quotidienne. Pour être honnête avec vous, après être tombée malade j'ai eu du mal à honorer mon Dieu. J'étais très très en colère contre lui mais cela ne m'a pas fait de bien, j'ai dû revenir vers lui. Aujourd'hui je ne parle pas à Dieu comme j'avais l'habitude de le faire : je priais quotidiennement, je le remerciais pour mes bénédictions et lui demandais pardon pour mes péchés… Je le fais encore plus ou moins chaque jour, mais je ne l'honore pas autant qu'autrefois.

Claude / *Vit en France*
Ma religion à moi c'est ma religion à moi. Je n'ai besoin de rien ni de personne, ni de trucs tout faits. La religion, c'est comme les réfrigérateurs ou comme les voitures : il y a des marques différentes qui servent exactement à la même chose. Pour moi la religion, c'est de foutre la paix aux gens et que les gens me foutent la paix. Moi, mon dieu, disons que ce serait le soleil. Chaque jour quand je suis sur mon banc en train de manger mes sardines, je lève mon verre vers le soleil et je dis : « Phébus, à ta plus grande gloire ! »

Je crois en Dieu quand ça m'arrange, malheureusement … enfin, heureusement.

Josiane

Walid

Charlene

ophie

Claude

Marie-Jeanne

Lysiane

Shabnan

Cristina

Bassem

Lysiane / *Vit à Tahiti, France*
Personnellement je crois en Dieu. Mais je ne crois pas au Dieu qu'on nous a inculqué depuis notre plus tendre enfance ; c'est-à-dire le Dieu avec Jésus et Marie, et tout ça, toute l'éducation religieuse catholique... Je suis protestante, mais moi je crois beaucoup plus au dieu de la nature, je crois beaucoup plus au vent, à la pluie, au soleil, à l'oiseau qui passe. Bizarrement, il y a un petit oiseau avec un long bec qui longe toujours le littoral, au bord de la mer, il émet parfois un petit cri, et chaque fois que j'entends ce petit cri-là, il y a toujours une mauvaise nouvelle. C'est bizarre. Moi je crois en ça.

Cristina / *Vit en Italie*
Je suis très dure sur ces choses, mais croire en Dieu en 2008, c'est un peu comme croire au père Noël. Au père Noël on cesse d'y croire à cinq ans, pourquoi croit-on en Dieu jusqu'à la fin ? Au fond, qu'est-ce que ça change ? Dieu a été créé à l'image de l'homme, je ne comprends pas pourquoi les gens s'obstinent à croire en lui, et surtout qu'il y ait tant d'intérêts derrière.

Marie-Jeanne / *Vit au Rwanda*
Dieu ? Avant tout ce qui s'est passé, on croyait en Dieu, et on se sentait proche de Lui. Mais aujourd'hui, lorsqu'on commence à croire, on sent que cette croyance nous échappe. Lorsqu'on voit quelqu'un qui a tué notre famille et qui est en train de prier Dieu, quand on pense à ce qu'il a fait, à ce qu'il nous a fait, Dieu s'envole, et on commence plutôt à penser à cet homme.

Bassem / *Vit dans les Territoires palestiniens*
Que représente Dieu pour moi ? Parfois je pense qu'Il dort, qu'Il fait une grosse sieste. Parfois je me demande s'Il existe vraiment vu tout ce qui se passe dans le monde, tout ce qui change, tout ce qui nous entoure. Ça diminue la foi.

Shabnan / *Vit au Gujarat, Inde*
J'ai vu des gens partout disant : « Chaque religion parle de paix » ; mais où parlent-elles de paix ? Elles parlent de paix dans une forme très abstraite. En pratique, elles ne font que propager la haine et inciter les gens à s'entre-tuer. Moi je n'ai jamais vu aucune religion propager la paix, c'est seulement en théorie ; si vous commencez à lire n'importe quel texte religieux, vous vous rendez compte qu'il soulève une foule de problèmes. Je ne veux pas en parler parce que, à partir du moment où vous ouvrez la bouche, ça devient un blasphème. Mais étudiez n'importe quelle religion, oubliez les autres points de vue. Prenez l'égalité des sexes : il n'y a aucune religion qui donne un statut égal aux femmes, que ce soit l'islam, l'hindouisme ou le christianisme, aucune. J'ai de fortes objections envers ça, mais à partir du moment où on pointe du doigt, ça crée un scandale énorme, on a cinq maulvis (imams), cinq pandits qui s'insurgent et font du bruit.

Nasra / *Vit en Turquie*
Je n'oublie jamais les prières, je prie à midi et le soir. Ce n'est pas seulement la prière, j'obéis à Dieu : je ne mens jamais, il ne faut pas tuer, pas frapper. Qu'est-ce que Dieu nous a recommandé ? Tout ce qui est bon. Pourquoi abandonner le droit chemin pour suivre le mauvais ?

Gemdasu / *Vit en Papouasie-Nouvelle-Guinée*
Quand la religion est arrivée, tout ce que j'avais appris de mes ancêtres tumbuans a perdu sa valeur. Tout est confus pour moi dans la distinction entre le Bien et le Mal. Je crois en Dieu, mais je veux quand même être momifié après ma mort, selon nos lois tribales.
C'est après ma mort que je saurai qui du christianisme ou de mes croyances tribales a raison. Je ne sais pas. Tout ce que je sais c'est que je dois me faire momifier et placer dans la grotte sous mon village. C'est ce que je veux.

Kanha / *Vit au Cambodge*
J'ai dans mon idée que c'est Dieu qui nous a créés et a créé la Terre.
Et à l'école, les professeurs m'ont appris que ce n'est pas Dieu qui a créé la Terre, mais qu'elle est née avec la composition des galaxies dans l'espace, alors la science m'a dit autre chose que la religion. Tout ça se mélange dans ma tête.

Aviva / *Vit aux États-Unis*
Ma mère était parsie et zoroastrienne, elle ne pratiquait pas. Mon père était un hindou non pratiquant. J'ai eu une marraine juive, j'ai un prénom juif,

je suis donc allée à la synagogue plusieurs fois, j'ai des amis juifs. Je suis allée à l'école du dimanche de l'église épiscopale, puisqu'on disait que Jésus était juif. Puis je suis allée au lycée français de San Francisco où je suis allée au catéchisme catholique, puis je suis allée dans un pensionnat anglais où j'étais protestante anglicane à l'Église d'Angleterre. Donc, j'ai fait le tour de cette façon, et pour moi, c'est toujours la même chose, je ne suis pas très dogmatique, je crois aux choses spirituelles et je suis touchée par toutes les formes de religion.

Je crois en Dieu, mais je veux quand même être momifié après ma mort [...]. C'est alors que je saurai qui du christianisme ou de mes croyances tribales a raison.

Stephen

Vit en Papouasie-Nouvelle-Guinée

J'ai vécu des événements où la présence des esprits était évidente.

Présentation / Je m'appelle Stephen Day. Je viens d'Australie. J'habite en Papouasie-Nouvelle-Guinée depuis 1977.

Métier / J'étais venu ici pour les vacances, pour voir à quoi ressemblait cet endroit, et il m'a plu. Heureusement, ma femme l'a apprécié également, mes enfants aussi, alors nous nous y sommes installés. En Australie, j'étais fermier, mon père aussi. En Papouasie-Nouvelle-Guinée, beaucoup plus d'opportunités se présentent à nous, qui sortent de l'ordinaire.___Ici, on dit qu'un homme blanc est forcément l'un des trois « M » : mercenaire, missionnaire, mal adapté. Certains sont un peu des trois. Nous avons donc été attirés par le mode de vie de cette contrée. Quand nous sommes arrivés ici, juste après l'indépendance, c'était encore un pays où, quand on avait du talent, on pouvait gagner de l'argent. Il y avait toujours beaucoup d'emplois. C'est ce mode de vie si différent qui nous a attirés.

Famille / Que représente la famille pour moi ? Je n'ai pas de partenaire, j'ai une femme. Comme je ne suis pas moderne, j'ai de très vieilles habitudes, des valeurs et des principes. Je ne suis pas d'accord avec l'émancipation de la femme. Je pense que je suis chauvin. La famille, c'est la vie. Je trouve que les hommes célibataires sont un peu pathétiques. Et si je considère le monde moderne de l'Ouest, il semble que la famille n'existe plus. C'est chacun pour soi. C'est sans doute pour cette raison que les mariages ne durent pas : l'intérêt personnel l'emporte sur les valeurs que les gens confèrent à la famille. Quant à ma famille proche, mes frères..., je n'ai pas grand-chose à voir avec eux. J'habite ici, eux en Australie. Je les vois une semaine tous les deux ans. Nous avons en fait très peu de points communs.

Amour / La question, c'est : est-ce que je donne suffisamment d'amour ? La réponse est probablement non. Je ne suis pas du genre à câliner. Je suis né dans un monde étranger aux câlins. S'enlacer et s'embrasser ne font pas partie de mon système. C'est pourquoi je ne suis pas vraiment intéressé par la chose de l'amour. Je préfère le respect. Je préfère que les gens me respectent plutôt qu'ils m'aiment. Je suppose que s'ils te respectent, peut-être qu'ils t'aiment un peu. Mais je ne fais pas l'effort d'obtenir de l'amour des autres. Ça ne m'importe pas. S'ils m'apprécient, c'est pour ce que je suis, et c'est bien. Sinon, c'est leur opinion, et ils ont le droit de l'avoir.

Épreuve / Je suppose que l'éruption du volcan Rabaul a été l'événement le plus marquant de ma vie – ou de nos vies –, puisqu'elle l'a changée radicalement. Sans cette éruption, je ne serais pas là, en train de faire ce que je fais. Je mènerais une existence complètement différente. J'avais un bon business, en pleine croissance, qui présentait de nombreux avantages, mais qui a été ruiné par l'éruption. Si cela n'était pas arrivé, je ne serais pas là. Cette éruption a été la période la plus déterminante de toute ma vie.

Renoncer / Je crois que je n'ai renoncé à rien... Rien d'assez marquant pour que je m'en souvienne. Je veux dire, ça revient au même. Si tu grandis avec un sens aigu de la réalité, tu ne fantasmes pas tellement. Et quand tu entreprends quelque chose, tu le fais avec réalisme et réussis dans la plupart des cas.

Pleurer / J'ai récemment vu un film triste. Je pleure facilement, ça n'est pas compliqué. Je ne le fais pas devant les gens, bien sûr, mais...___J'ai beaucoup de mal avec la mort des enfants. Ça me touche toujours. Je possède une usine et nous fabriquons des cercueils. Nous en vendons deux cent cinquante par an environ. Bon, les gens naissent, vivent et meurent. Quelqu'un doit bien fabriquer les cercueils, et c'est ce que mon usine fait. Mais j'ai du mal avec les petits.

Joie / Ma plus grande joie... Les enfants, probablement. J'aime les enfants, les enfants m'aiment, étonnamment. Plus je vieillis, plus je suis ronchon. Mais j'aime regarder les enfants se conduire comme des enfants. C'est devenu difficile dans votre monde, où les enfants ne sont plus vraiment des enfants. À cause des jeux vidéo. Mais ici, dans ce pays, les enfants sont des enfants. De petits êtres qui s'amusent. J'adore les enfants. Et naviguer. J'adore naviguer !

Violence / Je suis très violent de nature et je ne m'en sens pas coupable quelle qu'en soit la démesure. Je suis de nature violente, mon père aussi, tous ses frères et cousins aussi... Je viens d'une lignée de personnes qui peuvent être très violentes. Mais je n'aime pas ça. Le fait d'avoir une nature violente ne signifie pas que je l'ai été. J'ai la mauvaise habitude de traiter les gens qui m'agacent avec violence. Mais je suis un grand garçon, et si tu l'es également, tu peux te débrouiller pour t'en sortir. La violence, je la retiens au fond de moi. Je suis souvent tenté d'envoyer mon poing dans la figure de certaines personnes, mais je parviens toujours à me contrôler. Je détesterais être quelqu'un de nature violente qui ne sait pas la contrôler. Ce serait comme se noyer, j'en suis convaincu.

Colère / Le mensonge, la malhonnêteté, la lâcheté, le manque de principe. Si tu veux une gifle, mens-moi. Et si je te démasque et que tu démens, alors là tu auras des ennuis. Parce que la malhonnêteté, le vol me font bouillir. Je déteste qu'on me vole.

Nature / Je trouve l'océan extrêmement beau. J'aime sa façon d'être paisible un instant et furieux l'instant d'après. Un peu comme moi...

Changer son pays / Les effets de la corruption sur un pays du tiers-monde comme ici ont des conséquences directes et évidentes de dégradation sur l'extrémité de l'échelle sociale. Si on éliminait la corruption de ce pays, qu'on prenait tout l'argent volé par les politiciens, les hommes publics, les hommes d'affaires..., qu'on les empêchait d'acheter des maisons en Australie ou en Nouvelle-Zélande, ou je ne sais où, et qu'on replaçait cet argent dans le système, ce pays serait bien meilleur pour le citoyen moyen. ___Ce que je ne veux pas voir, c'est la Papouasie-Nouvelle-Guinée devenir un pays presque entièrement composé d'hommes blancs. Le système naturel et social de cette région ne la prédispose pas à devenir une nation occidentale ou le pays industriel qu'elle n'est pas censée être. Ce pays demeurera un pays d'agriculture, où les gens sont libres de faire ce qu'ils veulent, c'est-à-dire vivre avec leur terre.

Dieu / Je suis très critique à l'égard du monde moderne des hommes blancs. Je crois que les humains ne peuvent survivre sans la religion. Or, le monde occidental a fortement abandonné la religion d'église. Ils pensent l'avoir remplacée par une autre religion, alors qu'ils l'ont remplacée par du matérialisme. Lorsque j'observe mes amis et ma famille ainsi que les gens que je rencontre ici, je vois que c'est leur obsession. Ils travaillent dur, se font beaucoup d'argent, et c'est toujours pour acheter des choses. ___Est-ce que je crois en Dieu ? Ce n'est pas que je n'y crois pas. Je suis un réaliste très borné. Personne ne m'a jamais montré ou dit quoi que ce soit qui me prouve l'existence de Dieu. Je ne l'ai jamais entendu – je le jure. Mais quand je regarde la nature, je dois admettre qu'il n'y a pas de coïncidence. Si on me dit qu'il n'y a pas de Dieu, on affirme aussi que toute cette nature est une coïncidence. Qu'elle s'est formée par hasard. L'univers s'est-il créé par hasard ? Je trouve cette hypothèse difficile à croire.

Après la mort / On ne peut croire à la vie après la mort que si l'on croit en Dieu. Alors je suis comme tout le monde : j'attends de voir. Cependant, je dois admettre que plusieurs fois dans ma vie, j'ai été en présence de phénomènes qui portent à croire en l'existence de fantômes. Si je me permets de croire aux fantômes, alors je dois croire à la vie après la mort. J'ai vécu quelques événements où la présence des esprits était évidente. Des lieux que j'ai visités, des choses qui s'y sont déroulées. Dans un sens, j'ai senti une sorte d'infiltration en moi, ou quelque chose comme ça. Or, je n'étais pas ivre, alors j'en ai déduit qu'il s'agissait d'esprits. Je ne sais pas si c'était le cas ou non, je n'ai pas cherché plus loin. Mais à cet instant, on m'aurait demandé s'il y a une vie après la mort, j'aurais sûrement dit oui. À présent, j'ai eu du temps pour y réfléchir ; j'y pense et argumente. Je ne sais pas. Le temps me le dira.

Nico

Olga

Marie

Fernando

Stéphanie

QUE CROYEZ-VOUS QU'IL Y AIT APRÈS LA MORT ?

Nico / *Vit en France*
La mort n'existe pas, rien ne meurt jamais, rien ! Même un son ne meurt pas, il va tourner autour de la Terre, indéfiniment, mais il ne meurt pas, rien ne meurt jamais. Une étoile filante n'est pas une étoile qui meurt, c'est une étoile qui évolue, qui va changer de dimension.

Olga / *Vit en Ukraine*
La mort vient, qu'on ait peur d'elle ou non. On n'échappe pas à la mort. On vit le temps qui nous a été donné par Dieu. Cela ne sert à rien d'avoir peur. Mourir dans la paix, c'est une bonne mort. Il ne faut pas avoir peur de la mort, mais personne ne veut mourir. Les vieux doivent mourir ; ce qui est triste, c'est quand ce sont les jeunes qui meurent.

Fernando / *Vit à Buenos Aires, Argentine*
La mort représente des pertes, beaucoup de cauchemars, et de la nostalgie. La mort a été présente dans ma vie depuis ma jeunesse ; j'ai vécu des décès de personnes proches depuis mon enfance, que je n'ai pas encore surmontés ou que je n'ai pas vraiment assimilés. Alors la mort est présente presque constamment. Très présente. C'est quelque chose de très familier pour moi.

Marie / *Vit à la Réunion, France*
Aujourd'hui j'accepte ma mort et celle des autres. Si je peux apporter quelque chose, je serai là pour accompagner ceux qui restent. Et c'est ce que l'on ne sait pas faire, ce qu'on ne sait plus faire. À la mort de quelqu'un, il faut être là pour celui qui reste. Celui qui est parti, il est parti, lui. Celui qui reste ne sait pas comment s'en sortir. Pour en arriver là où j'en suis… à la seconde où ça s'est passé [mort de son mari], je me suis dit qu'il fallait accepter, qu'il fallait s'en sortir et ne pas rester dedans. C'est le premier réflexe que j'ai eu, de vie, ou de survie, mais j'ai vu tellement de gens rester dans la mort que je me suis dit non, il ne faut pas rester dans la mort de l'autre. Il faut vivre sa vie jusqu'à sa mort. Et ne pas vivre dans celle de celui qui est parti.

Stéphanie / *Vit en France*
La plus grande épreuve à laquelle j'ai dû faire face, c'est la mort de mon grand-père. Je pense que tout le monde un jour connaît ça. Mais c'est un arrachement terrible, c'est un morceau de soi qui s'en va. C'est l'épouvantable gouffre de l'inconnu qui s'ouvre, ce sont les certitudes qui se pulvérisent. C'est le sentiment de l'injustice profonde de l'existence. C'est un désarroi total, une détresse, un vertige. Et c'est très beau en même temps, parce que ça relie à l'au-delà, et ça permet de concevoir ou de sentir qu'il n'y a pas que ce qu'on a vu qui compte et qui existe, mais qu'on est happé par quelque chose qui vous dépasse

absolument, qui s'appelle pour les uns la mort, pour les autres l'au-delà, pour les autres encore la métempsycose, le renouveau. On ne sait pas, en tout cas, quelque chose qui est bien au-delà de l'humain.

Fabrizio / *Vit en Italie*
Qu'est-ce que je crois qu'il y a après la mort ? Il y a deux possibilités. Il se peut qu'il n'y ait rien, mais c'est terrible de penser à ça. C'est une possibilité très sérieuse, car toutes les preuves que l'on a aujourd'hui tendent dans cette direction. La deuxième possibilité, c'est qu'il y a quelque chose, la justice, qu'il y a le paradis ou l'enfer, je ne sais pas, mais si cela est, ce sera très intéressant de le découvrir.

Amparo / *Vit en Espagne*
Pour les catholiques pratiquants, après la mort il y a la Gloire, où l'on pense aller parce qu'on n'a pas été méchant, on a été gentil.

José / *Vit en Espagne*
Je ne sais pas ce qu'il y a après la mort, par conséquent ça m'est égal. Ce n'est pas une préoccupation pour moi. Je préfère et j'espère qu'il n'y ait rien, parce que l'éternité… l'idée de l'éternité… Comme l'a dit Borges, « l'idée de l'éternité est bien plus terrible que l'idée de la mort en soi ».

Tono / *Vit en Espagne*
Moi, j'espère qu'il y a quelque chose après la mort. Parce que toutes ces personnes qui ont si mal agi, tous ces criminels qui ont tué des milliers de personnes… se retrouveraient dans le même endroit qu'une personne qui s'est consacrée à ne faire que le bien, qui a donné sa vie pour les autres ? Moi, je pense qu'il doit y avoir quelque chose.

Hamideh / *Vit en Iran*
Tous les actes que l'on a faits ici, on va les retrouver là-bas, comme un écho du son, dans l'autre monde, ils retournent vers nous. Au lieu de parler soi-même, ce sont les mains et les jambes, tous les membres du corps qui prennent la parole sur tout ce qu'on a fait et dit.

Salma / *Vit au Bangladesh*
Après la mort, comment sera l'autre monde ? Je pense beaucoup à ça. Je ne prie pas, je ne fais pas le ramadan (je ne peux pas). Dans l'autre monde, peut-être me brûlera-t-on. La souffrance, on ne la tolère déjà pas ici, comment pourrait-on la tolérer là-bas ? J'ai peur de ça.

Comme l'a dit Borges, « l'idée de l'éternité est bien plus terrible que l'idée de la mort en soi ».

amideh

Amparo

Fabrizio

osé

Salma

Tono

Jocelyn

Sovichea

Violette

Wayan

Joël

Saskia

Violette / *Vit au Liban*
Non il n'y a rien après la mort, rien du tout. Le paradis et l'enfer, tout est là, sur terre.

Jocelyn / *Vit en Nouvelle-Zélande*
Je crois que nous sommes comme des animaux. Lorsqu'une vache meurt dans son enclos, le fermier vient, creuse un trou et met la vache dedans. D'après moi, c'est la même chose pour nous.

Sovichea / *Vit au Cambodge*
Je crois qu'après la mort, il ne reste rien, comme pour la flamme d'une bougie. Quand on l'allume, elle diffuse de la lumière, c'est comme notre corps. Quand notre corps s'éteint, c'est comme le dernier souffle qui éteint la flamme. Il n'y a plus rien, il n'y a plus qu'à jeter la bougie. Je ne pense pas qu'il y ait quelque chose qui subsiste.

Joël / *Vit au Yunnan, Chine*
Donc on arrive pour procréer et puis après on disparaît ? S'il n'y a rien derrière, c'est tout de même assez affligeant ! Donc il faut quand même croire à quelque chose. Moi je pense que le jour où je vais mourir, j'ai bien réfléchi à ce que je dirai aux personnes de mon entourage ; si j'ai encore mes facultés, je leur dirai : « Moi, maintenant, je pars vers une nouvelle aventure. »

Wayan / *Vit en Indonésie*
Après la mort, les humains ne peuvent pas choisir ce qu'ils vont devenir. C'est Dieu, Sang Hyang Drama Kawi, qui choisit. Cela dépend de leurs actes dans la vie passée. S'ils ont été bons, ils entreront au ciel et ne seront pas réincarnés, sinon peut-être seront-ils réincarnés en être humain ou, pire encore, en plante ou en animal.

Saskia / *Vit en Allemagne*
J'ai eu l'impression que tous mes enfants avaient déjà eu des caractères, des âmes quand ils sont arrivés au monde. Ils n'étaient pas des feuilles vierges. D'où cela vient-il, d'où ont-ils eu ça ? Je ne sais pas. Peut-être est-ce parce qu'ils étaient déjà au monde. Je ne sais pas s'il y a une réincarnation, je ne sais pas, mais je suis sûre qu'on apprendra ce qu'il y a après la mort.

Non il n'y a rien après la mort, rien du tout. Le paradis et l'enfer, tout est là, sur terre.

Myriam / *Vit à La Nouvelle-Orléans, États-Unis*

Je crois en la réincarnation de manière assez bizarre, au sens où je sais que dans le corps il y a plein de choses : on a du zinc, on a du fer, de l'or... Et je pense que quand le corps se défait, on va dans la terre, on retourne dans la terre. Et peut-être qu'après on retourne dans un arbre, dans une rivière, et après peut-être que le petit bout d'or que j'ai en moi sera retrouvé par un pionnier, et peut-être qu'il en fera une bague ! Je vais me réincarner en bague au doigt de quelqu'un !
Je ne sais pas, peut-être que le calcium ou le magnésium aidera un arbre fruitier à pousser, et que cet arbre nourrira des gens... je ne sais pas. Je pense que c'est de cette façon que l'on se réincarne. Je ne crois ni au paradis, ni à l'enfer, ni au purgatoire, ni à quoi que ce soit.

Kole / *Vit en Éthiopie*

Quand quelqu'un meurt, nous, les Hamer, on pense qu'il n'y a rien après. Mais des gens de la ville sont venus au village pour nous expliquer qu'après la mort l'âme va dans le ciel. Mais nous, on continue à croire qu'il est juste mort.

Dulcie / *Vit en Australie*

Il est certain qu'il existe une vie avec Lui. Certains le croient, d'autres disent que non, que nous vivons seulement cette vie-ci... Mais ils seront bien étonnés quand leur âme se réveillera ! Pourquoi ? Parce que nous sommes des êtres spirituels. Ce corps n'est qu'une enveloppe. En nous se trouve un esprit qui nous maintient en vie. C'est pour cette raison que nous, peuple aborigène, vivons dans le monde de l'esprit, car nous savons qu'il y a une vie après la mort, c'est sûr. Certains disent que ce n'est pas le cas. Et puis, lorsqu'ils sortent enfin de leur enveloppe charnelle, ils restent bouche bée : « Oh ! je vis encore ? Il y a donc une autre vie !... »

Scott / *Vit en Ohio, États-Unis*

Après la mort, je sais ce qu'il y a ! J'ai fait trois overdoses, je suis mort. La première fois, je suis sorti de mon corps. Trois hit d'acide, de la vodka... je voulais être comme Jim Morrison, c'était mon héros, ou comme Bob Marley... Et je suis mort cette nuit-là, tout s'est mal passé, je suis mort ! Comment j'ai su ça ? J'étais au-dessus de mon corps, j'étais dans les airs et il y avait un type à ma droite, un black qui m'a dit : « Tu es content d'être mort ? T'es sûr de toi ? » Et je lui ai répondu : « Non, vieux, j'ai pas envie de mourir ! » Il m'a donc renvoyé dans mon corps. Ça, c'est la première fois que je suis mort.

Tamara / *Vit en Sibérie, Russie*

Comme Dieu m'a offert le don de clairvoyance, de communication avec les esprits, je pense que nos proches, après leur mort, vivent toujours, mais dans un autre monde, et ils prennent soin de ceux qui sont restés sur la terre.

Je vais me réincarner en bague au doigt de quelqu'un !

Scott

Dulcie

Myriam

Tamara

Kole

Luigi

Galina

Iosif

Nadeem

Angel

Immaculée

Galina / *Vit en Sibérie, Russie*
Je pense qu'après la mort il y a une vie sainte où je retrouverai ma fille. Croire en cette autre vie m'a apporté la paix après sa mort parce que je me dis que je vais la retrouver. Quand on me dit qu'il n'y a rien après la mort, je n'y crois pas, je me fâche et je réponds que ce n'est pas vrai. Je dis qu'il y a une autre vie parce que c'est le seul espoir que j'ai pour retrouver ma fille.

Angelo / *Vit en Italie*
Après la mort, je pense qu'il y a la vie, le début d'un nouveau cycle. Une fois, j'étais en sortie de classe à la basilique Saint-Pierre de Rome, c'était la première fois que je voyais une statue très importante : la *Pietà* de Michel-Ange. À ce moment-là, je devais avoir quatorze ou quinze ans, j'ai pensé : « Est-ce possible que cette statue sublime soit encore ici et qu'il ne reste rien de la pensée et de l'esprit qui l'a créée ? » Je ne pense pas qu'après la mort il n'y ait rien.

Luigi / *Vit en Italie*
Pour moi, après la mort, il n'y a que le souvenir de ceux qui t'ont connu et le souvenir de tes œuvres. C'est justement pour cela que j'ai fait le métier que j'ai choisi, c'est-à-dire professeur universitaire et chercheur. Pour pouvoir laisser quelque chose de tangible : mes livres, mes recherches, ou encore l'enseignement que j'ai transmis à mes élèves.

Iosif / *Vit à Moscou, Russie*
Je ne sais pas ce qu'il y aura après la mort, la seule chose que je voudrais, c'est que mes proches ne m'oublient pas. Que mes enfants, ma femme et mes petits-enfants viennent sur ma tombe, qu'ils me disent bonjour et au revoir.

Nadeem / *Vit au Pakistan*
Penser à la mort me donne davantage de volonté de vivre. Plus on vieillit, plus on y pense. Si on ne pense pas à la mort, on ne peut pas vraiment vivre les choses à fond. La vie n'est pas infinie. Notre temps est limité. Plus je suis conscient de la mort, plus je veux vivre les choses intensément. C'est important.

Immaculée / *Vit au Rwanda*
Moi je pense qu'après la mort, étant donné que je ne suis pas morte, il n'y a aucune raison que je ne garde pas l'espoir qu'il y ait une meilleure vie au-delà de la mort, mais en même temps mes enfants vivent heureux parce que je suis encore là. Il n'y a aucune raison que je pense aux mauvaises choses alors que je suis encore vivante. Moi, je pense au futur proche, à l'avenir, et tant que je serai en vie, c'est du côté de la vie que je me tournerai.

Penser à la mort me donne davantage de volonté de vivre.

Raatiraore

Vit à Tahiti, Polynésie française

La parole, elle n'est plus d'or : aujourd'hui, faites un peu que la parole soit d'or !

Présentation / Raatiraore. Mon prénom Raatiraore signifie littéralement « pas de chef ». Mais quand on gratte un peu, cela veut dire « égalité ». J'ai cinquante ans.

Famille / Dans ma vie, j'ai eu vingt-quatre enfants. Dix-sept sont de moi ; cela ne m'a pas empêché d'en adopter sept autres. Si c'était à refaire, j'en aurais quarante-huit. J'ai voulu avoir des enfants sans en être « propriétaire ». Ce sont eux, les propriétaires de leur avenir, pas moi ! Moi, je ne suis que leur géniteur. D'ailleurs, quand je les vois, je les appelle « mes spermatozoïdes ».___La famille, pour moi, c'est tout d'abord être responsable de ses enfants. Quand on a mis au monde des enfants, il faut être autoritaire. Autoritaire de quoi ? De la vraie vie ! C'est ça, la famille ! Et non être ensardiné comme dans cette société d'aujourd'hui ! Les gens sont comme des sardines : ils sont pressés, stressés… C'est pas possible, quand tu les vois !___Avec mes vingt-quatre enfants, c'est comme si ce n'étaient plus mes enfants. Je suis libre, je vis ma deuxième jeunesse. Donc, la famille, un jour ou l'autre, c'est soi : c'est son travail et puis ses amis. Et ses enfants… il faut qu'ils deviennent des amis, et non plus des enfants.

Épreuve / La plus grosse épreuve de ma vie, c'est de survivre. Quand j'avais douze ans, j'ai entendu le docteur dire que je n'avais plus que trois mois à vivre. Aujourd'hui, j'ai cinquante ans, lui [le médecin] il est mort… Je suis déjà allé pisser sur sa tombe.

Réussir sa vie / C'est d'avoir survécu à une condamnation à mort. À l'époque, j'étais un pré-ado, j'avais toute la jeunesse devant moi… Et puis mourir en trois mois… Non, c'est pas possible !___Donc, j'ai vécu la vie d'une autre manière. En oubliant la maladie. Cette maladie est devenue autre chose qu'une maladie : une chose contre laquelle je devais me battre. C'était ça ou crever.___Avec les années, j'ai fait des recherches sur le pourquoi du comment. Puis j'ai compris que c'était à cause des bombes, à cause des tirs aériens.___J'étais gamin et, lorsque toute la population devait rentrer, moi je restais à l'extérieur pour faire le *faapu*, le potager, ou donner à manger aux cochons. Donc, c'est tout à fait normal et logique : j'ai dû attraper quelques miettes de cette radioactivité.___J'ai dû me battre. Et je dis souvent à ceux qui ont été atteints de ça : « Il n'y a que vous qui puissiez guérir. Personne d'autre. Votre mentalité, votre façon de voir les choses... C'est tout. »

Pleurer / Pleurer ? Quand je pleure, c'est jamais de tristesse. Au contraire, je ris de tristesse et je pleure de joie ! Et quand je pleure, c'est vraiment de joie...___La dernière fois que j'ai pleuré de joie, c'était il y a une semaine : j'ai pu décrasser un jeune qui est resté dans la crasse pendant sept mois. J'ai pu le laver, le nettoyer... Et après, quand j'ai vu son sourire radieux, quand il s'est vu, habillé, coiffé, relooké... et qu'il ne s'est même pas reconnu dans la glace... J'ai tout d'abord éclaté de rire... Et j'ai pleuré... de joie !

Rire / C'était un jour à Bora Bora. J'étais sur une petite annexe de yacht. On était quatre : un Japonais, petit Bouddha, deux jolies vahinés et moi. Et puis, avec un petit moteur de six chevaux, on n'allait pas vite, il faisait chaud. Aussitôt, j'ai sauté à l'eau et le Japonais a fait comme moi. Mais quand il a fallu le remonter dans le bateau... c'était un hippopotame !___Une demi-heure après, je l'ai laissé me suivre dans le courant ; et puis, à un moment donné, j'ai gueulé : « Y a des requins !... » Je l'ai vu nager et remonter dans le bateau comme une libellule ! Ah, ça ! quand je repense à lui ou à un Japonais, je me marre !

Argent / L'argent, cela peut être le résultat de la réussite. Pour celui qui veut, qui bosse, moi je dis : le salaire d'un travail peut être l'argent.___Auparavant, mes ancêtres faisaient du troc. Et puis le Blanc a débarqué, et c'est là qu'on a vu l'argent. Maintenant on est plongé dans l'argent. Donc on a besoin d'argent. Tout s'achète et tout se vend : ça a été chanté !___Donc aujourd'hui, l'argent, il en faut. Mais avant, il faut bosser. Il faut gagner son argent à la sueur de son front ; il ne faut pas aller voler celui de l'autre ! L'argent, il ne faut pas qu'il soit sale. L'argent, c'est simplement le salaire de ton travail.

Pauvreté / La pauvreté ? Je vais peut-être être méchant, mais je pense qu'il y a plein de gens fainéants qui veulent tendre la main. Moi, je tresse la fibre de coco. Je ne prends que la fibre de coco pour pouvoir bien vivre.___Quand je dis « bien vivre », il faut savoir qu'en travaillant la fibre de coco, j'ai mis mon cul sur la chaise et j'ai bien réfléchi. C'est-à-dire que j'ai regardé si ce que j'allais faire pouvait me donner ce dont j'avais envie – c'est-à-dire répondre à mes besoins. Ce n'est que de la fibre de coco, mais la fibre de coco m'a permis de pouvoir m'en sortir.

Progrès / Le progrès en ce moment ? Si c'est pour voir les gens stressés, non merci ! C'est pas dans mon assiette.___Franchement, le progrès, ça dénature carrément un homme. C'est débile ! Mais le progrès... Il suffit d'appuyer sur un bouton pour avoir ce que l'on veut : le progrès a certainement des bons côtés. Mais si c'est pour stresser les hommes, non merci ! Pas pour moi !___Et puis, moi, en tant que polynésien... Quand je vois que dans la mère patrie, qui est la métropole, le progrès, il est arrivé après trois siècles ! Et moi, je n'ai fait que la moitié d'un siècle ! Il faut vraiment remonter le courant que les autres ont déjà remonté ! C'est la galère !___Le progrès... j'ai compris qu'il suffit simplement de comprendre. Tout ce qui est écrit dans toutes les langues. Donc, le progrès, c'est de pouvoir parler la langue du Gaulois, de l'Allemand, du Britannique, et lorsque tu sais leur langue, tu sais de quoi ils parlent. Donc, le progrès, pour moi, c'est de pouvoir suivre leur stress sans stresser !... ___C'est pour ça que je me suis mis à tresser, pour ne plus jamais stresser dans cette ère du progrès !!!

Dieu / Quand j'étais enfant, Dieu n'existait qu'à table. Il fallait prier. Et puis on ne se posait pas trop de questions : on faisait la prière, c'était une habitude.___Petit à petit, à quinze ans, j'ai mis pour la première fois les pieds dans un temple. C'est là que j'ai vu qu'il y avait un Dieu et j'ai d'emblée suivi ses écrits.___Et je me suis aperçu que ceux qui le suivaient faisaient carrément le contraire du Dieu qu'ils adoraient. J'ai donc quitté cette religion pour entrer dans une autre.___Ensuite, je me suis rendu compte que la vraie religion, quand on regarde, c'est de ne pas citer le nom de Dieu. Pourquoi ?___Parce qu'on n'en est pas digne en tant qu'être humain. Donc, pour moi, Dieu n'existe pas, mais quelque chose existe qui n'a pas de nom.

Après la mort / Après la mort, si tu veux, c'est la vie de l'esprit. Pourquoi ?___Parce que, par rapport à la croyance de mes ancêtres, l'esprit existe : le Mana. Le Mana spirituel, le Mana qui vient de Rao Nui, c'est-à-dire de ce Dieu dont on ne peut pas citer le nom. Il existe.___Donc, pour moi, lorsqu'on meurt... J'ai eu un accident... Je suis parti de l'autre côté et je suis revenu. Et je ne voulais pas retourner dans ce monde... Donc, lorsqu'il m'a fallu retourner dans cette enveloppe charnelle... beurk ! J'avais l'impression de rentrer dans un puisard. Mais j'étais obligé !___La mort ce n'est pas la fin. Au contraire, j'ai hâte de crever ; je ne veux pas me suicider, non ! Mais mourir naturellement. J'ai hâte de crever, mais je profiterai au maximum de la vie en tant qu'être humain, parce que la vie, elle est plus belle en tant qu'esprit. Ça, je l'ai vécu pour le dire.

Poème / J'ai bourlingué par ce monde___Et j'ai constaté que c'est comme le sable de la plage___Tout s'effrite et mes genoux sont tombés___À Rurutu, à Tunua Toho No He.

Message / Moi, le message pour la planète ? On m'a tapé sur les doigts : être poli... La politesse... L'amour...___Et puis je m'aperçois que tous ceux qui sont venus détruire ce que vivaient mes ancêtres ne pratiquent même plus aujourd'hui ! Pourquoi ? Parce que la parole, elle n'est plus d'or : « Aujourd'hui, faites un peu que la parole soit d'or ! » Il faut, en plus, que ce soit écrit... Parce que, quand on a dit quelque chose, que la parole soit sacrée !___Donc, je m'adresse à tous les hommes politiques : « Quand vous faites votre politique, faites que vos paroles soient d'or ! O.K. ? »

Yovana

Sembal

Danielle

Carolyn

Cristel

QU'AIMERIEZ-VOUS DIRE
AUX HABITANTS DE LA PLANÈTE ?

Danielle / *Vit en France*
Je crois que pour envoyer un message qui soit compris aussi par ceux qui ne parlent pas français, je ferai comme ça : [voir photo].

Yovana / *Vit en Bolivie*
Je voudrais savoir si les gens sont aussi compliqués que moi, parce que, moi, je suis très compliquée ! Les gens qui vivent ailleurs sur cette planète sont-ils comme ça aussi, ou est-ce juste moi qui suis compliquée ?

Cristel / *Vit aux Pays-Bas*
Un message très très très simple : j'aimerais bien que les gens dansent un peu plus. Pas seulement dans les endroits où l'on est censé danser, mais aussi dans la rue, dans les magasins, au travail, au bureau... Faire une petite pirouette en marchant vers la porte, c'est superbe de voir des gens bouger ! Surtout les hommes hollandais, ils devraient danser beaucoup plus.

Sembal / *Vit en Éthiopie*
Je veux que les femmes comprennent que nous devons sérieusement prendre notre vie en main. Nos droits, nous n'avons pas à attendre qu'on nous les donne, mais seulement qu'on les reconnaisse. Nous avons ces droits ! Pour protéger nos droits, nous devons être fortes. Être fortes, indépendantes, et en même temps nous ne devons pas oublier de faire attention aux autres.

Carolyn / *Vit en Grande-Bretagne*
Dans mon rêve le plus grandiose, j'ai cette idée que toutes les femmes du monde se mobiliseront ensemble, qu'elles soient sous la coupe des talibans, de leur mari, d'elles-mêmes, de leur histoire... Que chacune se lève pour dire : « Ça suffit ! Essayons quelque chose de différent ! Essayons la voie de la paix et de l'acceptation, faisons en sorte que tous les traitements contre le sida soient gratuits, essayons d'être végétariennes pendant une année entière et voyons ce qui se passe. » J'ai toute une liste de choses, et je crois que c'est ce que je demanderais.
Je demanderais à toutes les femmes du monde de se lever et qu'ensemble elles disent, d'une voix forte et ferme, sans crier, sans hurler, sans se battre, qu'elles disent : « Ça suffit ; il faut s'y prendre autrement, alors essayons autre chose ! »

Je veux que les femmes comprennent que nous devons prendre notre vie en main.

Herminia / *Vit en Bolivie*
Je voudrais envoyer un message aux mamans et aux papas qui souffrent de violence. J'ai vécu cette expérience, cette mauvaise expérience, j'ai vécu trois types de violence, je les ai vécus, alors, je transmets ce message à mes enfants. Je leur dis : « Ça suffit la violence ! Ça suffit la maltraitance, l'injustice ! Cela doit se terminer avec vous, mes enfants, laissez donc ça à votre père, qu'il soit le dernier. Vous, vous êtes une autre génération, alors ça suffit, la violence se termine ici ! »

Ionel / *Vit en Roumanie*
Qu'est-ce que je pourrais dire à autrui en rapport avec ma propre vie ? Que j'ai peiné pour aller au lycée, que j'ai peiné dans les souterrains de la mine de charbon de Petrila. Pour réaliser quelque chose, on doit rêver. Là-bas, dans ces souterrains sombres, j'ai pensé à la lumière que donne la chaleur, et nous avons réussi à créer une association culturelle. Ça n'a pas été simple, ça n'a pas été facile, il y a eu beaucoup d'étapes mais chacun peut réussir s'il se considère comme un coureur de fond et s'il assume une devise du type : « N'aie pas peur d'aller doucement mais crains de t'arrêter. Rêve toujours, lutte toujours, et bats-toi pour tes rêves. »

Bjorn / *Vit en Suède*
Tout est possible, souvenez-vous-en, croyez-y. Vivez dans l'amour et rappelez-vous que tout est possible. Je me suis explosé le crâne, j'habitais à New York, j'étais toujours pressé, je vivais à fond, je vivais comme les personnages qu'on voit dans les films sur New York, je courais dans tous les sens, je courais chez les agents, je courais partout, et je me suis fait écraser par une voiture. J'avais de multiples fractures et je suis tombé dans le coma. Tout le monde me disait : « Tu ne pourras plus jamais marcher, tu ne pourras plus jamais faire les choses de base tout seul, tu auras besoin d'aide pour t'habiller, pour le restant de tes jours. » Je n'ai pas écouté, parce que depuis le début je savais que tout était possible. Lorsqu'on me disait : « Aujourd'hui, Bjorn, on va apprendre à descendre les escaliers, sans te tenir aux barres », je m'étais déjà exercé en secret depuis deux ou trois semaines. Les gens m'ont toujours dit que je suis tellement têtu que c'est difficile de passer du temps avec moi, mais parfois c'est un avantage d'être têtu. Croyez en vous-même, croyez en la vie.

Zohreh / *Vit à Los Angeles, États-Unis*
Vivez comme si vous viviez le dernier jour de votre vie. Ainsi dit le poète soufi Rumi : « Il n'y a que le présent ; le passé est fini, le futur est indéfini, il y a juste le présent. » Profitez de chaque moment comme si vous deviez mourir demain.

Inoussou Asséréou / *Vit au Bénin*
Ce que je veux ajouter, c'est qu'au-delà de ce que vous cherchez, il faut qu'il y ait une communion des êtres humains sur la terre. Il faut qu'il y ait plus d'amour entre les hommes au-delà de la couleur de leur peau. L'Histoire est l'Histoire, et si l'on regarde l'Histoire, nous ne sommes qu'un. Tu es blanc, c'est une couleur de circonstance, de la migration.

Herminia

Bjorn

ohreh

Ionel

Inoussou Asséréou

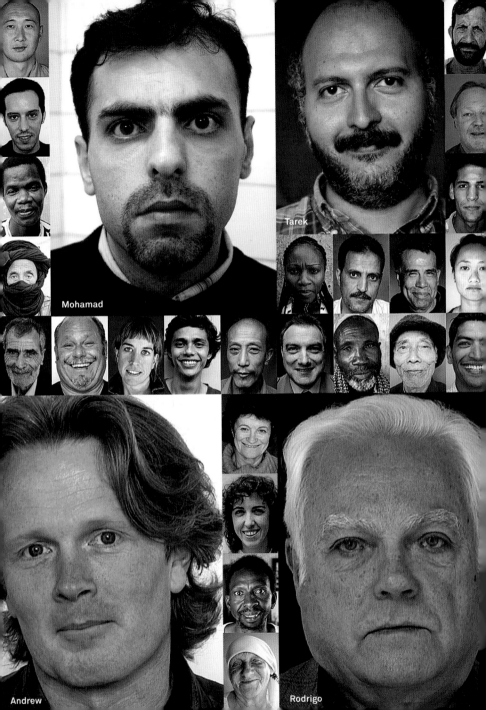

Mohamad

Tarek

Andrew

Rodrigo

L'humanité doit savoir que nous sommes un, dans la mesure où il n'y a que l'être humain sur la terre. La couleur de notre peau n'est qu'un phénomène climatique. Comment faire pour sauvegarder le genre humain ? C'est notre mission première, et toute civilisation qui ne lutte pas pour cette préservation sera la proie de toutes les idéologies.

Mohamad / *Vit en Iran*
J'aimerais transmettre un message au président des États-Unis, un message à votre président, ainsi qu'à mon président : qu'ils utilisent le pouvoir de manière à prendre un chemin pour le bénéfice de l'être humain, et non pour la répression ou pour faire disparaître des gens. Un enfant d'Afrique, quelle faute a-t-il commise ? Celle de naître en Afrique ? C'est Dieu qui a voulu qu'il naisse là-bas ; peut-être aurais-je pu naître aux États-Unis ? Je serais alors citoyen américain, ou dans votre pays ! C'est pour ça que vous devez regarder tous les humains comme égaux.

Tarek / *Vit en Égypte*
Prenez-moi, s'il vous plaît. Acceptez-moi, s'il vous plaît. Aimez-moi, s'il vous plaît. Je ne peux pas m'en sortir tout seul ! Entre l'âge de dix-huit et vingt ans, j'imaginais pouvoir vivre dans le désert, vivre au paradis, à l'abri des autres, avec personne d'autre que moi-même. C'était il y a seize ans environ. À présent, je ne peux pas m'imaginer vivre sans contact social. Cette relation sociale est pleine de larmes, de frustration, de déceptions, de désappointement, d'envie, de guerre, de haine, de racisme, de discrimination,

d'individus sauvages, de tout. Je vous en prie, prenez-moi. Vous voyez ce visage : il suffit que je me rase la barbe – je devrais vous montrer des photos de moi. Vous me reconnaîtrez même sans cette barbe, cette moustache et ces cheveux sales. Mais je suis la même personne, lunatique. S'il vous plaît, prenez-moi comme votre frère humain. Invitez-moi à boire du café ou pour un repas correct. Et je ferai la même chose.

Rodrigo / *Vit en Espagne*
Sentez-vous que vous faites partie de l'humanité ? Si oui, sentez-vous que nous sommes frères ? Et si vous vous sentez comme mon frère, m'aimez-vous ? Je réponds à cette question : moi, je vous aime.

Andrew / *Vit en France*
Écoutez-moi bien. Suivez vos rêves, remplissez votre tête de bons souvenirs, vivez votre vie, vivez chaque jour. Allez voir vos amis, dites-leur que vous les aimez, et prouvez-leur votre affection par vos actions. Montrez aux gens que vous êtes là. Montrez-leur que vous êtes présent. Le reste est sans importance !

Sentez-vous que vous faites partie de l'Humanité ?

Sanubabu / *Vit au Népal*
Je veux envoyer un message à Bina qui habite en France (sa fille qui a été adoptée en France): je souhaite qu'elle soit aussi heureuse que possible, qu'Alexandre repose en paix, et je souhaite qu'elle vienne de temps en temps au Népal. C'est ça mon message.

Fatima / *Vit en Tchétchénie*
J'aimerais dire aux gens quand ils m'entendront ou me regarderont qu'ils ne me jugent pas ! J'ai sans doute un air bien lugubre, mais c'est la guerre qui m'a rendue aussi sombre. De toute mon âme je souhaiterais sourire, parfois même cela me fait mal de ne pas pouvoir le faire. J'aimerais tellement être heureuse, mais je ne le suis pas, et je ne souhaite à aucune femme, à aucun individu, de vivre ce que nous avons vécu, ce que j'ai personnellement vécu. Je voudrais dire aux gens qu'ils doivent s'aimer les uns les autres, se respecter les uns les autres, et qu'ils fassent toujours en sorte qu'il n'y ait plus de guerre, nulle part, jamais.

Yannis / *Vit à New York, États-Unis*
J'aimerais demander : pourquoi les gens font-ils la guerre ? Pour moi le message est : «Laissez-nous, moi en tant que photographe, ainsi que mes collègues photographes de guerre, laissez-nous devenir chômeurs. Nous trouverons un autre boulot, c'est sûr !»

Yehuda / *Vit en Israël*
Un message en particulier pour les Palestiniens ? C'est quelque chose de très dur pour moi, je connais leurs conditions de vie. Les Palestiniens, c'est le peuple qui paie ce qui se passe ici plus que n'importe quel autre sans qu'il soit coupable, sans qu'il l'ait choisi. Personne ne lui demande ce qu'il veut. Ses dirigeants ont toujours dicté sa conduite. La preuve, c'est que ses dirigeants sont allés jusqu'à tuer les leurs. Pendant les émeutes de 1936, ils ont tué plus d'Arabes que de Juifs. Chaque Arabe qui avait un peu d'argent ou qui pensait qu'une coexistence était possible entre Juifs et Arabes a été contraint de quitter le pays. À ce peuple on ne peut pas parler, parce qu'on leur tire dessus. C'est pour cela que mon cœur est avec eux. Je connais parmi eux des gens tellement humanistes que chaque personne qui les croiserait devrait leur tirer son chapeau ; ce sont des gens vraiment humanistes, mais qui fait attention à eux quand leurs dirigeants leur mettent un fusil dans les mains et leur dictent quoi en faire ? Aujourd'hui, à Gaza, ils commettent des massacres parmi leur propre peuple. Que leur dire ? Qu'ils fassent quelque chose ? On va leur tirer dessus s'ils disent quelque chose. Je ne sais pas quoi leur dire.

J'aimerais dire aux gens [...] qu'ils ne me jugent pas.

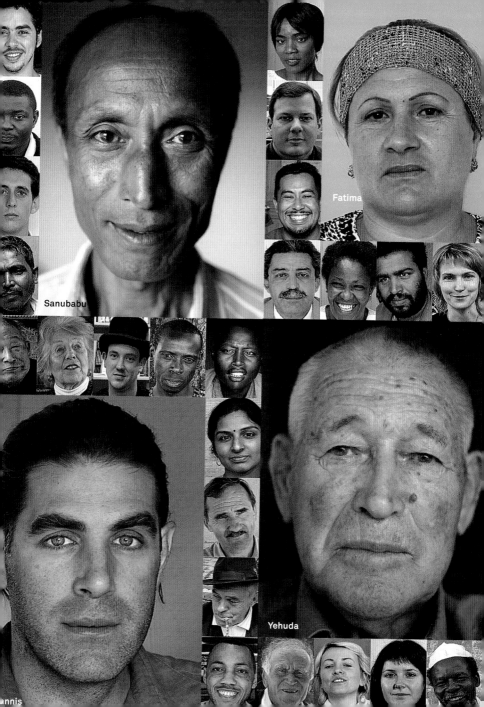

Sanubabu

Fatima

Yehuda

nnis

Nasser

Amal

Olga

Nasser / *Vit dans les Territoires palestiniens*

Voici le message que j'aimerais adresser à un Israélien : « En tant qu'Israélien, tu dois connaître les souffrances du peuple palestinien, et comprendre ce qu'endure le peuple palestinien, et te mélanger au peuple palestinien, afin de connaître ses souffrances. Tant que tu ne fais que regarder la télévision israélienne, votre télévision à vous, tes informations sont empoisonnées. Ce sont des informations empoisonnées !

Tu dois t'ouvrir davantage, et savoir comment te rapprocher des Palestiniens, passer des moments en leur compagnie, t'intéresser à leurs idées, leur communiquer les tiennes. C'est à travers ces pensées et à travers l'écoute mutuelle des souffrances subies que l'on peut réussir à trouver un terrain d'entente qui nous rapproche les uns des autres pour le bien de nos enfants et des vôtres. » Nous, Palestiniens, nous sommes des demandeurs de paix. Nous demandons la paix, rien de plus. Nous ne voulons pas tuer les Juifs. Nous, Palestiniens, nous demandons et réclamons de vivre en paix au côté de l'État d'Israël.

Olga / *Vit en Ukraine*

Le monde doit savoir. Les gens doivent voyager. Les peuples doivent savoir comment vivent d'autres peuples et ce dont ils ont besoin.

Amal / *Vit au Yémen*

Je veux juste poser une question : sommes-nous satisfaits de la situation actuelle de notre planète ? Dans les pays musulmans ? Dans les autres pays ? Allons-nous toujours rester comme nous sommes aujourd'hui, sans bouger, juste à regarder les choses comme elles sont, sans avoir de contact entre nous, tout simplement parce qu'il y a la peur ? Personne ne se dit que la peur menace nos enfants dans les années à venir. Personne ne réfléchit à ce qui les attend dans les années à venir. C'est une question et en même temps un message. J'espère que tout le monde y prêtera attention.

Sommes-nous satisfaits de la situation actuelle de notre planète ?

TABLE :

Au Mali ou en Bolivie, la mosaïque représentant des visages filmés dans le monde entier est le meilleur moyen d'expliquer le projet 6 milliards d'Autres. La diversité des visages étonne et amuse très souvent ! (Mali)

Chaque rencontre se fait d'une façon différente, improvisée ou préparée souvent grâce à l'interprète et à l'équipe de production à Paris. Ici, l'interprète d'Isabelle, maîtresse d'école dans un village indien à deux heures de route de Potosi, vient de la présenter à Patricio, agriculteur, à qui elle explique le projet grâce à la mosaïque... (Bolivie)

Isabelle, accompagnée de Yoko dans un hanamachi, quartier de geishas, a rencontré Sachiko dans son okiya, une maison de geishas. Sachiko a accepté l'interview sans problème : pour une fois, c'est d'elle dont on se préoccupe ! (Japon)

Après une première journée d'interviews, Baptiste et Sibylle, au Pakistan, passent en revue toutes les questions avec leurs interprètes pour trouver les formulations les plus justes. (Pakistan)

MILLIARDS D'AUTRES
en quelques images

Nicolas arrive à un village dogon. La conversation s'engage par quelques mots… Saïdou prend le relais pour traduire et explique la raison de la venue de Nicolas. Aïssata, méfiante, ne semble pas du tout vouloir répondre à des questions et être filmée… Arrivée au village, elle disparaît dans sa maison sans un mot. Dix minutes après elle réapparaît, vêtue d'un nouveau boubou et d'un nouveau turban. Elle est prête : «Quand commence l'interview ?» (Mali)

Avant de commencer l'interview de He zhe Hua, non loin de Lijiang, Chloé règle la colorimétrie de la caméra en filmant une feuille blanche : la balance des blancs. (Chine)

La complicité avec l'interprète est essentielle. L'émotion passe par les regards, par les mots entre les trois personnes, et la rapidité de la traduction est cruciale pour garder la conversation toujours vivante. (Chine)

Hussein a emmené Baptiste dans un village à une heure de Lahore, où il connaît une famille de paysans. Contrairement aux entretiens où l'intimité est recherchée, ici l'ambiance est collective ! Mohammed a envie de parler entouré de sa famille qui lui donne confiance. Difficile d'avoir le silence : chacun réagit, blague et veut participer ! (Pakistan)

À Salfiyt, dans les Territoires palestiniens, l'interview a lieu entre la maison de Hani et le mur de séparation. Médecins du Monde est parfois un précieux relais pour faciliter nos rencontres : une coordinatrice palestinienne de l'ONG a présenté Hani à Sibylle et fait la traduction. (Territoires palestiniens)

Dominique vient d'achever l'interview de Valeri, pêcheur de l'île d'Olkhon sur le lac Baïkal. Alors que seul le visage est filmé durant l'entretien, la dernière image est toujours celle d'un plan en pied. (Russie)

Après plusieurs jours de tournage, Nicolas et Sibylle se retrouvent pour quelques jours à Gargando, au nord de Tombouctou, dans la famille d'Intagrist. Le soir, la séance de « dérushage » commence : ils ré-écoutent les enregistrements pour sélectionner les réponses à garder. Nicolas travaille avec le troisième interprète différent depuis le début du voyage ! Après le peul et le dogon, Abdallah lui traduit le tamacheq, langue touarègue. (Mali)

Isabelle, de son côté, termine toutes ses traductions la veille de son départ car il sera difficile de trouver un traducteur de langue quechua à Paris. (Bolivie)

Ensuite, les équipes rentrent à Paris où se terminent les traductions. L'équipe de montage (Solveig, Sabrina, Véronique, Romain, Emmanuelle, Anny) découvre les interviews et prend le relais.
Puis l'équipe de production (Anne-Laure, Florent, Claire et Florian) prépare les tournages suivants.

ILS ONT FILMÉ, MONTÉ, ÉTALONNÉ, PRÉPARÉ, TRADUIT, DÉRUSHÉ, CORRIGÉ, ETC.

L'équipe de 6 milliards d'Autres...

Alexa / Nicolas / Anne-Laure / Emmanuelle / Ulla / Baptiste / Camille / Chloé / Christophe / Claire / Dominique / Anaïs / Estelle / Florent / Florian / Galitt / Giorgio / Inta / Isa / Juan / Julian / Juliette / Manu / Michel / Nico / Anne / Yann / Pierrick / Romain / Sabrina / Sibylle / Solveig / Solveig / Pierre / Véronique / Fanny / Virgile / Willfried / Anny / Thomas /

6 milliards d'Autres
et BNP Paribas :
une rencontre naturelle

Le partenariat de BNP Paribas avec « 6 milliards d'Autres » est né d'un sentiment partagé : ce sentiment d'humanité qui nous porte vers l'autre, au-delà de toute origine et par-delà toute frontière.

« 6 milliards d'Autres », au travers de 5 000 portraits filmés, donne du monde une vision à la fois profondément humaine et universelle. BNP Paribas partage cette vision qui correspond aux valeurs qui nous animent : la diversité, la solidarité et l'innovation.

Avec 168 000 collaborateurs de 160 nationalités différentes, BNP Paribas sait que la diversité est source de créativité et d'efficacité dont l'entreprise tire force et richesse.

Au-delà de sa confiance et de son soutien financier à ce projet unique, BNP Paribas a également participé par sa maîtrise des nouvelles technologies au développement du site collaboratif 6milliardsdautres.org.

BNP Paribas est, dans de nombreux pays, un mécène reconnu du monde culturel, social et associatif. Cette action s'inscrit dans le droit fil de notre raison d'être : donner vie à des projets porteurs d'avenir. C'est pourquoi nous avons souhaité, depuis son origine, soutenir cette œuvre créatrice aussi forte que généreuse.

Baudouin Prot
Administrateur Directeur Général
BNP Paribas

Remerciements :

Toute l'équipe de 6 milliards

Intagrist Ag Mohamed Mitta, Véronique Algan, Sabrina Auteau, Julian Bondroit, Anne-Laure Charriot, Christophe Daguet, Anny Danché, Joffrey David, Camille Dhont, Willfried Fedida, Nicolas Franck, Emmanuelle Gachet, Florian Geyer, Florent Gilard, Claire Guibert, Virgile Guihard, Nicolas Henry, Chloé Henry-Biabaud, Pierre Jacquin, Romain Julien, Galitt Kenan, Antoine Laurens, Pascale Leray, Dominique Llorens, Ulla Lohmann, Alexa Marie-Jeanne, Emmanuel Marx, Nicolas Millet, Fanny Mongrolle, Anne Nivat, Michel d'Orgeval, Juliette Penant, Anaïs Plancoulaine, Estelle Revelin, Solveig Risacher, Pierrick Robert, Solveig Rouchaud, Jean-Sebastian Seguin, Max Sivaslian, Thomas Sorrentino, Adèle Tayale, Lydie Turpin, Isabelle Vayron.

Nous sommes infiniment reconnaissants à toutes les personnes qui nous ont accueillis, nous ont donné de leur temps et ont accepté de partager leur expérience de vie pour réaliser ce projet.
Nous remercions également nos interprètes et traducteurs, partenaires indispensables de nos interviews, ainsi que tous ceux qui ont participé à l'aventure 6 milliards d'Autres.

L'Association GoodPlanet et l'Agence Altitude

et particulièrement Isabelle Bruneau, Véronique Jaquet, Françoise Le Roch', Emilie Plumail, Maryse Tordjman.

BNP Paribas,

et particulièrement Olivier Dulac, Sophie Maurice, Galdric Pons, Antoine Sire, Louis Treussard, Agnès Zevaco.

Ainsi que

Jean-Thomas Ceccaldi, Axelle Courier de Méré, Dominique Gimet, Béatrice Pacotte, Alain Taïeb.

Air France / Apple / Sony / Canon / Loca Images et particulièrement M.Tass. / LaCie / Lonely Planet / LowePro / Médecins du Monde / L'ONU / La FIDH / Le Ministère des Affaires étrangères

Devenez vous aussi acteur du projet sur www.goodplanet.org ou www.6milliardsdautres.org

Responsable éditoriale du livre pour Goodplanet : Emmanuelle Gachet / **Responsable éditoriale du livre pour les Éditions de La Martinière :** Isabelle Grison / **Conception graphique :** Marion Laurens pour Research Studio / **Exécution :** Audrey Hette / **Graphisme couverture :** David Millet et Alban Courtine

Photogravure : IGS
Achevé d'imprimer en février 2009
sur les presses de Artegrafica à Vérone
ISBN : 978-2-7324-3799-6
Dépôt légal : janvier 2009
Imprimé en Italie